Help! 1
Kunt u mij helpen?

De serie Help! bestaat uit:

Help! 1 - Kunt u mij helpen?
E. Ham, W.H.T.M. Tersteeg, L. Zijlmans
Docentenboek, cursistenboek, set van 2 geluidscassettes of 2 cd's, hulpboeken (Duits, Engels, Indonesisch, Spaans, Frans en Russisch), oefenmateriaal op cd-rom is in voorbereiding.

Help! 2 - Helpt u mij even?
E. Ham, W.H.T.M. Tersteeg, L. Zijlmans
Docentenboek, cursistenboek, set van drie audio-cd's.

Help! 3 - Zal ik u even helpen?
M.A. Dumon Tak, A.M. Fontein, L.H.M. van Palenstein
Docentenboek, cursistenboek, set van drie geluidscassettes.

Onafhankelijk van de serie Help! kan gebruikt worden:
Nederlandse grammatica voor anderstaligen.
A.M. Fontein, A. Pescher-ter Meer

help!

Een cursus Nederlands voor anderstaligen

Kunt u mij helpen?

E. Ham
W.H.T.M Tersteeg
L. Zijlmans

Boek voor de cursist 1

Illustraties: Kees Bok
Productie: GBB, Soest
Druk: Drukkerij Atlas, Soest

NCB Uitgeverij bv
Postbus 638
3500 AP Utrecht
tel.: (088) 877 00 00
e-mail uitgeverij@ncbnet.nl
internet www.ncbnet.nl

ISBN 978-9-05-517098-2
Bestelnummer 986.0984

Herdruk.

Dit boek is gedrukt op houtvrij en elementair chloorvrij papier.

Inhoud

Voorwoord

“Kunt u mij helpen?” is het eerste deel uit de serie“ Help!, een cursus Nederlands voor anderstaligen. Deze serie omvat drie delen, respectievelijk voor beginners, voor half gevorderden, en voor gevorderden. Daarnaast bestaan er nog diverse aanvullingen in de vorm van docentenboeken, hulpboeken in verschillende talen (met grammatica-overzichten en woordenlijsten) voor de cursisten, geluidsmateriaal en computermateriaal.
De serie is bestemd voor hoger opgeleide niet-Nederlandstaligen die in Nederland een hogere of wetenschappelijke opleiding willen volgen, of een beroep op dat niveau willen uitoefenen. Daarnaast is er expliciet rekening mee gehouden dat de serie veel gebruikt wordt door studenten die aan buitenlandse universiteiten Nederlands leren, c.q. studeren.

Op initiatief van de uitgever, het NCB, wordt vanaf 1995 gewerkt aan herziening van de serie. In 1996 werd de revisie van het derde deel voltooid. In november 1997 werd door het NCB, in samenwerking met het Universitair Talencentrum Nijmegen en het James Boswell Instituut van de Universteit Utrecht, het startsein gegeven voor de revisie van “Kunt u mij helpen?”, het eerste deel. Ons werd gevraagd het boek te herzien, dat wil zeggen het aan te passen aan de veranderde inzichten in taalonderwijs, en teksten te actualiseren. Uiteindelijk hebben wij echter een nagenoeg nieuw boek geschreven.

Wij zijn aan velen dank verschuldigd. In de eerste plaats aan onze werkgevers, die ons in staat hebben gesteld mee te werken aan dit project. In de tweede plaats aan de begeleidingscommissie: de voormalige auteurs Miep Fontein, Piet de Kleijn en Agaat Pescher, en Christine van Baalen (Universität Wien) als vertegenwoordiger van “het Nederlands buiten de muren”.

Door de talrijke wijzigingen kan deze nieuwe versie in geen geval naast het oude boek worden gebruikt.

Nijmegen/Utrecht, juli 1998

Lidy Zijlmans
Esther Ham
Wim Tersteeg

Inleiding

Dit boek is bedoeld voor niet-Nederlandstaligen die in hun eigen land minimaal enkele jaren voortgezet onderwijs hebben gevolgd. Het is in de eerste plaats geschreven voor gebruik in groepen, onder begeleiding van een docent, maar er is ook geluids- en computermateriaal op cd, cassette en cd-rom om zelfstandig mee te oefenen.

Taal als middel tot communicatie staat voorop. Om die zo optimaal mogelijk te laten verlopen, achten wij beheersing van taalhandelingen, een begrippen-apparaat, een uitgebreide woordenschat, een goede uitspraak en prosodie én beheersing van grammatica van even groot belang.
In deze herziene versie is het accent meer gelegd op de communicatieve vaardigheden. Er zijn meer oefeningen die gericht zijn op interactie. Spreekoefeningen in de brom van gesprekjes zijn opgenomen in plaats van drills. Ze worden voorafgegaan door oefeningen met betrekking tot taalhandelingen en begrippen. Bij prosodie wordt expliciet aandacht besteed aan ritme en intonatie.
Schrijfoefeningen in de oude versie waren in feite vooral grammatica-oefeningen, nu zijn het echte oefeningen in schrijfvaardigheid. Verder zij er veel luisteroefeningen toegevoegd. Met name voor leesvaardigheid is meer gebruik gemaakt van authentiek materiaal. Dit is soms bewerkt, soms onveranderd opgenomen.

Wie de oude versie en de andere delen kent, herkent echter nog wel de structurele uitgangspunten en de systematische opbouw. Grammaticale structuren en taalfuncties die in de teksten worden aangeboden, worden eruit gelicht, verduidelijkt en geoefend.
In het bijbehorende computermateriaal zijn o.a. uitspraakoefeningen en een groot aantal drills opgenomen. Bovendien bevat dit materiaal veel extra grammatica- en vocabulaire-oefeningen.

Hieronder volgt een kort overzicht van de indeling en opzet van het boek. Voor een uitvoerige beschrijving verwijzen we naar de docentenhandleiding.

Help 1 omvat 16 lessen
Les 1 is een introductieles, waarin de deelnemers vertrouwd worden gemaakt met de Nederlandse klanken.

Basis

TEKST OF TEKSTEN

a inleiding tot de tekst

b tekst

c oefening bij de tekst

TAALHULP

- Nuttige zinnen om te gebruiken in specifieke situaties
- Begrippen, zoals tijdsaanduiding, frequentie, etc.

GRAMMATICA

- schema's en voorbeelden
- vragen bij de schema's

Oefeningen

Er zijn twee soorten oefeningen:

● Basisoefeningen, eenvoudig.

●● Uitbreidingsoefeningen, moeilijker.

De oefeningen zijn ingedeeld in de volgende categorieën:

- TAALHULP
- VOCABULAIRE
- GRAMMATICA
- LUISTEREN
  De teksten staan op cassette, niet in het boek.
  In het boek vindt u bij elk luisterfragment:
  - korte omschrijving van personen en situatie
  - vragen en opdrachten bij het fragment
- PROSODIE: ritme, intonatie, uitspraak
  - oefeningen voor in de les, met de docent
  - oefeningen op cd, cassettes en/of cd-rom
- SPREKEN
- SCHRIJVEN
- LEZEN

Computermateriaal op cd-rom

Dit bevat:

- Teksten, met woordenlijst.
- Oefeningen
  - Uitspraakoefeningen
  - Spreekoefeningen (drills))
  - Extra vocabulaire-oefeningen
  - Extra grammatica-oefeningen

Hulpboeken

Er zijn hulpboeken in verschillende talen. In het hulpboek vindt u:

- Grammaticale uitleg per onderwerp (bijvoorbeeld pronomina), niet per les. Bij elk onderwerp staan wel verwijzingen naar de les in het cursusboek waar dit onderwerp aan bod komt.
- Contrasten tussen taal x en het Nederlands.
- Alfabetische woordenlijst per les van alle woorden lijst uit teksten uit het basisgedeelte.
- Alfabetische woordenlijst van alle woorden uit teksten uit het basisgedeelte. Bij elk woord staat het nummer van de les waar het woord voor het eerst voorkomt.

Tijdsinvestering

- Per les 8 tot 10 uur.
- In totaal 130 tot 160 uur.

Basis

1 TEKST

Luister naar de docent. Kijk **niet** in het boek!

Goedemorgen.
Ik ben ______________________.
Ik ben uw docent.
Gaat u zitten.
Ik ga hier zitten.
Ik praat, u luistert.
Ik praat, u praat niet.
Kijk naar mij, kijk niet in het boek.

Dit is een boek.
Dit is een pen.
Dit is een tas.
Dit is een stoel.
Dit is een tafel.

Ik wijs het boek aan. Dit is het boek.
Ik wijs de pen aan. Dit is de pen.
Ik wijs de tas aan. Dit is de tas.
Ik wijs de stoel aan. Dit is de stoel.
Ik wijs de tafel aan. Dit is de tafel.

Nu wijst u het boek aan. Wijs het boek aan.

Wijs de pen aan.
......

Ik zit op een stoel.
U zit ook op een stoel.
Dit is een stoel.
Ik zit aan de tafel.
Dit is de tafel.
U zit ook aan de tafel.
Het boek ligt op de tafel.
De pen ligt ook op de tafel.
De tas ligt niet op de tafel.

Ik pak het boek.
Ik leg het boek op de tafel.
Ik doe het boek open.
Ik doe het boek open op bladzijde 20.
Ik doe het boek dicht.
Ik pak de pen.
Ik leg de pen op de tafel, naast het boek.
Ik leg de pen naast het boek.

Nu pakt u de pen.
Pak de pen.
Leg de pen op de tafel.
Pak het boek.
Leg het boek op de tafel, naast de pen.
Doe het boek open.
Doe het boek open op bladzijde zes.
Doe het boek dicht.
Pak het boek nog een keer.

Ik zit op de stoel.
Ik sta op.
Ik loop naar de deur.
Dit is de deur.
Ik doe de deur open.
Nu is de deur open.
Ik doe nu de deur dicht.
Nu is de deur dicht.

U zit op de stoel.
Sta op.
Loop naar de deur.
Doe de deur open.
Doe nu de deur dicht.
Loop naar het raam.
Dat is het raam.
Doe het raam open.
Doe het raam dicht.
Loop naar de stoel.
Ga zitten.

Ik loop naar het bord.
Ik schrijf mijn naam op.
U loopt naar het bord.
Schrijf uw naam op.
Dank u wel.
Ga maar zitten.

Dit is een tas.
Ik doe het boek in de tas.
Ik doe de pen in de tas.
Ik pak het boek uit de tas.
Ik pak de pen uit de tas.
Dit is ook een tas.
Doe de pen in uw tas.
Pak het boek.
Doe het boek in uw tas.
Pak het boek uit de tas.
Geef mij het boek.
Ik leg het boek op de tafel.
Pak de pen uit de tas.
Leg de pen op het boek.

Pak het boek.
Het boek is nu dicht.
Doe het boek open.
Doe het boek open op bladzijde 10.
Doe het boek dicht.
Geef het boek aan mij.
Ik leg het boek op de tafel.

2 TEKST

a

1 Dit is een man.
2 Hij staat.
3 Hij staat naast een stoel.

1 Dit is een vrouw.
2 Zij zit.
3 Zij zit op een stoel.

b

1 Dit is ook een vrouw.
2 Zij zit ook op een stoel.
3 Zij heeft een boek in haar hand.

c

1 Dit zijn vier vrouwen.
2 Eén vrouw zit voor de tafel.
3 Twee vrouwen zitten naast de tafel.
4 Eén vrouw staat achter de tafel.
5 Op de tafel ligt een boek.
6 Het boek is open.

d

1 Dit zijn vijf mannen.
2 Eén man zit voor de tafel.
3 Eén man staat achter de tafel.
4 Op de tafel ligt een boek.
5 Eén man zit achter de tafel.
6 De hand van de man ligt op het boek.

e

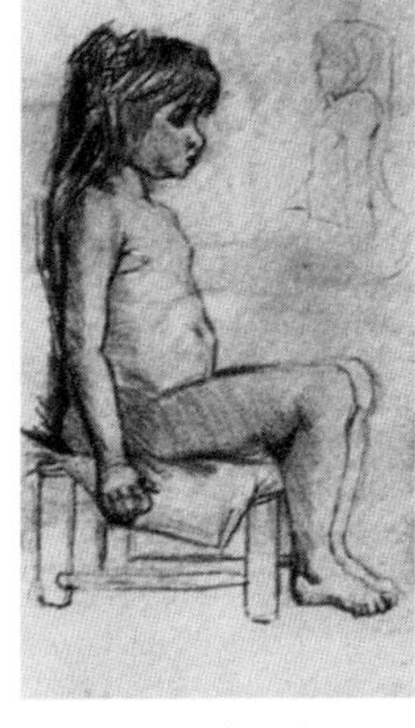

1 Dit is een kind.
2 Het is een meisje.
3 Zij zit op een stoel.

f

1 Dit is ook een kind.
2 Het is een jongen.
3 Hij heeft een pet.

Oefeningen

LUISTEREN

1 

Luister naar de cd en wijs aan.

2 

Voorbeeld A:
U hoort: Is de deur open? U ziet:
☒ ja ☐ nee

1 ☐ ja ☐ nee

2 ☐ ja ☐ nee

3 ☐ ja ☐ nee

4 ☐ ja ☐ nee

5 ☐ ja ☐ nee

6 ☐ ja ☐ nee

3 ●● 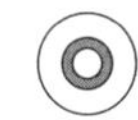

Elke zin heeft een letter. Schrijf de letter bij het goede plaatje.
Voorbeeld:
a Meneer Janssen is in de kamer. Hij zit op een stoel.

1 *a*

2 ______

3 ______

4 ______

5 ______

6 ______

7 ______

8 ______

9 ______

4 ●● 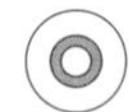

Luister naar de cd. Zet de letters (a, b, c, d, e, f) onder de plaatjes.

1 ________

2 ________

3 ________

4 ________

5 ________

6 ________

TELWOORDEN

5 ● 

5a Luister.

5b Luister nog een keer en zeg na.

0 1 2 3 4 5 6 7 8 9 10 11 12 13 14 15 16 17 18 19 20

21 22 23 24 25 26 27 28 29 30

10 20 30 40 50 60 70 80 90 100

ALFABET

6 ● 

6a Luister.

6b Luister nog een keer en zeg na.

a b c d e f g h i j k l m n o p q r s t u v w x ij z

6c Luister en zeg na.
Voorbeeld:
U hoort: Mijn naam is Janssen. J A N S S E N
U zegt: J A N S S E N

U hoort: Mijn naam is Groot. G R O O T
Dit is een boek. B O E K
Ik woon in Nijmegen. N I J M E G E N
Mijn postcode is 6525 EW. 65 25 E W
Mijn telefoonnummer is 024 - 3612057 0 24 36 12 0 57

PROSODIE

7 • 

Luister en zeg na. Klap of tik het ritme mee.

	Ritmeschema
Ik ben uw do*cent*.	— • • • —
Gaat u *zit*ten.	— • — •
Ik ga *hier* zitten.	— • — • •
*Ik praat, u luis*tert.	• — • — •
Ik *praat, u* praat *niet.*	• — — • —
Kijk naar *mij*, kijk *niet* in het *boek*.	— • — • — • • —

8 • 

Luister en zeg na.

	Ritmeschema
do*cent*	• —
*zit*ten	— •
ik *praat*	• —
u *luis*tert	• — •
Dit is een *boek*	• • • —
Dit is een *ta*fel	• • • — •
Dit is een *stoel*	• • • —
Dit is een *pen*	• • • —
open	— •
*ka*mer	— •

9 •

Luister. Zet een • in de goede kolom.
Voorbeelden. U hoort:

1 *boek*
2 *ta*fel
3 do*cent*
4 op een *stoel*
5 in de *ka*mer

Vul in.

	A	B	C	D	E
	—	— •	• —	• • —	• • — •
1	•				
2		•			
3			•		
4				•	
5					•

10 • 

Luister. Zet een • in de goede kolom.
Voorbeelden. U hoort:

1 Dit is een *boek*
2 Dit is een *ta*fel

Vul in.

	A	B
	• • • —	• • • — •
1	•	
2		•

11 • 

Luister en zeg na.

Ben je *boos*,
Pluk een *roos*!
Zet hem op je *hoed*
Dan ben je mor(re)gen weer *goed*!

Basis

1 TEKST

1a Lees de introductie.

Saskia Willems studeert Spaans aan de universiteit in Utrecht.
Zij werkt ook een paar uur per week als telefoniste.
Zij woont nu nog in Houten, maar zij zoekt een kamer in Utrecht.
Zij woont bij haar ouders.
Zij heeft twee broers. De familie Willems woont in Houten.
Houten is vlakbij Utrecht.
In de kantine van de universiteit ontmoet zij Maria, een Italiaanse.

1b Luister naar de tekst, kijk **niet** in het boek! 

Saskia	Dag, is deze stoel vrij?
Maria	Ja.
Saskia	Ik ben Saskia. Hoe heet jij?
Maria	Maria.
Saskia	Hallo. Waar kom je vandaan?
Maria	Uit Italië.
Saskia	Ben je al lang in Nederland?
Maria	Wat zeg je?
Saskia	Woon je al lang in Nederland?
Maria	Twee jaar. Ik studeer hier.
Saskia	Wat studeer je?
Maria	Biologie. En jij?
Saskia	Spaans. Woon je in Utrecht?
Maria	Nee, in Amersfoort. Waar woon jij?
Saskia	In Houten.
Maria	Spreek jij Italiaans?
Saskia	Nee, maar ik begrijp het wel een beetje.

1c Oefening bij de tekst.

Waar of niet waar?	**waar**	**niet waar**
1 Saskia studeert biologie in Utrecht.	❑	❑
2 Ze woont bij haar familie in Houten.	❑	❑
3 Maria komt uit Italië.	❑	❑
4 Maria studeert Spaans in Utrecht.	❑	❑
5 Saskia spreekt een beetje Italiaans.	❑	❑

2 TEKST

2a Lees de introductie.

Meneer Van Vliet woont en werkt in Amsterdam.
Hij is directeur van een bank.
De bank doet veel zaken in Engeland en Frankrijk.
Meneer Van Vliet spreekt goed Engels, maar hij spreekt geen Frans.
Hij moet voor zijn werk naar Parijs, dus hij gaat nu naar een cursus Frans.
Vandaag is de eerste les.
Hij spreekt in de pauze met meneer Mulder, een andere cursist.

2b Luister naar de tekst, kijk **niet** in het boek!

Van Vliet	Goedemiddag.
Mulder	Goedemiddag. Mulder.
Van Vliet	Van Vliet. Spreekt u al een beetje Frans?
Mulder	Ja, een beetje. En u?
Van Vliet	Oh nee, ik niet. Maar ik moet Frans leren. Ik ga voor mijn werk naar Parijs.
Mulder	Oh ja? Dat is interessant. Ik ook. Ik moet naar een congres. Wat doet u?
Van Vliet	Ik ben directeur van een bank. En u, wat is uw beroep?
Mulder	Ik ben ook directeur, van een fietsenfabriek. Ik reis vaak naar Frankrijk.
Van Vliet	Nou, succes met de cursus!
Mulder	U ook!

2c Oefening bij de tekst.

Waar of niet waar?	waar	niet waar
1 Meneer Van Vliet ontmoet meneer Mulder op de cursus Frans.	❏	❏
2 Meneer Van Vliet spreekt Engels, maar geen Frans	❏	❏
3 Meneer Mulder spreekt een beetje Frans.	❏	❏
4 Meneer Van Vliet is directeur van een bank in Parijs.	❏	❏
5 Meneer Mulder moet naar een congres in Parijs.	❏	❏

3 TAALHULP

Kennismaking

naam formeel

VRAGEN	ANTWOORDEN
Hoe heet u?	Maria Montessori Van Vliet.
Wie bent u?	Ik heet ______________.
Wat is uw naam?	Ik ben ______________.
Wat is uw voornaam?	Mijn naam is ______________.
Wat is uw achternaam?	

naam informeel

VRAGEN	ANTWOORDEN
Hoe heet je?	Maria. Ik heet ______________.
Wie ben je?	Saskia. Ik ben ______________.
Wat is je naam? Wat is je voornaam? Wat is je achternaam?	Mijn naam is ______________.

herkomst / nationaliteit / taal

VRAGEN	ANTWOORDEN
Waar kom je vandaan? Waar komt u vandaan?	Uit Marokko. Ik kom uit ______________ .
Welke taal spreek je? Welke taal spreekt u?	Italiaans/Pools/Nederlands Ik spreek ______________ .
	Ik ben Italiaan (m). Ik ben Italiaanse (v).

woonplaats

VRAGEN	ANTWOORDEN
Waar woon je? Waar woont u?	In Amersfoort. Ik woon in ______________ .

studie / beroep

VRAGEN	ANTWOORDEN
Wat studeer je?	Biologie/Spaans. Ik studeer ______________ .
Wat is uw beroep?	Leraar/telefoniste. Ik ben ______________ .
Wat doe je?	Ik studeer ______________ . Ik ben student ______________ . Ik werk.
Wat doet u?	Ik werk als leraar/telefoniste. Ik ben ______________ .

4 GRAMMATICA

pronomen

singularis		*pluralis*	
1 ik		1 wij/we	
2 jij/je	(informeel)	2 jullie	(informeel)
u	(formeel)		
3 hij	(m)	3 zij/ze	(m, v)
zij/ze	(v)		

verbum presens 1

singularis

1 ik	werk	begrijp	pak	woon	spreek
2 jij	werk*t*	begrijp*t*	pak*t*	woon*t*	spreek*t*
u	werk*t*	begrijp*t*	pak*t*	woon*t*	spreek*t*
3 hij	werk*t*	begrijp*t*	pak*t*	woon*t*	spreek*t*
zij	werk*t*	begrijp*t*	pak*t*	woon*t*	spreek*t*

pluralis

1 wij	werk*en*	begrijp*en*	pak*ken*	won*en*	sprek*en*
2 jullie	werk*en*	begrijp*en*	pak*ken*	won*en*	sprek*en*
3 zij	werk*en*	begrijp*en*	pak*ken*	won*en*	sprek*en*

VRAGEN

Het verbum in het presens heeft 3 vormen. Welke?

Singularis: ____________ en ____________

Pluralis: ____________

verbum presens 2

ZINNEN	VRAGEN
Je *woont* in Houten.	*Woon* je in Houten?
Je *studeert* Spaans.	*Studeer* je Spaans?
Je *spreekt* Italiaans.	*Spreek* je Italiaans?
	Waar *studeer* je?
	Wat *doe* je?

VRAGEN
Kijk goed naar het verbum. Wat is het verschil?

syntaxis 1

ZINNEN	VRAGEN
Saskia woont in Houten.	Waar *woont Saskia*?
Zij studeert Spaans.	Wat *studeert zij*?
Maria spreekt Italiaans.	Welke taal *spreekt Maria*?
	Woont Saskia in Houten?
	Studeert zij Spaans?
	Spreekt Maria Italiaans?

VRAGEN
Kijk naar subject en verbum.
Wat is het verschil tussen de zinnen en de vragen?

interrogatief

Hoe	Hoe heet je?
Wie	Wie bent u?
Wat	Wat studeer je?
Waar	Waar woont Saskia?
Welke	Welke taal spreekt Maria?

Oefeningen

TAALHULP

1

Kies de goede reactie.

1 Hoe heet u?
- a Uit Italië.
- b Piet Mulder.
- c In Houten.

2 Wat spreekt u?
- a Nederlands.
- b Nederland.
- c In Amersfoort.

3 Waar woont hij?
- a Uit Groningen.
- b In Utrecht.
- c Nederlands.

4 Waar komt u vandaan?
- a Bij een bank.
- b In Rotterdam.
- c Uit Rotterdam.

5 Wat studeer je?
- a In Utrecht.
- b Op de cursus.
- c Spaans.

VOCABULAIRE

2

Wat is het: een land of een taal?

- a Italiaans
- b Portugal
- c Frans
- d Thais
- e Spaans
- f Japan
- g Marokko
- h Rusland

Vul in.

	LAND	TAAL	NATIONALITEIT
	Nederland	________	________
Uw land:	________	________	________

GRAMMATICA

3 •

Vul in. Kies uit: *heb, komt, ontmoet, spreekt, studeer, studeert, werkt, woon, woont, zoekt.*

1 Saskia Willems ________ in Houten. Zij ________ een kamer in Utrecht.
2 Zij ________ als telefoniste en zij ________ Spaans in Utrecht.
3 Saskia ________ Maria in de kantine van de universiteit.
4 Maria ________ uit Italië. Zij ________ Italiaans en Nederlands.
5 "Maria, ________ jij in Utrecht?'
6 "Nee, ik ________ een kamer in Amersfoort."
7 "Wat ________ je?'
8 "Ik? Biologie. En jij?"
9 "Spaans."

4 •

Maak goede combinaties.
Voorbeeld: Waar ________ ________ ________?
Waar *kom je vandaan*?
Begin de zin met:

1 Waar ______ ______?
2 Waar ______ ______ ______?
3 Hoe ______ ______?
4 Wat ______ ______ ______?
5 Wat ______ ______?
6 Wat ______ ______?
7 Wat ______ ______ ______?
8 Wat ______ ______?

Kies uit:

a zeg je?
b kom je vandaan?
c heet je?
d woon je?
e studeer je?
f is uw beroep?
g is uw naam?
h spreekt u?

5 ••

Maak combinaties.
Voorbeeld: Waar ______ ______?
Waar *woont Saskia*?
Begin de zinnen met: Waar ______, Wat ______, Wie ______?

Kies uit:

Waar	bent	je	nu?
Wat	doet	u	studeren?
Wie	ga	uw beroep	vandaan?
	is	Saskia	
	kom		
	studeert		
	woon		
	woont		

6

Welk woord ontbreekt? Kies uit: *u, hij, zij*.

Hoe heet ______________ ?
Waar woont ______________ ?

Hoe heten ______________ ?
Waar wonen ______________ ?

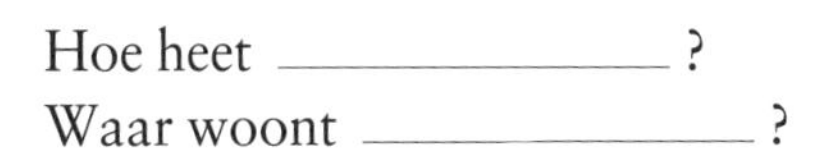

Hoe heet ______________ ?
Waar woont ______________ ?

En ______________ ?
Hoe heet ______________ ?
Waar woont ______________ ?

LUISTEREN

7 ●

Personen en situatie

Buitenlandse cursisten op de Nederlandse les. De docent vraagt namen, landen enz. Luister naar de dialogen. Wat hoort bij elkaar?

1	Simona	a	Thailand
2	Denise	b	Amerika
3	Marc	c	Italië
4	Cecilia	d	Peru
5	Loc	e	Canada

8 ●

Personen en situatie

Een buitenlandse man, Jean, en een Nederlandse vrouw, Betty.

1 Waar komt Jean vandaan?
2 Hoe lang is hij al in Nederland?
3 Spreekt hij goed Nederlands?

9 ●●

Personen en situatie

Een buitenlandse man zoekt iets. Hij vraagt aan een vrouw: 'Kunt u mij helpen?'.

1 Wat zoekt de man?
2 Hij begrijpt de vrouw niet goed. Waarom niet?
3 Welke taal spreekt hij?
4 Waar komt hij vandaan?
5 Op welke verdieping is de kantine?

10 ●●

Personen en situatie

Twee studenten zijn op een feestje. Een vrouw: Karin, en een man: Piet. Vertel zoveel mogelijk over Karin.

Waar komt ze vandaan?
Hoe lang woont ze in Utrecht?
Wat gaat ze studeren?
Bij wie woont zij nu?
Ze woont ook in de Voorstraat. Op welk nummer woont ze?

PROSODIE

11

Luister naar de docent.

12

Luister, zet een ● in de goede kolom.
Voorbeelden:

1. *Ut*recht
2. *Sas*kia
3. Ma*ri*a
4. Ze stu*deert*.

Vul in.

	A	B	C	D
	— •	— • •	• — •	• • —
1	●			
2		●		
3			●	
4				●

13 

Luister en zeg na. Let op de zinsmelodie! Klap, tik en zing!

Hoe heet je?	Saskia, ik heet Saskia.
Wie bent u?	Van Vliet.
Wat is uw naam?	Mijn naam is Van Vliet.
Waar woon je?	In Utrecht. Ik woon in Utrecht.
Waar woont u?	In Utrecht. Ik woon in Utrecht.
Wat doe je?	Ik ben student. Ik studeer Spaans.
Wat doet u?	Ik ben telefoniste.
Waar kom je vandaan?	Uit Italië. Ik kom uit Italië.
Waar komt u vandaan?	Uit Italië. Ik kom uit Italië.
Welke taal spreek je?	Italiaans. Ik spreek Italiaans.
Welke taal spreekt u?	Italiaans. Ik spreek Italiaans.

14 ●●

Hoort u een vraag?

	Ja	Nee		Ja	Nee
1	❑	❑	7	❑	❑
2	❑	❑	8	❑	❑
3	❑	❑	9	❑	❑
4	❑	❑	10	❑	❑
5	❑	❑	11	❑	❑
6	❑	❑	12	❑	❑

SPREKEN

15 ●

Vraag aan andere cursisten: Hoe heet u? Waar komt u vandaan?
Vul in.

Namen:	Landen:
______________	______________
______________	______________
______________	______________
______________	______________
______________	______________

SCHRIJVEN

16 ●

Lees wat Maria zegt. Wat zegt u?

1 Ik ben Maria Borsato.
2 Ik kom uit Italië.
3 Ik woon nu in Nederland.
4 Ik woon in Amersfoort.
5 Ik studeer biologie.
6 Ik spreek Italiaans en een beetje Nederlands.

1 ______________________________ .
2 ______________________________ .
3 ______________________________ .
4 ______________________________ .
5 ______________________________ .
6 ______________________________ .

uw foto

17 ●●

Maak de tekst compleet.

Mieke Hallo. Ik heet Mieke.
____
Petra Ik ben Petra.
Mieke __________
Petra Mijn achternaam is Janssen.
Mieke __________
Petra Ik kom uit België.
Ik studeer Engels.
Mieke __________
Petra Ja, ik woon nu een half jaar in Utrecht.
Mieke __________
Petra In de Julianastraat.
Mieke __________
Petra Ik volg een cursus Nederlands.

18 ●●

Verander de dialoog van oefening 17. Gebruik uw eigen naam en de naam van een andere persoon (bv. een andere cursist, uw buurman, uw docent, een kennis).

19 ●●

Maak de tekst compleet.

A Waar __________ vandaan?
B __________ Marokko.
A __________ Nederlands?
B Ja.
A __________ Frans?
B Ja, en Arabisch.

A Waar __________ vandaan?
B __________ Groningen.
A __________ beroep?
B __________ docent.

LEZEN

20 ●

Lees en geef antwoord op de vragen.

1 Hoe heet ze?
2 Wat is haar voornaam?
3 Wat is haar beroep?
4 Wat is haar nationaliteit?
5 Waar woont ze?
6 Wat is haar postcode?

INSCHRIJF-FORMULIER

naam	Smorenburg
voornamen	Natasja Maria
geslacht	~~man~~/vrouw
geboortedatum	8-3-1962
beroep	docent
nationaliteit	Nederlandse
straat	Koningin Beatrixlaan 7
postcode/woonplaats	1011 AA Amsterdam

Basis

1 TEKST

1a Lees de introductie.

Een man loopt op straat.
Hij zoekt het museum.
Hij weet de weg niet.
Hij vraagt de weg aan een vrouw.

1b Luister naar de tekst. Kijk **niet** in het boek!

Man	Pardon, mevrouw. Kunt u mij helpen? Ik zoek het Centraal Museum.
Vrouw	Bent u te voet of met de fiets?
Man	Te voet.
Vrouw	Eens kijken. U gaat hier rechtdoor. Bij het tweede kruispunt rechtsaf de brug over. Bij de stoplichten gaat u linksaf en dan ziet u het museum aan uw linkerhand. Het is vlakbij.
Man	Sorry, kunt u dat nog eens zeggen?
Vrouw	Rechtdoor, bij het tweede kruispunt rechts, de brug over. En dan bij de stoplichten linksaf.
Man	Dank u wel.
Vrouw	Geen dank.

1c Oefening bij de tekst.
Wat zegt de vrouw?

1 hier ......
2 bij het tweede kruispunt ......
3 bij de stoplichten ......
a rechtsaf ......
b linksaf ......
c rechtdoor ......

2 TEKST

2a Lees de introductie.

Meneer Willems woont in Houten. Hij werkt ook in Houten, in een supermarkt. Hij heeft een auto, maar hij gaat met de fiets naar zijn werk. De supermarkt is niet ver van zijn huis.
Remco en Leon Willems zitten nog op school. Remco zit op de middelbare school, Leon op de basisschool. De scholen zijn ook vlakbij. Zij gaan ook met de fiets.
Saskia en haar moeder moeten naar Utrecht, want Saskia studeert aan de universiteit en mevrouw Willems werkt in een ziekenhuis. Zij gaan met de trein naar Utrecht. Saskia gaat met de fiets van het station naar de universiteit. Mevrouw Willems neemt de bus naar het ziekenhuis.

2b Luister naar de tekst. Kijk **niet** in het boek! 

Saskia	Dag mam!
mevrouw Willems	Hé, Saskia, wacht even! Waar ga je naartoe? Naar het station?
Saskia	Ja natuurlijk!
mevrouw Willems	We kunnen toch samen gaan. Maar ik moet eerst even naar de w.c.
Saskia	Goed. Ik wacht wel even.
Leon	Pap, kun je me helpen? Ik moet naar school maar mijn fiets is kapot.
meneer Willems	Nee, het is al laat. Kom maar, ik breng je wel even met de auto!

2c Oefening bij de tekst.
Vul in.

Wie	Waar gaat hij/zij naartoe?	Hoe gaat zij/hij?
meneer Willems	supermarkt	met de fiets
mevrouw Willems	________	________
Saskia	________	________
Remco	________	________
Leon	________	________

Waar of niet waar?	waar	niet waar
1 Saskia en mevrouw Willems gaan naar de supermarkt.	❑	❑
2 Leon moet naar school.	❑	❑
3 Saskia gaat eerst even naar de w.c.	❑	❑

3 TAALHULP

De weg vragen

IEMAND AANSPREKEN	REACTIE	VRAGEN OM HERHALING
Pardon mevrouw (meneer), kunt u mij helpen? Hallo, kun je mij helpen?	Natuurlijk. Ja, hoor.	Sorry? Wat zegt u? / Wat zeg je? Kunt u dat nog eens zeggen?

Weet u ____________________?	Weet u waar het station is?
Weet jij ____________________?	Weet jij de Herenstraat?
Waar is ____________________?	Waar is het postkantoor?
Ik zoek ____________________.	Ik zoek het Stationsplein.

De weg wijzen

DE WEG WIJZEN	BEDANKEN	REACTIE
U gaat rechtdoor /linksaf/rechtsaf. Bij de eerste/tweede/derde straat rechts. Bij het kruispunt links.	Dank u. Dank je. Dank u wel. Dank je wel. Bedankt.	Graag gedaan. Geen dank.

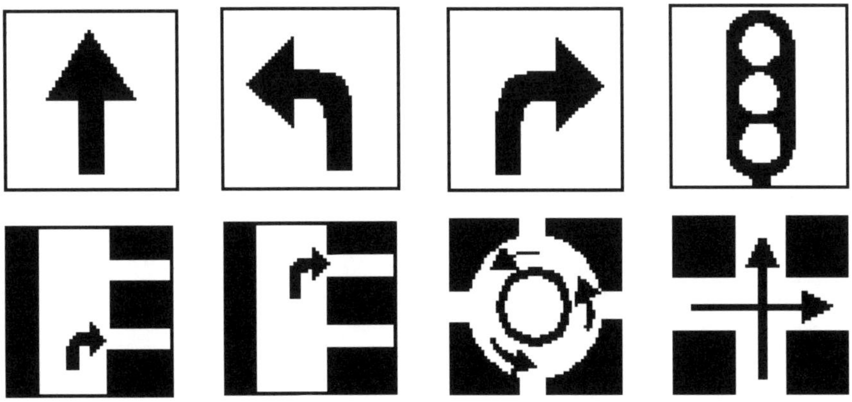

Vervoermiddelen

Ik ga met de fiets
Ik ben op de fiets

Ik ga met de bus
Ik neem de bus

Ik ga met de trein
Ik neem de trein

Ik ga te voet
Ik ben lopend

4 GRAMMATICA

u	jij/jullie
Meneer Willems, waar *gaat u* naartoe?	Remco, waar *ga jij* naartoe?
Mevrouw en meneer Willems, waar *gaat u* naartoe?	Jongens, waar *gaan jullie* naartoe?

VRAGEN
Kijk naar het verbum. Wat valt op?

verbum presens: hebben, zijn en gaan

	HEBBEN	ZIJN	GAAN	KOMEN
ik	heb	ben	ga	kom
jij	hebt	bent	gaat	komt
u	hebt/heeft	bent	gaat	komt
hij	heeft	is	gaat	komt
zij	heeft	is	gaat	komt
wij	hebben	zijn	gaan	komen
jullie	hebben	zijn	gaan	komen
zij	hebben	zijn	gaan	komen

Let op!
Jij *hebt* een fiets.
Heb jij een fiets?

Vul in.
Jij ________ Italiaanse.　Jij ________ naar het station.
________ jij Italiaanse?　________ jij naar het station?

artikel

DEFINIET: *de* of *het*

Meneer Willems gaat naar *de* supermarkt.
Hij gaat met *de* fiets.
Gaan we met *de* auto?
We gaan met *de* bus.

De kinderen zitten in *de* klas
De meisjes gaan met *de* fiets naar school.
Bij *het* kruispunt rechtsaf.
Bij *het* stoplicht moet u oversteken.
Weet u *het* station?
Het museum is hier vlakbij.

INDEFINIET: *een*

Hij werkt in *een* supermarkt.
Hij heeft wel *een* auto.
Heb jij *een* fiets?

Heb jij kinderen?
In de klas zitten jongens en meisjes.
U komt dan bij *een* kruispunt.
Daar staat *een* stoplicht.
Heeft Houten *een* station?
Is dat *een* leuk museum?

syntaxis 2: inversie

GROEP A

De supermarkt	*is*	vlakbij.	
Mevrouw Willems	*moet*	ook naar het station gaan.	
Hij	*werkt*	in een supermarkt.	

GROEP B

Dan	*moet*	**u**	rechtdoor gaan.
Daar	*is*	**het station.**	
Dan	*kunnen*	**we**	samen gaan.
Bij de brug	*moet*	**u**	rechtsaf gaan.

VRAGEN

Kijk naar de plaats van het **subject.** Kijk naar de plaats van de *persoonsvorm.*
Wat is het verschil tussen groep A en groep B?

syntaxis 3: interrogatieve zinnen

GROEP A	GROEP B
Wat *zoeken* **zij**?	*Komt* **de bus** bij het museum?
Waar *ga* **je** naartoe?	*Moet* **je** ook naar het station?
Hoe *heet* **je**?	*Heeft* **hij** een fiets?
	Spreek **je** Italiaans?

VRAGEN

Kijk naar de plaats van de *persoonsvorm.*
Wat is het verschil tussen groep A en groep B?

Oefeningen

TAALHULP

1 ●

Kies de goede reactie.

1 U wilt aan een vrouw de weg vragen. Hoe begint u het gesprek?
  a Ik wil u iets vragen over de Nobelstraat
  b Hallo, waar is de Nobelstraat?
  c Pardon mevrouw, kunt u mij helpen?

2 Wat zegt de vrouw?
   a Dank u wel.
   b Natuurlijk.
   c Graag gedaan.
3 Zij wijst u de weg. U begrijpt haar niet. Wat zegt u?
   a Dank u wel.
   b Sorry, kunt u dat nog eens zeggen?
   c Wat zeg je?
4 Wat zegt u aan het einde van het gesprekje?
   a Dank u wel.
   b Geen dank.
   c Graag gedaan.
5 Wat zegt de vrouw?
   a Nee, dank u.
   b Dank u wel.
   c Geen dank.

2 ●

Kies de goede reactie.

1 Goedemiddag, mag ik u iets vragen?
   a Dank u wel.
   b Natuurlijk.
   c Graag gedaan.
2 Waar ga je naartoe?
   a Naar de markt.
   b Bij de tweede straat links.
   c Op de fiets.
3 Kunt u mij helpen?
   a Geen dank.
   b Ja, hoor.
   c Nee, dank u.
4 Is het museum hier in de buurt?
   a De tweede straat rechts.
   b Met bus 11.
   c Ja, het is vlakbij.
5 Ik moet naar het postkantoor, en jij?
   a Natuurlijk.
   b Ik ook.
   c Een kwartiertje lopen.

3 ●●

1 U zoekt de bushalte van lijn 9. Wat vraagt u aan een meneer op straat?
2 U wilt de weg vragen naar de Rode Kruislaan. U komt een mevrouw tegen. Wat vraagt u haar?
3 Zij wijst u de weg. U wilt haar bedanken. Wat zegt u?
4 U wijst een meneer de weg naar de Oranjesingel. Hij bedankt u. Hoe reageert u?

VOCABULAIRE

4 ●

Welk vraagwoord past hier? Kijk op pagina 30.

1 ______________________ is het station?
2 ______________________ ga je naartoe?
3 ______________________ heet je?
4 ______________________ doet u?
5 ______________________ bent u?
6 ______________________ bus gaat naar het station?

5 ●

Kies het goede woord.

A Pardon, meneer. Kunt *jij/u* me helpen?
Ik *zoek/zoekt* het station.
B Bent u te *fiets/voet* of op de *fiets/voet*?
A Te *fiets/voet.*
B Eens kijken. U *fietst/gaat* hier rechtdoor, en dan bij het eerste *stoplichten/kruispunt* linksaf. Dan moet u de brug *over/door* en bij de *stoplichten/kruispunt* rechtdoor. Dan *ziet/zie* u het station aan uw *linksaf/linkerhand.*
A Dank u wel.
B *Geen/nee* dank.

6 ●●

Zet de woorden in de goede kolom. Kent u niet alle woorden? Zoek ze op.
ziekenhuis, bus, museum, vliegtuig, brug, stoplicht, boot, postkantoor, fiets, kruispunt, trein, markt, tram, brommer, auto, zwembad

vervoermiddelen	plaats/gebouw	anders

Vul zelf nog meer woorden in.

7 ●●

Wat hoort bij elkaar? Maak acht combinaties van drie woorden, één woord uit elke groep.
GROEP A: bus - *eerste* - lagere school - linksaf - museum - Nederland - Nederlands - stoplichten
GROEP B: auto - kruispunt - middelbare school - rechtsaf - Spaans - Spanje - station - *tweede*
GROEP C: brug - *derde* - Italiaans - Italië - muziekcentrum - rechtdoor - trein - universiteit

	GROEP A	GROEP B	GROEP C
1	*eerste*	*tweede*	*derde*
2	bus	______	______
3	______	kruispunt	______
4	______	______	rechtdoor
5	lagere school	______	______
6	______	Spaans	______
7	______	______	Italië
8	museum	______	______

GRAMMATICA

8 ●

Vul in. Kies uit: *ben, bent, is, zijn*

1 A ______ jullie Nederlanders?
2 B Nee, wij ______ buitenlanders.
3 Ik ______ Spanjaard,
4 en mijn twee vrienden ______ Italianen.
5 En jij? ______ jij Nederlander?
6 A Nee, ik ______ Belg.

9 ●

Vul in. Kies uit: *heb, hebt, heeft, hebben*

1 A Ik ____________ een fiets.
2 En jij? ____________ jij ook een fiets?
3 B Ik niet, maar Saskia ____________ wel een fiets.
4 Jij ____________ een mooie fiets.
5 A In Nederland ____________ de meeste mensen een fiets.

10 ●

Vul de goede vorm van het werkwoord in, en waar nodig ook een prepositie.
Kies uit: *op, in, bij, naar, met, over* en *aan*
Voorbeeld:
Hij (gaan) ______ de fiets.
Hij gaat *op/met* de fiets.

1 U (gaan) ______ ______ de stoplichten rechtsaf.
2 Het museum (zijn) ______ ______ uw rechterhand.
3 De bus (komen) ______ pas ______ een uur.
4 De studenten (wonen) ______ ______ Utrecht.
5 Saskia en Karel (studeren) ____________ Spaans
6 Wij (gaan) ____________ de trein ____________ Amsterdam.

11 ●

Schrijf op (of zoek op in een woordenboek): *de* of *het*

_____ auto
_____ boot
_____ brommer
_____ brug
_____ bus
_____ centrum
_____ fiets
_____ kruispunt
_____ markt
_____ museum
_____ postkantoor
_____ stoplicht
_____ tram
_____ trein
_____ vliegtuig
_____ ziekenhuis
_____ zwembad

12 ●●

Maak zinnen.

Voorbeeld:

De trein komt over een uur.

KIES	KIES UIT	KIES UIT	KIES UIT
De	bus	komt	uit Amsterdam.
Het	vliegtuig	studeert	naar Utrecht.
	trein	is	uit Frankrijk.
	Saskia		aan het eind van de straat.
	postkantoor	gaat	aan uw linkerhand.
	museum		in Amsterdam.
			Spaans.
			over een uur.

13 ●●

Welke vraag past hier?

Begin met: *hoe, waar, wat, welke* of *wie*.

Voorbeeld:

Waar is het museum? Het museum is vlakbij het park.

1 ______________________? Hij gaat naar het station.
2 ______________________? Ik ga met de fiets.
3 ______________________? U kunt bus 1 en bus 4 nemen.
4 ______________________? Ik studeer biologie.
5 ______________________? Ik studeer in Amsterdam.
6 ______________________? De kantine is op de eerste verdieping.
7 ______________________? Zij komen uit Frankrijk.
8 ______________________? Dat is meneer Willems.

LUISTEREN

14 ●

Personen en situatie

Een jongen (Jan), ontmoet een meisje (Truus). Waar gaan zij naartoe?

Waar of niet waar?	**waar**	**niet waar**
1 Jan en Truus gaan naar de markt.	❑	❑
2 Jan moet naar het postkantoor.	❑	❑
3 Truus gaat eerst even naar de markt.	❑	❑

15 ● 

Personen en situatie

Twee jongens vragen de weg aan een meneer.

Vul in.

De jongens zoeken een ____________________ .
Het is ____________________ kilometer hier vandaan.
De ____________________ komt pas over een ____________________ .
Dus ze gaan ____________________ .

16 ●● 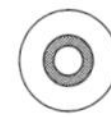

Personen en situatie

Een man vraagt de weg aan een vrouw. Hij zoekt het station.

VRAAG

Luister naar de dialoog. Waar staan de man en de vrouw? Bij 1,2,3 of 4?

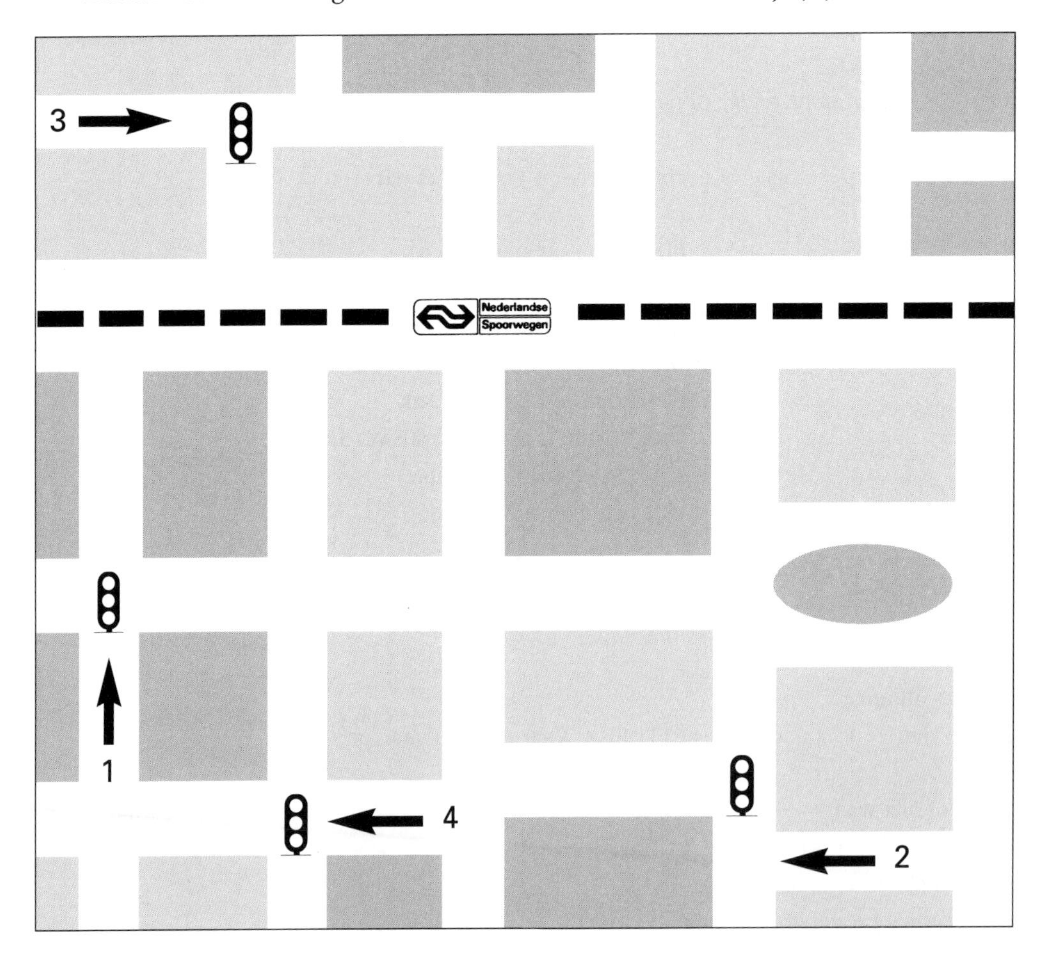

17 ●●

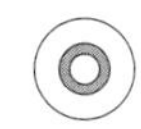

Personen en situatie

Een man en een vrouw. De vrouw wil met de bus naar het station.
Zij vraagt informatie aan de man.

VRAGEN

1 Op welke plaats is het gesprek?
  a Bij de bushalte.
  b Op een kruispunt.
2 Welke bussen gaan naar het station?
  a Alleen lijn 1 en lijn 4.
  b Lijn 1, lijn 4 en lijn 5.
3 Hoe lang doet lijn 1 erover?
  a 20 minuten.
  b een half uur.
4 Hoe lang doet lijn 4 erover?
  a 20 minuten.
  b een half uur.
5 Wat kiest de vrouw?
  a De vrouw wil eerst met lijn 4, maar ze neemt lijn 1.
  b De vrouw wil eerst met lijn 1, maar ze neemt lijn 4.

18 ●●

Personen en situatie

Een man reist met de trein. Hij vraagt informatie aan de conducteur.

Vul in. Kies uit: *Amsterdam, Arnhem, Utrecht, Oosterbeek*

overstappen in ______________________ .
neem de stoptrein richting ______________________ .
uitstappen in ______________________ .

PROSODIE

19 ●

Luister naar de docent.

20 ●

Luister en zet een ● in de goede kolom.

Voorbeelden:

1. *U*trecht
2. Me*vrouw*
3. mus*e*um
4. *su*permarkt
5. met de *trein*

Vul in.

	A	B	C	D	E
	— •	• —	• — •	— • •	• • —
1	●				
2		●			
3			●		
4				●	
5					●

21 ●●

Luister naar het ritme. Welke zin is anders?

a Een man loopt op straat.
b Hij gaat naar zijn werk.
c Hij zoekt het station.
d Hij gaat met de trein.
e Hij weet de weg niet.
f Jan zit nog op school.
g Jan is een jongen.
h De school is vlakbij.
i Hij wil met de fiets.
j Zijn fiets is kapot.

22 ●

Luister en zeg na, let op zinsmelodie. Klap, tik en zing!

Pardon.
Pardon meneer.
Kunt u mij helpen?
Wat zegt u?
Kunt u dat nog eens zeggen?
Dank u wel.
Bedankt!

Sorry!
Pardon mevrouw.
Kun je mij helpen?
Waar is de wc ?
Hallo!
Graag gedaan.

23 

Hoort u een vraag?

	Ja	Nee		Ja	Nee
1	❏	❏	6	❏	❏
2	❏	❏	7	❏	❏
3	❏	❏	8	❏	❏
4	❏	❏	9	❏	❏
5	❏	❏	10	❏	❏

SPREKEN

24

docent	(wijst station aan)
u	Kunt u mij helpen? Ik zoek het station.
docent	Dan moet u (rechtdoor, linksaf, rechtsaf)

25

Maak vragen en antwoorden. Werk in tweetallen (A en B).

Voorbeeld:

postkantoor - fiets

A Waar ga je naartoe? B Ik ga naar het postkantoor.

A Hoe ga je? B Ik ga met de fiets.

1 station - lopend
2 museum - fiets
3 zwembad - auto
4 school - fiets
5 supermarkt - auto

26 ●

Waar naartoe? Waar? Hoe?

Vraag en antwoord. Werk in tweetallen.
Voorbeeld:
- Waar ga je naartoe?
• (Ik ga) naar ______________ (plaats)
- Waar is dat?
• Vlakbij ______________ (plaats)
- Hoe ga je? Met de fiets?
• Nee, ______________ (vervoermiddel)

27 ●●
U krijgt een plattegrond van uw docent.
Vraag de weg. Werk in tweetallen.
OPDRACHT
1 Persoon A: U bent op de Amsterdamsestraatweg en vraagt de weg naar
   a het museum
   b de supermarkt
   c het postkantoor
   Persoon B wijst de weg.
2 Persoon B: U bent op de Anton Geesinkstraat en vraagt de weg naar
   a de bank
   b het station
   c een hotel
   Persoon A wijst de weg.

SCHRIJVEN
28 ●●
Wat hoort bij elkaar?
Aan uw linkerhand, aan uw rechterhand, bij de eerste straat rechts, bij de tweede straat rechts, bij de rotonde rechtdoor, bij het kruispunt linksaf, rechtdoor, tot de stoplichten.

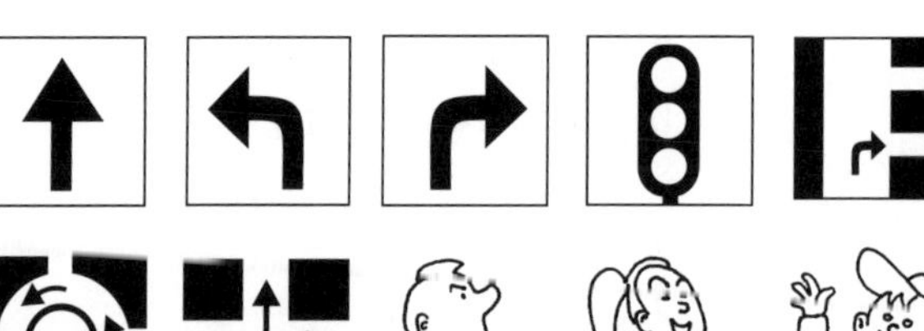

Maak vragen en antwoorden.
Voorbeeld:

A Pardon meneer, kunt u mij helpen?
Ik zoek het ziekenhuis?

B U gaat hier rechtdoor, tot de stoplichten,
en dan is het ziekenhuis aan uw linkerhand.

VRAAG

_______________________________________?

ANTWOORD

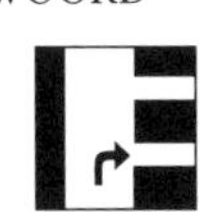

_______________________________________.

VRAAG

_______________________________________?

ANTWOORD

_______________________________________.

VRAAG

_______________________________________?

ANTWOORD

_______________________________________.

LEZEN

29 ●

Let op: 6 vragen, 7 antwoorden!

Wat hoort bij elkaar?

1 Waar is het museum?
2 Welke bus gaat naar het station?
3 Wie is dat?
4 Waar komen zij vandaan?
5 Waar studeer je?
6 Wat studeer je?

a Het museum is na 50 meter aan uw linkerhand.
b Hij gaat naar het station.
c U kunt bus 1 en bus 4 nemen.
d Ik studeer biologie.
e Ik studeer in Amsterdam.
f Zij komen uit Frankrijk.
g Dat is meneer Willems.

30 ●●

VRAGEN

1 Jurgen woont in Arnhem. Hij gaat naar een concert in Amsterdam. Het concert duurt tot 23.30 uur.
   a Kan hij na het concert nog terug naar Arnhem?
   b Heeft hij nog tijd om naar een café te gaan?

2 Maria woont in Amersfoort. Zij gaat ook naar het concert in Amsterdam.
   a Kan zij met de NachtIntercity naar huis?

naar: folder NS.

Basis

1 TEKST

1a Lees de introductie.

Het is maandagmorgen. Saskia gaat naar Utrecht, naar de universiteit. Zij heeft vandaag college. Na het college praat Saskia met Karel. Hij studeert ook Spaans. Karel heeft zin in koffie. Saskia wil vanmiddag in de bibliotheek studeren, maar zij heeft nu nog wat tijd. Zij wil ook wel iets gaan drinken.

1b Luister nu naar de tekst, kijk **niet** in het boek! 

Karel Ik heb zin in een kopje koffie. Zullen we koffie gaan drinken?
Saskia Goed, maar ik drink geen koffie. Ik neem thee.
Karel Ook goed. Waar zullen we naartoe gaan?
Saskia Naar het eetcafé op de hoek? Dat is dichtbij.
Karel Prima.

(Later, in het eetcafé)
Karel Kijk, daar is nog een tafel vrij.
Saskia Dus jij neemt koffie?
Karel Ja, en ik wil ook iets eten, ik heb honger.
Ze hebben hier lekkere broodjes met ham of kaas.
Saskia Goed idee, ik neem een broodje kaas en een thee.
Karel Prima. Eh.. meneer... mag ik even bestellen?
Ober Natuurlijk. Zeg het maar.
Karel Een koffie, een thee en twee broodjes kaas, graag.

(Een half uur later)
Karel Meneer... Kan ik even betalen?
Ober Momentje, ik kom zo.
Saskia Hoeveel is een broodje kaas en een thee?
Karel Nee, nee, ik betaal.
Saskia Oh, dank je wel.

1c. Oefening bij de tekst.
Kies uit: *Saskia, Karel, Saskia en Karel.*

______________ gaan naar het eetcafé.
______________ studeren Spaans.
______________ neemt koffie en een broodje kaas.
______________ willen iets drinken.
______________ neemt thee en een broodje kaas.
______________ gaat in de bibliotheek studeren.
______________ betaalt de rekening.

2 TEKST

2a Lees de introductie.

Meneer Willems is bedrijfsleider van een supermarkt in Houten. Hij is vandaag voor zijn werk in Rotterdam. Daar heeft hij een afspraak met meneer Van Dam. Meneer Van Dam importeert Spaanse en Portugese wijnen. Spaanse en Portugese wijnen zijn ook populair in Nederland.
Meneer Willems heeft veel soorten wijn in zijn supermarkt, maar nog niet veel uit Spanje en Portugal. Misschien gaat hij zaken doen met meneer Van Dam. Meneer Van Dam ontmoet meneer Willems in een restaurant.

2b Luister nu naar tekst 2b. Kijk **niet** in het boek! 

Van Dam Goedemiddag, bent u meneer Willems, uit Houten?
Willems Ja, dat klopt, en dan bent u... Van Dam?
Van Dam Ja, inderdaad, aangenaam, en welkom in Rotterdam.
Willems Dank u.
Van Dam Gaat u zitten. Wilt u iets drinken?
Willems Eh..ja, ik wil wel een.... eehh
Van Dam Misschien een lekker Portugees wijntje?
Willems Eh..nee, geen wijn, misschien later. Geeft u mij maar een glas appelsap.
Van Dam Oké. Johan.., mag ik bestellen?
Johan Zeker, meneer Van Dam, zegt u het maar.
Van Dam Een rode port, en een glas appelsap, graag.
Johan Sorry, we hebben op dit moment geen rode port.
Van Dam Geen rode port? Maar, Johan, dat kan toch niet! Nou, geef dan maar een rode wijn. En heb je de menukaart?
Johan Zeker, meneer. Dus.. een rode wijn, een appelsap, en de menukaart. Komt eraan.

2c Oefening bij de tekst.
Zet de zinnen in de goede volgorde.

a Van Dam wil bestellen.
b Van Dam ontmoet Willems in een restaurant.
c Willems is in Rotterdam voor zijn werk.
d Willems wil graag een glas appelsap.
e Willems en van Dam maken kennis.
f Van Dam bestelt een rode wijn.
g Van Dam bestelt een rode port.

1 ________
2 ________
3 ________
4 ________
5 ________
6 ________
7 ________

3 TEKST

3a De agenda van Saskia

APRIL WEEK **18**

27 april maandag
10:00 uur: College prof. De Vries
Grammatica

28 april dinsdag
9:00 uur: College Spaans
Geschiedenis
11:00 uur: spreekvaardigheid.

29 april woensdag
9:00 uur: Rijexamen!

APRIL -MEI WEEK **18**

30 april donderdag KONINGINNEDAG
9:00 uur Rommelmarkt *VRIJ!
15:00 uur: fietsen met Karel
20:00 uur: concert

1 mei vrijdag

2 mei zaterdag

3 mei zondag

De week van Saskia
Saskia gaat elke *morgen* naar Utrecht.
Ze gaat *'s ochtends* naar college.
's Middags studeert zij altijd in de bibliotheek.
's Avonds is ze thuis, in Houten.
's Nachts slaapt ze.
Op *maandagmorgen* heeft ze 'grammatica' van professor De Vries.
In *het weekend* heeft ze geen colleges.

3b Oefening bij de tekst.
Wat doet Saskia in de week van 27 april tot 1 mei?
Voorbeeld: Op maandagmorgen heeft zij om 10 uur grammatica.

3c Feest- en gedenkdagen 2004/2005

	2004		2005	
Nieuwjaar	do	1 januari	za	1 januari
Goede Vrijdag	vr	9 april	vr	25 maart
Pasen	zo-ma	11-22 april	zo-ma	27-28 maart
Koninginnedag	zo	30 april	za	30 april
Dodenherdenking	do	4 mei	wo	4 mei
Bevrijdingsdag	vr	5 mei	do	5 mei
Hemelvaartsdag	do	20 mei	do	5 mei
Pinksteren	zo-ma	30-31 mei	zo-ma	15-16 mei
Kerstmis	ma-di	25-26 december	zo-ma	25-26 december

Vakantieperioden 2005 (midden-Nederland)

Eerste schooldag	15 - 08		
Herfstvakantie	16 - 10	t/m	24 - 10
Kerstvakantie	25 - 12	t/m	9 - 01
Crocusvakantie	12 - 02	t/m	20 - 02
2e Paasdag	28 - 03		
Voorjaarsvakantie	30 - 04	t/m	5 - 05
Hemelvaartsdag	5 - 05		
Pinkstervakantie	geen		
Zomervakantie	2 - 07	t/m	14 - 08

4 TAALHULP

Afspreken

VOORSTEL		REACTIE	
		positief	negatief
Ik heb zin in ______ .	Ik heb zin in koffie.	Ja, leuk.	Nee, ik heb geen tijd.
Zullen we ______ ?	Zullen we koffie gaan drinken?	Prima.	Sorry, ik kan niet.

Plaats

Waar gaan we naartoe?	Naar de snackbar.
Waar gaan we iets eten?	In het restaurant.

In bar, café of restaurant

OBER	KLANT	
	BESTELLEN	
Zeg het maar (informeel).	Mag ik ________ ?	Mag ik een koffie?
Zegt u het maar (formeel).	Ik wil graag ________ .	Ik wil graag een broodje kaas.
Wat zal het zijn?	________ graag.	Een biertje graag.
	________ alstublieft.	Een thee alstublieft.
	________ .	Twee cola.

	BETALEN	
Dat is dan ________ .	Kan ik ________ ?	Kan ik even betalen?
	Mag ik ________ ?	Mag ik de rekening?

5 GRAMMATICA

Negatie 1

VRAGEN	NEGATIEVE ANTWOORDEN
Heb je *een* huis?	Ik heb *geen* huis.
Heb je *een* fiets?	Ik heb *geen* fiets.
Wilt u *een* broodje?	Ik wil *geen* broodje.
Wilt u thee?	Ik wil *geen* thee.
Wilt u suiker en melk?	Ik wil *geen* suiker, wel melk.
Wilt u broodjes?	Ik wil *geen* broodjes
Neem je *de* bus?	Ik neem *de* bus *niet*.
Ken je *het* restaurant?	Ik ken *het* restaurant *niet*.
Hebt u *de* menukaart?	Ik heb *de* menukaart *niet*.

VRAGEN

Met welke twee woorden kunt u een negatief antwoord geven?

Wanneer gebruikt u ________ , wanneer gebruikt u ________ ?

Hulpwerkwoorden

	kunnen	zullen	mogen	willen	moeten
SINGULARIS					
1 ik	kan	zal	mag	wil	moet
2 jij	kunt / kan	zult / zal	mag	wilt / wil	moet
u	kunt / kan	zult / zal	mag	wilt / wil	moet
3 hij	kan	zal	mag	wil	moet
zij	kan	zal	mag	wil	moet
PLURALIS					
1 wij	kunnen	zullen	mogen	willen	moeten
2 jullie	kunnen	zullen	mogen	willen	moeten
3 zij	kunnen	zullen	mogen	willen	moeten

syntaxis 4: zinnen met meer dan één verbum

GROEP A

Wil je iets *eten*?
Mag ik even *bestellen*?
Kan ik *betalen*?
Zullen we ergens koffie *drinken*?
Kunnen we hier *eten*?
Ga je vanavond mee iets *drinken*?

GROEP B

Ik *wil* iets *eten*.
Karel *wil* de koffie *betalen*.
U *kunt* hier *eten*.
Ik *ga* na de les iets *drinken*.

Wat *wil* je *drinken*?
Waar *zullen* we naartoe *gaan*?
Waar *ga* je iets *drinken*?

VRAGEN. Vul in.

GROEP A: Al deze vragen hebben ______ verba, een ______ vorm en een ______ vorm.
Op welke plaatsen in de zin staan ze?

a op de 1e en de 2e plaats.
b op de 1e en de laatste plaats.
c op de 2e en de laatste plaats.

GROEP B: Al deze zinnen en vragen hebben ______ verba, een ______ vorm en een ______ vorm. Op welke plaatsen in de zin staan ze?

a op de 1e en de 2e plaats.
b op de 1e en de laatste plaats.
c op de 2e en de laatste plaats

Wat is de regel denkt u?

Spelling

VOCAAL	SINGULARIS	PLURALIS
kort	p*a*k	p*akk*en
	sp*e*l	sp*ell*en
	w*i*l	w*ill*en
	k*u*s	k*uss*en
	st*o*p	st*opp*en
lang	m*aa*k	m*ak*en
	sp*ee*l	sp*el*en
	w*oo*n	w*on*en
	st*uu*r	st*ur*en

Oefeningen

TAALHULP

1 ●

Persoon A en B maken een afspraak. C is de barman. Kies de goede reactie.

1 A Zullen we iets gaan drinken?
B ❑ Ja, goed idee.
❑ Nee, ik wil thee.

2 A Waar gaan we naartoe?
B ❑ Naar het museum.
❑ Naar het café op de hoek.
A Prima.

In het café

3 A Ik neem een cola, wat wil jij?
B ❑ Ja, geef mij maar een biertje.
❑ Geef mij maar een biertje.

4 A Meneer, mag ik even bestellen?
C ❑ Alstublieft.
❑ Zeg het maar.
A Een biertje en een cola, graag.

5 A Kan ik even betalen?
B Nee, nee, ik betaal.
A ❑ Dank je wel.
❑ Alsjeblieft.

2 ●

Een voorstel doen

Voorbeeld:
Ik heb zin in thee.
Zullen we ergens thee gaan drinken?

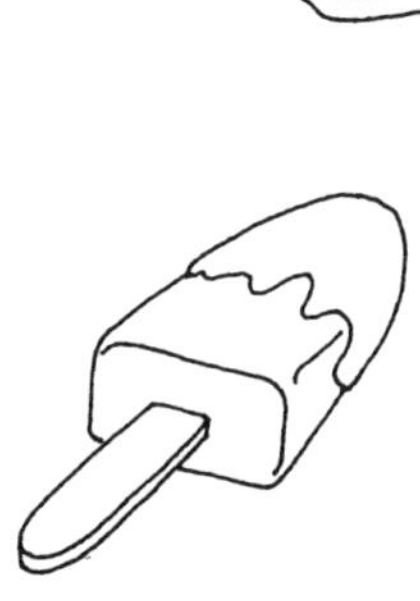

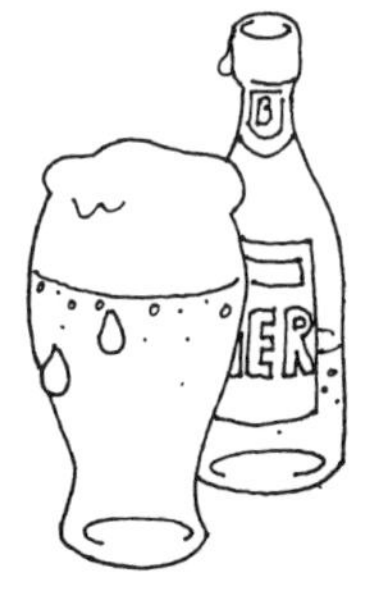

3 ●●

Een afspraak maken

Werk in tweetallen.
Voorbeeld: ergens - eten - vanavond

- Zullen we ergens gaan eten?
- Ja leuk. Wanneer?
- Vanavond? Zullen we vanavond ergens gaan eten?
- Goed, tot vanavond.

1 iets - drinken - morgenavond
2 naar de bioscoop - maandag
3 naar een concert - volgende week
4 naar de rommelmarkt - op koninginnedag

Maak nu zelf een afspraak.

VOCABULAIRE

4 ●

Wat volgt?

1 februari, maart, ________.
2 donderdag, vrijdag, ________.
3 vanmorgen, vanmiddag, ______.
4 juni, juli, ________.
5 dinsdag, woensdag, ________.
6 middag, avond, ________.

5 ●

Welk woord hoort er niet bij? Waarom niet?

1 een biertje - een kopje koffie - een glas wijn - een broodje
2 thee - appelsap - bier - koffie
3 voorjaar - maart - zomer - herfst
4 maandag - woensdag - weekend - vrijdag
5 oktober - november - april - zomer
6 ochtend - vandaag - avond - middag

6 ●●

Kies het goede woord.
Een moeder en een kind. De moeder moet het kind naar school brengen.
Hoe gaan zij, met de auto, met de fiets, met de bus, lopend?

Kind	Mamma, hoe gaan we naar school?
Moeder	Lopend, want mijn fiets is kapot. Dus [kunnen/mogen/zullen] we niet met de fiets gaan.
Kind	Ik [kan/moet/wil] niet lopen. [Kunnen/willen/zullen] we met de auto gaan.
Moeder	Nee, want pappa heeft de auto.
Kind	Dan [mag/wil/zal] ik met de bus.
Moeder	Oké, dat [kunnen/moeten/willen] we doen. Dan [kunnen/moeten/zullen] we nu vlug weg, want de bus vertrekt al over vijf minuten.

GRAMMATICA

7 ●

Geef antwoord op de vragen. Kijk naar tekst 1 en tekst 2.

1 Drinkt Saskia koffie?
2 Eet Saskia een broodje kaas?
3 Betaalt Saskia de broodjes?
4 Kent meneer Willems de ober?
5 Neemt meneer Van Dam rode port?
6 Vraagt meneer Van Dam de menukaart?

Geef antwoord op de vragen. Bedenk zelf het antwoord.

7 Spreekt u Spaans?
8 Begrijpt u Chinees?
9 Eet u kaas?
10 Drinkt u bier?
11 Hebt u een fiets?
12 Begrijpt u de oefening?
13 Wilt u suiker en melk in de koffie?
14 Weet u de bibliotheek?
15 Studeert u biologie?

8

Zet de woorden in de goede volgorde.
Voorbeeld: iets - wilt - u - drinken - ?
Wilt u iets drinken?

1 ik - de kaart - mag - alstublieft - ?
2 deze stoel - is - vrij - ?
3 eten - Nederlanders - wanneer - ?
4 zin - in - ik - een glas witte wijn - heb - .
5 ik - mag - bestellen - ?
6 met mij - ga - naar een café - je - ?
7 samen - Saskia - gaan - en haar moeder - naar het station - .
8 jij - altijd - met de bus - naar de les - ga - ?

LUISTEREN

9 

Personen en situatie

Twee klanten (A en B) gaan naar een café, zij bestellen bij de barman.

a Luister en kijk nog **niet** in het boek!
b Luister nog een keer, vul nu in.

barman	________ ________ ________ .
klant A	Mag ik twee ________ ?
barman	Alsjeblieft, dat is vijf euro.
klant A	Alstublieft.
barman	En ________ ?
klant B	Een koffie en een broodje, ________ .
barman	________ ________ ________ ________ ________ ?
klant B	________ met melk.
barman	Een broodje ham?
klant B	Nee, ________ mij maar kaas. Hoeveel is dat?
barman	________
	Alstublieft, een koffie. Het broodje ________ eraan.

10

Personen en situatie

Een man en drie klanten, in een snackbar.

Vul in.

	KLANT A	KLANT B	KLANT C
Wat bestelt hij/zij	________	________	________
Opeten of meenemen?	________	________	________

11 

Luister en vul in.

Mag ik afrekenen?

1 € ________

2 € ________

3 € ________

4 € ________

5 € ________

12 

Personen en situatie

Moeder met een kind, zij zitten in een restaurant en wachten op de ober.

Moeder	Wil je kip?
Kind	Nee.
Moeder	Wat wil je dan?
Kind	Patat met appelmoes. Waarom bestel je niet?
Moeder	Omdat de ober niet komt.
Kind	Waarom komt de ober niet?
Moeder	Omdat hij het druk heeft.
Kind	Waarom heeft hij het druk?
Moeder	Omdat hij veel mensen moet helpen.
Kind	Waarom gaan we dan niet weg?
Moeder	Omdat ik iets wil eten. En nou moet je stil zijn!!

Luister en zeg de zin met ‘omdat ________’ na:

Voorbeeld: Waarom wil je cola?
Omdat ik dorst heb.
Waarom wil je een broodje?
Omdat ik honger heb.

1 Waarom wil je thee? *Omdat ik dorst heb.*
2 Waarom wil je een kroket? *Omdat ik honger heb*
3 Waarom wil je patat? *Omdat ik honger heb.*
4 Waarom wil je appelsap? *Omdat ik dorst heb.*
5 Waarom wil je kip? *Omdat ik honger heb.*
6 Waarom wil je bier? *Omdat ik dorst heb.*

PROSODIE

13 ●
Luister naar de docent.

14 ●
Luister en zeg na, let op de zinsmelodie.

Zeg het maar.
Zegt u het maar.

Mag ik een kopje koffie?
Geef mij maar een kopje koffie.
Kan ik even betalen?

Ik heb zin in koffie.
Zullen we koffie gaan drinken?
Waar gaan we naartoe?

15 ●
Luister naar de docent en zet een ● in de juiste kolom.
Voorbeelden:

1 Utrecht 3 Saskia
2 mevrouw 4 Maria

Vul in.

	A	B	C	D
	— ·	· —	— ··	· — ·
1	●			
2		●		
3			●	
4				●

16 ●●

Luister en zet een ● in de juiste kolom.

Voorbeelden: 1 een broodje kaas, 2 een kopje koffie

Vul in.

	E	F
	• — • —	• — • — •
1	●	
2		●

17 ●●

Luister naar het ritme. Welke twee zinnen zijn anders?

a Ze heeft vandaag college.
b Hij drinkt een kopje koffie.
c Hij wil vandaag betalen.
d Ik ga met de fiets.
e Ze woont nog niet in Utrecht.
f Ze wil ook nog studeren.
g Dat is een goed idee!

18 ●● 

Hoort u een vraag?

	Ja	Nee		Ja	Nee
1	❑	❑	8	❑	❑
2	❑	❑	9	❑	❑
3	❑	❑	10	❑	❑
4	❑	❑	11	❑	❑
5	❑	❑	12	❑	❑
6	❑	❑	13	❑	❑
7	❑	❑	14	❑	❑

19 ●●

Hoort u een vraag?

1 ❑ U hebt gereserveerd.
  ❑ U hebt gereserveerd?
2 ❑ U hebt gereserveerd.
  ❑ U hebt gereserveerd?
3 ❑ U hebt twee bier besteld.
  ❑ U hebt twee bier besteld?
4 ❑ U hebt twee bier besteld.
  ❑ U hebt twee bier besteld?
5 ❑ Dus jij neemt koffie.
  ❑ Dus jij neemt koffie?
6 ❑ Dus jij neemt koffie.
  ❑ Dus jij neemt koffie?
7 ❑ U bent geen Nederlander.
  ❑ U bent geen Nederlander?
8 ❑ U bent geen Nederlander.
  ❑ U bent geen Nederlander?

SPREKEN

20 ●

Wat doet u deze week? Vul uw agenda in.
Vraag en antwoord. Werk in tweetallen.
Voorbeeld:
cursist A: Wat doe je maandagmorgen?
cursist B: Dan heb ik Nederlandse les van 10 tot 12.

21 ●●

In het café

Spreekoefening voor 3 personen. Twee klanten en een ober in een eetcafé.

SALADES

Mexicaanse salade	€ 8,–
salade met kidney en witte bonen, mais, pijnboompitten en een paprikadessing	
Tonijnsalade	€ 8,50
gemengde salade met tonijn, komkommer, ei, olijven en een dressing van merikswortel	
Geitenkaasalade	€ 6,50
salade met geitenkaas, komkommer, tomaat, pijnboompitten, honing en kruidendressing	
Chef's salade	€ 7,50
Grand Entree Lofen	€ 22,–
een variété van koude voorgerechten voor 2 personen	

TOSTI'S

Tosti kaas	€ 2,50
Tosti ham/kaas	€ 3,–
Tosti Italia	€ 4,–

klant	**klant**	**ober**
Wil je iets ______ ? Wat wil je ______ ? Wil je een ______ ?	Een ______ graag. Een ______ alsjeblieft. Ik heb liever een ______ . Geef mij maar een ______.	Zegt u het maar. Kan ik u helpen? Alstublieft.
	klant 1 en 2 AFREKENEN Kan ik even betalen? Hoeveel krijgt u van ons?	**ober** AFREKENEN Dat is dan € ______ alstublieft. Dat is dan € ______ bij elkaar.

22 ●●

Vraag en antwoord. Werk in tweetallen.

Voorbeeld 1: • wonen • Rotterdam

a Woont u in Rotterdam?
b *Ja, ik woon in Rotterdam. En u?*
a Ik ook. / Nee, ik niet.

Voorbeeld 2: • drinken • koffie

a Drink jij koffie?
b *Nee, ik drink geen koffie. En jij?*
a Ik wel. / Ik ook niet.

• wonen	• Amsterdam	• lopen	• het centrum
• drinken	• thee	• weten	• de weg naar het museum
• spreken	• Nederlands	• zijn	• Nederlander
• studeren	• Spaans	• komen	• uit Frankrijk
• gaan	• het postkantoor	• hebben	• een fiets

SCHRIJVEN

23 ●

Geef antwoord op de vragen in complete zinnen.

1 Hebt u zin in een glas wijn?
2 Begrijpt u de oefening?
3 Is Nederlands moeilijk?
4 Heeft Saskia een kamer in Utrecht?
5 Is meneer Van Dam Nederlander?
6 Spreken de heren Van Dam en Willems Frans?
7 Hebt u werk?
8 Begrijpt u de leraar goed?

24 ●

Maak zinnen

's Morgens ________ ________ ________ ________ ________
's Middags ________ ________ ________ ________ ________
's Avonds ________ ________ ________ ________ ________

's Morgens ________ ________ ________ ________ ________
's Middags ________ ________ ________ ________ ________
's Avonds ________ ________ ________ ________ ________

LEZEN

25 ●●

TRADITIONEEL TURKS RESTAURANT
Van gezellig tot romantisch tafelen 1 t/m 100 pers.
• Familiediners • Zakendiners • Vegetarische gerechten
• Mogelijkheid tot afhalen en bezorgen
Ma. t/m zo. van 16.00 - 23.00 uur geopend.
Mariastraat 8 • 3511 LP Utrecht • tel.: **030 - 233 26 58**

Filmtheaters - Cafe (sinds 1885) - Foyer
Dagelijks geopend van 11.00 tot 02.00 uur
Zondag van 11.00 tot 01.00 uur
Lunches - Borrels - Recepties - Presentaties e.v.
In de foyer: DE SALADE-BAR vanaf 17.00 uur
Inlichtingen/reserveren Springweg 50
Tel 313789 (bioscoop) of 317152 (cafe)

7 DAGEN PER WEEK GEOPEND
Indian - Tandoori
RESTAURANT
PASSAGE TO INDIA
Gespecialiseerd in tandoori-kerrie, vegetarische en visgerechten
's winters geopend van 17.00 - 23.00 uur.
's zomers geopend van 11.00 - 23.00 uur
Oudegracht 148 a/d werf 3511 AZ Utrecht
030 - 231 01 14
OOK VOOR GROEPEN, RECEPTIES EN CATERING SERVICE

Kijk naar de advertenties. Kies **waar** of **niet waar**.

Waar of niet waar?	**waar**	**niet waar**
1 In café 'Orloff' kosten alle maaltijden € 20,-	❑	❑
2 In 'De Poort van Kleef' kost een menu voor twee personen € 40,-.	❑	❑
3 'Passage to India' is elke dag open van 11.00 uur tot 23.00 uur.	❑	❑
4 Café 'Springhaver' is elke dag open tot 2.00 uur.	❑	❑
5 Restaurant 'Topkapi' is zeven dagen per week geopend.	❑	❑
6 In restaurant 'Orloff' kun je ook reserveren voor een groep van 10 personen.	❑	❑
7 In 'De Poort van Kleef kunt u goede Portugese wijn drinken.	❑	❑
8 In 'Passage to India' kunt u niet vegetarisch eten.	❑	❑
9 Café 'Springhaver' is meer dan honderd jaar oud.	❑	❑
10 Bij restaurant 'Topkapi' kunt u ook eten afhalen.	❑	❑

26 ●

Nederlandse feestdagen

Op welke dag? In welk seizoen? (Kijk in een agenda)
Voorbeeld:

0 **Prinsjesdag, de opening van het parlement**

OP WELKE DAG? op zondag/ op maandag/ *op dinsdag*/ op woensdag/ op donderdag/ op vrijdag/ op zaterdag

IN WELK SEIZOEN? in de zomer/ *in de herfst*/ in de winter/ in de lente

februari

2 Basant Pancami
Hindoes
Zie Holika dahan (12 maart).

11 Geboortedag Swami Dayanand
Hindoes
Swami Dayanand was de oprichter van de Arya Samaj.

Lantaarnfeest
Chinezen
De viering van het Chinese nieuwjaar wordt afgesloten bij de eerste volle maan van het Chinese jaar.

23 en 24 Carnaval (rk)
De dagen voordat de vasten begint zijn dagen van vrolijkheid en verkleden. Deze worden afgesloten met aswoensdag, 25 februari.

25 Maha Siwratri
Hindoes
De nacht van de grote Shiva, de vernieuwer. Wordt voornamelijk in tempels gevierd.

1 **Sinterklaas op 5 december**

OP WELKE DAG? op zondag/ op maandag/ op dinsdag/ op woensdag/ op donderdag/ op vrijdag/ op zaterdag

IN WELK SEIZOEN? in de zomer/ in de herfst/ in de winter/ in de lente

2 **Koninginnedag, 30 april**

OP WELKE DAG? op zondag/ op maandag/ op dinsdag/ op woensdag/ op donderdag/ op vrijdag/ op zaterdag

IN WELK SEIZOEN? in de zomer/ in de herfst/ in de winter/ in de lente

3 Bevrijdingsdag, 5 mei

OP WELKE DAG? op zondag/ op maandag/ op dinsdag/ op woensdag/ op donderdag/ op vrijdag/ op zaterdag

IN WELK SEIZOEN? in de zomer/ in de herfst/ in de winter/ in de lente

4 Moederdag

OP WELKE DAG? op zondag/ op maandag/ op dinsdag/ op woensdag/ op donderdag/ op vrijdag/ op zaterdag

IN WELK SEIZOEN? in de zomer/ in de herfst/ in de winter/ in de lente

5 Nieuwjaar

OP WELKE DAG? op zondag/ op maandag/ op dinsdag/ op woensdag/ op donderdag/ op vrijdag/ op zaterdag

IN WELK SEIZOEN? in de zomer/ in de herfst/ in de winter/ in de lente

Vul in.

Feestdagen in uw land.

OP WELKE DAG? ______________________________

IN WELK SEIZOEN? ______________________________

Basis

1 TEKST

1a Lees de introductie.

- Karel en Jan zijn vrienden. Zij komen elkaar op straat tegen.
- Jan stelt voor iets te gaan drinken.
- Karel heeft nu geen tijd, maar (...).
- Wanneer is de afspraak? Waar gaan zij naar toe?

1b Luister naar de tekst. Kijk **niet** in het boek! 

Karel	Hé dag, Jan!
Jan	Hallo Karel. Lang niet gezien. Hoe gaat het met je?
Karel	Goed, en met jou?
Jan	Uitstekend. Zeg, zullen we even iets gaan drinken?
Karel	Sorry, ik kan niet. Ik heb geen tijd. Ik moet eerst naar de bibliotheek. Daarna moet ik een cadeautje kopen, want ik ga naar een vriendin. Zij geeft een feestje, want ze is vandaag jarig. Zullen we voor volgende week een afspraak maken?
Jan	Goed idee. Zeg het maar. Wanneer kun je?

Karel	Volgende week woensdag? Kom dan eerst bij mij iets drinken en daarna gaan we naar de bioscoop. Goed?
Jan	Prima. Hoe laat?
Karel	Om half negen?
Jan	Goed. Tot volgende week woensdag.
Karel	Leuk. Tot dan hé!

2 TEKST

2a Lees de introductie. 

Remco Willems is 17 jaar. Hij zit in de vijfde klas van de HAVO* en moet dit jaar eindexamen doen. Hij heeft goede resultaten op school, maar het gaat niet goed met wiskunde. Daarover heeft hij vandaag een afspraak met de wiskundeleraar, meneer Pieters.

* HAVO: een schooltype voor kinderen van 12 tot 17 jaar.

2b Luister naar tekst. Kijk **niet** in het boek!

Pieters	Binnen!... Ah, Remco. Ga zitten.
Remco	Dank u.
Pieters	Hoe gaat het met je?
Remco	Tja... het gaat wel.
Pieters	Ik wil eens even met je praten. Je hebt goede resultaten voor veel vakken.
Remco	Ja, gelukkig wel.
Pieters	Oké. Prima, maar ... het gaat niet goed met wiskunde!
Remco	Ja..dat is zo, meneer. Ik vind wiskunde moeilijk.
Pieters	Begrijp je het niet goed, of ...
Remco	Ja, soms begrijp ik het niet. Dan kan ik mijn huiswerk niet goed maken.
Pieters	Luister, Remco, ik heb een voorstel. Jij werkt thuis een half uur per dag aan wiskunde, en ik geef jou één uur per week extra les. Wat vind je?
Remco	Dat is misschien wel een goed idee.
Pieters	Zullen we volgende week beginnen? Maandagmiddag om vier uur?
Remco	Ja, goed.
Pieters	Afgesproken! Tot maandag dan.
Remco	Oké. Dag, meneer.

2c Oefening bij de tekst.

Waar of niet waar?	waar	niet waar
1 Remco moet volgend jaar eindexamen doen.	❑	❑
2 Remco heeft geen goede resultaten voor wiskunde.	❑	❑
3 Pieters gaat Remco één keer per week extra les geven.	❑	❑
4 Remco moet thuis een half uur per dag aan wiskunde werken.	❑	❑
5 De extra les is op maandagmiddag van vier tot vijf uur.	❑	❑

3 TAALHULP

Een ontmoeting

begroeting

Hallo.
Dag.
Hoi.
Goedemorgen. goeiemorgen
Goedemiddag, goeiemiddag
Goedenavond, goeieavond

VRAAG	POSITIEF ANTWOORD	NEGATIEF ANTWOORD
Beleefd:		
Hoe maakt u het?	Uitstekend, dank u. En u?	
Hoe gaat het met u?	Goed, dank u. En met u?	
Hoe gaat het met je?	Goed, dank je. En met jou?	
Informeel:		
Hoe gaat het ermee?	Goed. Met jou ook?	Nou, het gaat wel.
Hoe is het?	Goed. En met jou?	Hm, niet zo goed.
Alles goed?	Ja, met jou ook?	Helemaal niet!

afscheid

ZELFDE DAG	ANDERE DAG	WEET NIET
Tot zo! Tot straks! Tot vanmiddag!	Tot morgen! Tot volgende week Woensdag! Tot over twee weken!	Tot gauw! Tot ziens!

de tijd

VRAAG	ANTWOORD
Op welke dag zullen we afspreken?	Volgende week woensdag.
Hoe laat spreken we af?	Om half negen.
Wanneer kun je?	Elke dag, behalve maandag.
Hoe laat is het?	Het is ....
Weet u hoe laat het is?	Ja, het is ....

kwart over 3

10 voor half 4

half 4

5 over half 4

kwart voor 4

een reden

Ik kan niet *want*

een tegenstelling

Ik vind het wel leuk, *maar* ik kan niet.
Het gaat goed met de economie, *maar* het gaat niet goed met wiskunde

4 GRAMMATICA

negatie 2

VRAGEN	NEGATIEVE ANTWOORDEN
Kom je *uit* Nederland?	Nee, ik kom *niet uit* Nederland.
Zit je *op* de HAVO?	Nee, ik zit *niet op* de HAVO.
Gaat u *met* de taxi?	Nee, ik ga *niet met* de taxi.
Gaat u *naar* het station?	Nee, ik ga *niet naar* het station.

negatie 3

VRAGEN	NEGATIEVE ANTWOORDEN
Gaat het *goed*?	Het gaat *niet goed*.
Vind je het *lekker*?	Ik vind het *niet lekker*.

negatie 4

VRAGEN	NEGATIEVE ANTWOORDEN
Begrijpt u mij?	Nee, ik *begrijp* u *niet*.
Rookt u?	Nee, ik *rook niet*.
Kom je?	Nee, ik *kom niet*.

VRAGEN

Kijk naar alle negatieve antwoorden. Wat kunt u zeggen over de plaats van het woordje 'niet'?

pronomen personale als object en achter een prepositie

Subject	Object
ik	mij (of: me)
jij (of: je)	jou (of: je)
u	u
hij	hem
zij (of: ze)	haar
wij (of: we)	ons

wij (of: we)	ons	
jullie	jullie	
zij (of: ze)	hen, hun (of: ze)	**voor personen**
	ze	**voor dingen**

Ik heb zin in koffie.	Wil jij koffie voor *mij* inschenken?
Wil *jij* ook koffie?	Zal ik ook koffie voor *jou* inschenken?
Hij vindt wiskunde moeilijk.	De leraar helpt *hem*.

Oefeningen

TAALHULP

1

Hoeveel combinaties kunt u maken?

1	Hoe gaat het ermee?	a	Nee, ik heb geen zin.
2	Hallo!	b	Nee, dank u.
3	Ga je mee naar de bioscoop?	c	Sorry, ik kan niet.
4	Goedemiddag.	d	Hoe gaat het met u?
		e	Goed, en met jou?
		f	Prima.
		g	Hé hallo!

2

Luister en herhaal: *Tot dinsdag! Tot straks! Tot vanavond!*

Voorbeeld:

A Ik moet nu weg, want de les begint om zeven uur.
Maar ik ben om tien uur weer terug.
B Tot straks!

cursist: *Tot straks.*

A Ik heb geen brood in huis, maar ik kan niet weg, want Piet komt zo langs.
Wil jij even brood voor mij halen?
B Ja, ik doe het wel even. ________ ________.
cursist: ________ ________.

A Heb je zin om dinsdag langs te komen?
B Ja, wat leuk!
A Goed dan, ________ ________.
cursist: ________ ________.

A Ik ga nu naar huis, maar ik kom vanavond weer terug.
B Goed, ________ ________.
cursist: ________ ________.

A Wanneer kom je terug?
B Ik weet het niet precies.
A Nou, ________ ________.
cursist: ________ ________.

3 ●●

Wat zeg je als je weg gaat?

Voorbeeld:

A Ik ga nu naar huis, maar ik kom vanmiddag weer terug.

B Goed. Tot vanmiddag!

A Ik ga even naar het postkantoor.

B Oké, ________ ________.

A Ik moet naar de stad. Ik moet naar de markt.

B ________ ________.

A Vrijdag hebben we toch les hè?

B Ja hoor, ________ ________.

A Mag ik vanmiddag even bij je komen?

B Ja natuurlijk, ________ ________.

A Kunt u nu de weg alleen vinden?

B Ja hoor, dank u wel, ________ ________.

VOCABULAIRE

4 ●

Wat past bij elkaar? U kunt meer combinaties kiezen.

een cadeautje	doen
een feestje	kopen
een afspraak	maken
een examen	geven
huiswerk	________

1a Volgende week wil ik ________ ________. Kom je ook?

b Ja graag, bedankt voor de uitnodiging.

2a Ik ben een beetje zenuwachtig. Ik moet vanmiddag ________ ________.

b Nou, veel succes!

3a Ik ga volgende week naar een feest. Wat voor een ________ zal ik ________ ?

b Misschien een boek of zo?

4a Ha die Piet, lang niet gezien!

b Nou zeg dat wel. Kom eens langs! Zullen we meteen een ________ ________ ?

5a Ik begrijp niks van die wiskunde! Kun je me helpen mijn ________ te ________ ?

b Ik wil het wel proberen.

5 ●

Kies het goede woord.

Voorbeeld:

Ik moet een paar boeken terugbrengen naar de *bioscoop/bibliotheek.*

Het goede woord is : *bibliotheek.*

1. Ik ga een cadeautje kopen voor mijn moeder want ze is morgen *feest/jarig.*
2. *Willen/Zullen* we voor volgende *week/maand* vrijdag een afspraak maken?
3. Remco *staat/zit* in de vijfde klas van de HAVO en moet dit jaar examen *doen/gaan.*
4. De volgende les is woensdagmiddag *op/om* twee uur.
5. Hoe gaat het *met/ermee* je vader en moeder?
6. Ik drink geen koffie *maar/want* ik vind koffie niet *leuk/lekker.*
7. Vandaag eten we niet veel, want we *zijn/hebben* geen *honger/dorst.*
8. John *is/komt* uit *Engels/Engeland* en spreekt redelijk Nederlands.
9. John wil zijn Nederlands verbeteren en daarom wil hij een cursus *geven/volgen.*
10. Een cursus voor beginners is natuurlijk te *gemakkelijk/moeilijk* voor John.

6 ●●

Vul in: *maar* of *want.*

1. Arend neemt een broodje, ______ hij heeft honger.
2. Berend heeft ook honger, ______ hij neemt geen broodje.
3. Arend heeft zin in een broodje kaas, ______ er is geen kaas.
4. Sandra zit op een terras, ______ ze ziet geen ober.
5. Ze wil iets drinken, ______ ze heeft dorst.
6. Dan ziet ze een ober. Ze roept hem, ______ hij hoort haar niet.
7. Dan gaat ze weg, ______ ze kan niet meer wachten, ze moet naar een afspraak.

GRAMMATICA

7 ●

a Wat hoort bij elkaar?

b Onderstreep *niet* of *geen* en het bijbehorende woord.

Voorbeeld:

a **zin 1** hoort bij **e**

b/c Remco, ik wil je spreken want het gaat niet goed met wiskunde.

1 Remco, ik wil je spreken want ________ .
2 Ik kan nu niet naar de kantine want ________ .
3 Ik kan niet met de fiets naar school want ________ .
4 Maria uit Italië woont in Nederland want ________ .
5 Sorry, kunt u dat herhalen want ________ .
6 Ik neem een broodje want ________ .
7 We hebben vandaag vrij want ________ .
8 Ik wil geen koffie want ________ .

a ________ ik moet nu naar de bibliotheek.
b ________ het is Koninginnedag.
c ________ zij wil hier studeren.
d ________ ik heb honger.
e ________ het gaat niet goed met wiskunde.
f ________ mijn fiets is kapot.
g ________ ik heb geen dorst.
h ________ ik begrijp u niet.

8 ●●

Maak het antwoord (b) *negatief*.

1 a Zeg, hoe gaat het met je?
  b Het gaat goed met mij.
2 a Ga je mee naar de bioscoop?
  b Ik heb tijd.
3 a Zullen we een kopje koffie gaan drinken?
  b Ik heb zin in een kopje koffie.
4 a Waar is de Kalverstraat in Amsterdam?
  b Ik weet de weg in Amsterdam.
5 a Waar is Karel?
  b Hij zit in het restaurant.
6 a Wil je een stukje chocola?
  b Ik houd van chocola.
7 a Gaan jullie mee naar het zwembad?
  b Hoe? Wij hebben een fiets.
8 a Waarom gaan Karel en Jan weg?
  b Zij vinden het verhaal interessant.
9 a Wil je suiker en melk?
  b Ik wil suiker in de thee.
10 a Meneer, mag ik een sigaret roken?
  b Je mag in de les roken.

9

Kies het goede alternatief.

1 Meneer Gonzalez komt uit Spanje.
Hij/Hem woont pas drie maanden in Nederland, maar je kunt heel goed Nederlands met *hij/hem* spreken.
2 Saskia komt uit Nederland. Het gaat heel goed met *zij/haar*.
Zij/Haar studeert in Utrecht.
3 Hallo Peter. Hoe gaat het met *je/jou?*
Met *ik/mij* gaat het heel goed, dank je. En met *je/jou*?
4 Goedemiddag mevrouw Willems. Hoe gaat het met *je/u*?
Heel goed, dank *je/jij* wel Maria. En hoe gaat het met *je/jou*?
5 Hoe gaat het met Remco en Leon?
Ik zie *ze/hem* niet zo vaak. Ik weet niet hoe het met *ze/hem* gaat.
6 Ik ga vanavond met Jan iets drinken. Ik zie *haar/hem* om acht uur in een café.
7 Ik heb vanavond een afspraak met Saskia en Karel. Ik ga met *haar/hen* iets eten in de stad.
8 Jan en Karel: "Kunt u *me/ons* helpen? *We/Ons* zoeken het Centraal Museum."
Meneer: "Natuurlijk. *U/Jullie* moeten hier rechtdoor, en dan zien *u/jullie* het museum na 200 meter rechts."

LUISTEREN

10 

Hoe laat is het? Luister en kies de goede tijd.

1	a	09.15 uur	6	a	14.45 uur
	b	09.45 uur		b	15.15 uur
2	a	11.30 uur	7	a	07.05 uur
	b	12.30 uur		b	19.05 uur
3	a	06.10 uur	8	a	10.45 uur
	b	05.50 uur		b	11.45 uur
4	a	12.00 uur	9	a	20.25 uur
	b	00.00 uur		b	20.35 uur
5	a	22.20 uur	10	a	17.20 uur
	b	22.40 uur		b	17.50 uur

11 ●●

Luister en schrijf de tijd in de agenda (in cijfers).

Voorbeeld:

- U hoort: Om drie uur 's middags gaat Remco naar de voetbaltraining
- schrijf in de agenda: 15.00 uur: voetbaltraining.

Hoe laat gaat Remco ________ ?

VRIJDAG **16 oktober**	
7	**16**
8	**17**
9	**18**
10	19
11	20
12	21
13	22
14	23
15 voetbaltraining	24

12 ●

Luister en kies de goede prijs.

1 a	€ 2,25	5 a	€ 25,-	9 a	€ 2435,-
b	€ 2,75	b	€ 20,50	b	€ 2345,-
2 a	€ 5,60	6 a	€ 165,-	10 a	€ 1200,50
b	€ 6,50	b	€ 156,-	b	€ 1250,-
3 a	€ 35,90	7 a	€ 535,		
b	€ 30,95	b	€ 553,-		
4 a	€ 495,50	8 a	€ 785,-		
b	€ 459,50	b	€ 875,-		

13 ● 

Personen en situatie

Mevrouw de Wit maakt kennis met haar nieuwe buren: Frans en Ellen de Jong en hun zoontjes Tom en Hans. Heleen de Wit is een dame van ongeveer 70 jaar.

a Luister naar de tekst.
b Luister en vul in : *u, je of jij, jullie.*

Nieuwe Buren

Frans de Jong	Dag mevrouw, ik ben Frans de Jong.
Mevr. De Wit	O, ________ bent de nieuwe buurman.
	Mevrouw De Wit.
Ellen de Jong	Dag! Ellen de Jong.
Mevr. De Wit	Ik hoop dat ________ het hier prettig zult vinden.
Ellen de Jong	O, vast wel.
	Hoe lang woont ________ hier al?
Mevr. De Wit	O, al vijfentwintig jaar en ik vind het hier nog altijd prettig.
	Wilt ________ even binnen komen?
	Wilt ________ misschien een kopje koffie?
Ellen de Jong	Nee dank ________ .
	Onze zoontjes spelen buiten en dan weten ze niet
	waar we zijn. O, daar zie ik ze toevallig.
	Jongens, komen ________ eens hier!
	Dit is de buurvrouw.
Mevr. De Wit	Dag, hoe heet ________ ?
Tom	Tom.
Mevr. De Wit	En hoe oud ben ________ ?
Tom	Vijf.
Mevr. DeWit	En hoe heet ________ ?
Hans	Hans.
Mevr. De Wit	En hoe oud ben ________ ?
Hans	Zeven.
Mevr. De Wit	Ach, komt ________ nou toch even binnen.
	Nou wilt ________ misschien wel een kopje koffie.
	En Tom en Hans, willen ________ een glaasje limonade?

14 ● ●

Personen en situatie

John komt uit Ierland. Hij is nu een jaar in Nederland en volgt een cursus Nederlands. Hij is geen beginner. Hij spreekt redelijk goed Nederlands en volgt een cursus voor gevorderden bij een taleninstituut. Hij gaat naar de docent van de cursus, mevrouw Veenstra.

Luister naar de dialoog tussen John en mevrouw Veenstra en beantwoord de vragen.

VRAGEN

1 John praat met de lerares. Wat vindt hij zelf? En wat vindt de lerares?
Hoe gaat het met ...
   a lezen? ______________________
   b luisteren? ______________________
   c spreken? ______________________
   d schrijven? ______________________
   e grammatica? ______________________

2 Welke cursus gaat John misschien volgen?
____

3 Hoe lang duurt de cursus, en hoeveel uur per week?
____

4 Wie is Henk?
____

5 Wanneer is Henk op het Instituut?
____

6 Wanneer kan John hem bellen?
____

PROSODIE

15 ●

Luister en zet een streep onder het woord/de woorden met accent.

Voorbeeld:

- Willen jullie wijn?
• Ja graag.
⋆ Voor mij niet

- Waar is mijn glas?
• Dat staat voor je!
* Nee, dit glas is voor jou.

- Mira wil ons uitnodigen.
• Zij wil mij uitnodigen?
  Op school zegt ze nooit iets tegen me!

- Hallo, Remco, hoe gaat het met je?
• Goed Peter, en met jou?

- Kom je vanmiddag huiswerk bij me maken?
• Nee, kom jij liever bij mij, want mijn moeder is ziek.
  Dan kan ik haar af en toe thee brengen en zo.
- Oké.

- Ik ga vanavond met Pien naar de bioscoop.
• Waarom ga je wel met haar en nooit met mij?

- Werk je allang in het bedrijf?
• Al drie jaar. En jij?
- Ik werk hier pas een jaar, maar Anneke niet. Zij werkt hier al bijna tien jaar.

16 ●

Luister naar de docent.

17 ●

Luister, zet een ● in de goede kolom.
U hoort:

1 Utrecht
2 mevrouw
3 Maria
4 volgende week
5 bibliotheek

	A	B	C	D	E
	— •	• —	• — •	— • • —	• • • —
1	●				
2		●			
3			●		
4				●	
5					●

18

Luister naar de docent.

19 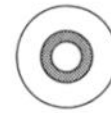

Hoort u een vraag?

	Ja	Nee		Ja	Nee
1	❑	❑	7	❑	❑
2	❑	❑	8	❑	❑
3	❑	❑	9	❑	❑
4	❑	❑	10	❑	❑
5	❑	❑	11	❑	❑
6	❑	❑	12	❑	❑

20 

Luister en zeg na. Klap, tik en zing!

Goedemorgen. (2 x)
Goedemiddag. (2 x)
Goedenavond. (2 x)

Hallo!
Hoe gaat het ermee?
Prima! En met jou?
Het gaat wel.

Dag.
Hoe gaat het met je?
Uitstekend!

Dag mevrouw.
Hoe gaat het met u?
Goed. Dank u.

Hoi!
Hoe is het?
Prima! Met jou ook?

Niet zo best.
Niet zo goed.
Slecht.

Dag!
Tot volgende week!
Tot morgen!
Tot vanavond!
Tot straks!
Tot dan!

Ga je mee naar Amsterdam?
Zullen we naar Amsterdam gaan?
Ik heb een voorstel: we gaan naar Amsterdam. Wat vinden jullie?

Ja leuk!
Prima!
Goed idee!

Nee, dank je.
Sorry, ik kan niet.
Nee, het spijt me.
Ik kan echt niet, want mijn dochter is ziek.

SPREKEN

21

Werk in tweetallen. A leest de vraag en B geeft antwoord. B mag kiezen voor een positief of een negatief antwoord. Let op: bij een negatief antwoord moet je ook uitleggen waarom. Wissel daarna van rol.

Voorbeeld:

Persoon A	**Persoon B**
Ga je mee naar de film?	*Ja, graag!* of *Nee, ik kan niet, ik moet huiswerk maken.*

1 Zullen we naar de film gaan? ______________________.
2 Hoi, hoe gaat het met je? ______________________.
3 Ga je mee naar het feest? ______________________.
4 Kom je morgen bij me eten? ______________________.
5 Dag, hoe is het? ______________________.
6 Kun je me helpen met het huiswerk? ______________________.
7 Hoe gaat het met je op school? ______________________.
8 Hallo, hoe gaat het met u? ______________________.
9 Ga je mee naar het zwembad? ______________________.
10 Hoi, hoe gaat het met je vader en moeder? ______________________.

22

Werk in tweetallen. A stelt een vraag en B geeft antwoord. B mag kiezen voor een positief of een negatief antwoord. Let op: bij een negatief antwoord moet je ook uitleggen waarom. Wissel daarna van rol.

Voorbeeld:

Persoon A	**Persoon B**
Hoi Maria, ik heb zin in een ijsje. Zullen we ergens een ijsje gaan eten.	*Ja, lekker!* of *Nee, ik ben op dieet.*

1 patat
2 koffie
3 een biertje
4 de markt
5 voetbalwedstrijd
6 de bioscoop

23 ●●

Bedenk situaties bij de volgende excuses. Werk in tweetallen.

PERSOON A	PERSOON B
Heb je zin om bij me te komen?	Sorry, maar ik heb geen vervoer.
______________________	Mijn fiets is kapot.
______________________	Mijn tante is jarig.
______________________	Ik kan 's ochtends niet uit mijn bed komen.
______________________	Ik ben nog niet klaar met mijn huiswerk.

SCHRIJVEN

24 ●

Geef antwoord op de vragen in complete zinnen.

Voorbeeld:

Bent u Nederlander? *Nee, ik ben geen Nederlander.*
Komt u uit Nederland? *Nee, ik kom niet uit Nederland.*
Spreekt u Nederlands? *Nee, ik spreek geen Nederlands.*
Ja, ik spreek een beetje Nederlands.

1 Bent u Spanjaard? ______________________.
Komt u uit Spanje? ______________________.
Spreekt u Spaans? ______________________.

2 Hebt u een fiets? ______________________.
Gaat u vaak met de fiets? ______________________.
Gaat u met de fiets naar de les? ______________________.

3 Begrijpt u veel van wiskunde? ______________________.
Kunt u wiskundesommen maken? ______________________.

4 Gaat u vaak naar een feestje? ______________________.
Houdt u van feestjes? ______________________.
Geeft u een feest als u jarig bent? ______________________.
Bent u vandaag jarig? ______________________.

25

Maak de zinnen compleet.

1 Ga je mee naar de film?
Nee, het spijt me. Ik ______________________________.
2 Zullen we een kopje koffie gaan drinken?
Ja, ______________________________.
3 Waarom leer je Nederlands?
Ik leer Nederlands want ______________________________.
4 Ga je naar huis?
*Ik wil wel naar huis, maar*______________________________.

LEZEN

26

Aanbieden van excuses

Wat hoort bij elkaar? Vul ook *niet* of *geen* in.

Voorbeeld: Vraag 0 hoort bij Antwoord x:

0 Uw buurvrouw vraagt: "Komt u morgenavond koffie drinken? Mijn man is jarig."
x "Het spijt me, ik kan *niet* komen want ik heb al een afspraak."

VRAGEN

0 Uw buurvrouw vraagt: "Komt u morgenavond koffie drinken? Mijn man is jarig."
1 Uw leraar vraagt: "Waarom heb je je huiswerk niet gemaakt?"
2 Een vriend vraagt: "Zullen we naar het zwembad gaan?"
3 Uw leraar vraagt: "Waarom ben je altijd te laat?"
4 Iemand vraagt tijdens de les: "Zullen we na de les bij mij thuis huiswerk maken?"
5 Een politieagent zegt: "U mag hier niet parkeren!"

ANTWOORDEN

x U zegt: "Het spijt me, ik kan ________ komen want ik heb al een afspraak."
a U zegt: "Nee, sorry, ik voel me ________ goed want ik ben erg verkouden."
b U zegt: "Pardon meneer, ik begrijp u ________ . Ik spreek bijna ________ Nederlands. Kunt u langzaam spreken?"
c U zegt: "Het spijt me, meneer, ik heb ________ horloge."
d U zegt: "Ik begrijp de oefening ________ goed en ik heb ________ woordenboek."
e U zegt: "Nee jammer, ik heb nu ________ tijd. Ik moet na de les meteen naar huis."

27 ●●

Tekst om te lezen en over te praten.

Kent u de Nederlanders?

Aan het einde van een gesprek of ontmoeting zeggen we vaak: "Doe de groeten aan ...." Het antwoord is dan meestal: "Dank je wel, dat zal ik doen."

'Wat ik het moeilijkste vind aan Nederlanders is hun directheid. Ze hebben over alles en iedereen een opinie en uiten die ook. Dat heeft iets goeds, maar je moet er ook aan wennen, je niet ergeren dat beleefdheden worden overgeslagen, je niet beledigd voelen.'

Carl Niehaus
ambassadeur van Zuid-Afrika in Nederland, 1996
In: BUITENBEELD VAN NEDERLAND; een uitgave van Radio Nederland Wereldomroep.

'Wij bieden buitenlandse werknemers de mogelijkheid om de cursus *Understanding the Dutch* te volgen. Veel buitenlanders moeten erg wennen aan onze manier van doen. Ze vinden het bijvoorbeeld heel vreemd dat we om de haverklap agenda's trekken, zelfs voor het maken van een persoonlijke afspraak. Of dat we op een verjaardag alle aanwezigen feliciteren met de jarige.'

Martin de Jong
In: 'VREEMD VOLK?' De Volkskrant.

Basis

1 TEKST

1a Lees de introductie.

Naar een feestje

Saskia is vandaag jarig. Karel, een vriend, gaat naar haar feest. Op het feest ontmoet hij de moeder en de broer van Saskia, en Maria, een Italiaanse vriendin.

1b Luister naar de tekst. Kijk **niet** in het boek!

Karel	Goedenavond meneer. Kunt u mij helpen? Ik moet naar Houten. Moet ik dan deze bus hebben?
buschauffeur	Jazeker.
Karel	In Houten moet ik in de Kerkstraat zijn. Waar moet ik dan uitstappen?
buschauffeur	Dat is heel gemakkelijk. De eerste halte in Houten is de Kerkstraat.
Karel	Wilt u mij toch even waarschuwen?
buschauffeur	Natuurlijk, meneer.
Karel	Bedankt.
Saskia	Hallo. Gezellig dat je er bent.
Karel	Hallo. (kus, kus, kus) Gefeliciteerd! En nog vele jaren.
Saskia	Dank je wel.
Karel	Alsjeblieft. Hier is een klein cadeautje.

Saskia	Dank je wel. Leuk zeg, bedankt. Wat wil je: koffie met taart, of heb je liever wat anders?
Karel	Nee, koffie graag.
Saskia	Een stuk appeltaart?
Karel	Ja graag.
Saskia	Goed. Oh, dit is mijn moeder. Mam, dit is Karel.
mevr. Willems	Dag Karel.
Karel	Dag, mevrouw Willems, gefeliciteerd met uw dochter.
mevr. Willems	Dank je wel, Karel.
Remco	Hoi, ik ben Remco, de broer van Saskia.
Karel	Gefeliciteerd met je zus. (de bel gaat)
Saskia	Ik ga even opendoen. Hoi, Maria. Kom binnen.
Maria	Hoi, Saskia. Gefeliciteerd. Eh, ben je vandaag nou 21 of 22 geworden?
Saskia	22. Leuk dat je er bent.
Saskia	Eh, Karel, kom eens even. Dit is Maria.
Karel	Hoi, ik ben Karel.
Maria	Hoi.
Saskia	Maria, wil je wat drinken?
Maria	Ja, een cola graag.
Maria	Jij studeert Spaans, hè?
Karel	Ja, ik ben een studiegenoot van Saskia. En jij?
Maria	Ik studeer biologie.
Karel	Je komt toch uit Italië? Je spreekt al goed Nederlands!
Maria	Dank je. Ik ben nu 2 jaar hier. En mijn vriend is Nederlander.
Karel	Aha... en hoe gaat het met je studie?
Maria	Gaat wel. Maar alle lessen zijn in het Nederlands. Dat is soms nog moeilijk voor mij.

1c Oefening

Vul steeds één woord uit de tekst in.

1 Karel gaat naar het ________ van Saskia. Hij gaat met de ________ naar Houten.
2 Bij de ________ halte in Houten moet hij ________ .
3 Hij geeft Saskia een ________ voor haar verjaardag.
4 : "Wil je ________ ?"
5 Karel neemt koffie en ________ .

6 Dan gaat de bel.
7 Saskia gaat ________ en Maria komt binnen.
8 Maria ________ biologie.
9 Karel zegt: "Je spreekt ________ Nederlands!"
10 Karel vraagt haar: "Hoe ________ het met je ________ ?"
11 "________ ", zegt Maria, "maar alle ________ zijn in het Nederlands, en dat is soms ________ voor mij."

2 TEKST

De familierelaties van Harrie de Vries

Harrie is de man van Caroline.
Caroline is de vrouw van Harrie.
Hans is de zoon van Harrie, en Bartje ook.
Harrie is hun vader.
Bart is het broertje van Hans.

Jeanne is de moeder van Harrie.
Jeanne is de schoonmoeder van Caroline.
Jeanne is de oma van Hans en Bartje.
Johan is de man van Jeanne.
Hans is de kleinzoon van Jeanne, en Bartje ook.
Anneke is de zus van Harrie.
Anneke is de tante van Hans en Bartje.
Harrie heeft geen dochters.
Harrie heeft ook geen broers.

VRAAG
Wat is de familierelatie van Johan met alle andere personen?

3 TAALHULP

Feliciteren: bij verjaardag, geboorte, bruiloft etc.

(Hartelijk) Gefeliciteerd!
Van Harte!

Iemand iets toewensen: bij vakantie, een reis, iets leuks

Prettige vakantie!
Goede reis!
Veel plezier!

Iemand iets toewensen: bij examen, iets moeilijks

Veel succes!
Sterkte!
Het beste!

Bij ziekte

Beterschap!
Het beste!

Blijk geven van medeleven: bij ernstige ziekte, dood.

Sterkte!
Wat erg voor je.
Gecondoleerd.

Dankbaarheid uitdrukken

Bedankt!
Dank je wel / Dank u wel!

4 GRAMMATICA

Syntaxis, overzicht 1

SUBJECT	VERBUM 1	REST	VERBUM 2 (EN 3)
Saskia	studeert	Spaans.	
De student	gaat	naar de kantine.	
Ik	heb	zin in een broodje.	
De studenten	moeten	vandaag een test	maken.
Jullie	mogen	in de klas niet	roken.
Wij	willen	naar de film	gaan.
Saskia en Karel	willen	iets	gaan drinken.

Syntaxis, overzicht 2

VRAAGWOORD / IETS ANDERS	VERBUM 1	SUBJECT	REST	VERBUM 2 (EN 3)
Waar	woon	je?		
Wat	zegt	de leraar?		
Welke talen	spreken	jullie?		
Wat	zullen	we	vanavond	doen?
Daarom	kan	ik	de oefening niet	maken.
Op het station	kunnen	we	koffie	gaan drinken.

Syntaxis, overzicht 3

VERBUM 1	SUBJECT	REST	VERBUM 2 (EN 3)
Begrijpt	u	een beetje Frans?	
Wil	je	een vraag	stellen?
Moeten	Saskia en Karel	lang	wachten?
Mogen	we	nu koffie	gaan drinken?

Oefeningen

TAALHULP

1 •

Luister en geef een passende reactie.

Voorbeelden:

- Ik ben vandaag jarig!
• Oh, *gefeliciteerd!*
- We moeten vanmiddag examen doen.
• Nou, *sterkte!*

1 - Ik ga morgen gezellig een dagje naar Amsterdam.
• ______________________________!

2 - Het is bijna kerstmis. Nog één dag werken en dan heb ik twee weken vrij.
• ______________________________!

3 - Ik blijf vandaag thuis. Ik voel me niet lekker. Misschien word ik wel ziek.
• ______________________________!

4 - We gaan morgen op reis, met het vliegtuig naar Griekenland.
• ______________________________!

5 - Ik ga vanavond lekker uit eten en dan naar de film.
• ______________________________!

6 - Ik moet morgen een presentatie houden voor een groep van 80 studenten. Dat is de eerste keer voor zo'n grote groep!
• ______________________________!

7 - Ik ben jarig.
• ______________________________!

8 - Ik heb een nieuwe baan. Morgen is mijn eerste werkdag!
• ______________________________!

2 •

Geef de juiste reactie. Kies uit:

Wat aardig! *Wat erg!* *Wat gezellig!* *Wat jammer!* *Wat lekker!*
Wat leuk! *Wat stom!* *Wat toevallig!* *Wat vervelend!*

Voorbeeld: Ik kom morgen koffie drinken.
Wat gezellig!

1 Wim kan niet op mijn verjaardag komen.
2 Mijn broer wil mij niet met mijn huiswerk helpen.
3 Mijn man brengt mij met de auto naar de avondcursus.

4 Ik heb heel speciale kaas. Wil je proeven?
5 Mijn man en ik zijn op dezelfde dag jarig.
6 Hier is je pilsje.
7 Wim en ik gaan volgende week naar de bioscoop.
8 Ik ga morgen op vakantie.
9 Ik heb mijn boek niet bij me.
10 Annie en Piet hebben een zoon!
11 Ik ga vanavond bij Frits en Nel eten.
12 Deze cd heb ik ook!
13 Mijn oma is gisteren overleden.

VOCABULAIRE

3 ●

Zet in de goede kolom:
de man, de vrouw, de ouders, de vader, de moeder, het kind, de zoon, de dochter, de broer, de zus, de opa, de oma, kleinkinderen, de kleinzoon, de kleindochter, de oom, de tante, de neef, de nicht, het neefje, het nichtje de schoonouders, de schoonvader, de schoonmoeder, de schoonzoon, de schoondochter, de zwager, de schoonzus

mannelijk	vrouwelijk	meervoud

4 ●●

Vul in één van de twee zinnen het gegeven woord in.
Welk woord kunt u invullen in de andere zin?
Voorbeeld:

achternaam
A Hallo, mijn naam is Karel Jansen. Mijn ________ is Karel.
B Mijn ________ is Jansen.

1 is
A Maria Borsato ________ uit Italië en ze woont nu in Nederland.
B Maria Borsato ________ Italiaanse en ze studeert biologie.

2 zeggen
A Kunt u dat nog eens ________ ? Ik begrijp u niet.
B Mag ik u iets ________ ? Weet u welke bus naar het station gaat?

3 uitstappen
A Het station is het eindpunt van deze bus. Daar moet u ______ .
B U moet eerst lijn 3 nemen en dan in het centrum op lijn 5 ________ .

4 dorst
- A Ik neem nog een broodje kaas, want ik heb nog steeds ______ .
- B Ik heb veel ______ , geef mij nog maar een pilsje.

5 graag
- A Ik wil ______ een glas rode wijn, en jij?
- B Oh, geef mij ______ een kop koffie en een stuk appeltaart.

6 willen
- A ______ we vanavond naar de film gaan?
- B ______ jullie misschien ook iets drinken?

7 afspreken
- A Kan ik voor volgende week een ______ met je maken?
- B Helaas kan ik voor volgende week niet met je ______ .

8 lente
- A Het is begin september: over een paar weken begint in Nederland de ______ .
- B Het is gelukkig niet meer zo koud; het is bijna ______ .

9 kerstvakantie
- A In Nederland duurt de ______ twee weken, van half december tot begin januari.
- B In de ______ gaan de kinderen in de periode juli/augustus zes weken niet naar school.

GRAMMATICA

5 ●

Vul in.

Maria gaat naar de markt.

1 Maria gaat *elke* woensdag naar de markt.
2 ______ koopt *daar* groente en fruit.
3 ______ wil *nu* appels kopen want ______ gaat een appeltaart maken.
4 Maria krijgt *vanavond* bezoek van Karel en Jan.
5 ______ komen *om* acht uur bij ______ koffie drinken.
6 ______ wil *daarom* een taart bakken.
7 Maria ziet *op* de markt een vriendin. ______ praat even met ______ .
8 "Hallo, Maria. Hoe gaat het met ______ ?"
9 "Goed, en met ______ ?"
10 "Ook goed. Ga ______ mee koffie drinken?"
11 "Nee, sorry. Kom je morgen bij ______ koffie drinken? Ik heb een nieuwe kamer."
12 "Oké. Dan kom ______ om een uur of elf."
13 "Goed, dan zie ik je morgen."
14 "Goed . Tot morgen."

6 ●

Herschrijf oefening 5. Zin 1 t/m 7.

Voorbeeld:

Maria gaat *elke* woensdag naar de markt.
Elke woensdag gaat Maria naar de markt.

7 ●

Maak zinnen.

- Zet het verbum in de juiste vorm.
- Zet het verbum op de juiste plaats in de zin.

Voorbeeld:

drinken
Soms - ik - veel koffie
Soms drink ik veel koffie.

drinken

a Hoeveel kopjes koffie - jij - per dag?
b Meestal - ik - drie kopjes koffie - per dag, maar vandaag nog meer.
a Waarom - jij - vandaag - zoveel koffie?
b Ik - vandaag - zoveel koffie, omdat ik anders in slaap val.

kijken

a je - vaak - televisie?
b Meestal - ik - naar - de sportprogramma's.
Soms - ik - ook wel - naar - het nieuws.
a Ik - elke avond.
Mijn moeder - niet - want zij heeft te veel werk.

verkopen

a Wat - u?
b Ik - boeken.
a En - wat - de man - daar - in - de andere kiosk?
b Hij - kranten.
a jullie - veel?
b Soms - wij - veel - maar - soms - wij - bijna niets.

LUISTEREN

8 ●

Personen en situatie

Een meisje praat met haar leraar. Zij praten over de les van volgende week.

Waar of niet waar?	waar	niet waar
1 Het meisje komt volgende week naar de les.	❑	❑
2 Haar oma is jarig.	❑	❑
3 Het meisje heeft veel neven en nichten.	❑	❑
4 Haar oma geeft een groot feest.	❑	❑
5 De oma van het meisje ligt in het ziekenhuis.	❑	❑

9 ●●

Welke getallen hoort u? Lees eerst de tekst een keer door.

En dan nu verkeersinformatie.
Er staan files op de volgende wegen:
Omgeving Amsterdam op de A ___ de Gaasperdammerweg voor de aansluiting met de A___ : ___ kilometer.
A ___ richting Alkmaar bij de Velsertunnel: ___ kilometer.
A ___ richting Zaandam voor de Coentunnel: ___ kilometer.
Dan omgeving Rotterdam. De A ___ vanuit Breda voor de afrit Rotterdam-Feijenoord: ___ kilometer.
Verder nog files op de A ___ Utrecht, richting Den Bosch voor de brug bij Zaltbommel: ___ kilometer.
A ___ Utrecht richting Breda, tussen Lunetten en Hagestein: ___ kilometer.
En de laatste is de A ___ Utrecht richting Amersfoort, tussen Zeist en Hoevelaken. Daar staat een file van ___ kilometer.

PROSODIE

10 ●

Luister naar de docent.

11 ●

Luister en zet een ● in de goede kolom.

Voorbeelden:

1	Utrecht	4	Dank u wel
2	vandaag	5	Maria
3	Saskia	6	biologie

Vul in.

	A	B	C	D	E	F
	— •	• —	— ••	— • —	• — •	— •• —
1	●					
2		●				
3			●			
4				●		
5					●	
6						●

12 ● ● 

Luister naar het ritme. Welke zin is anders?

a Dit is Maria.
b Ik moet naar Utrecht.
c Jij moet naar Houten.
d Liever wat anders.
e Mam, dit is Karel.
f Een student biologie.
g Hartstikke mooi, zeg!
h Daar moet je uitstappen.

13 ● ● 

Hoort u een vraag?

	Ja	Nee		Ja	Nee
1	❏	❏	7	❏	❏
2	❏	❏	8	❏	❏
3	❏	❏	9	❏	❏
4	❏	❏	10	❏	❏
5	❏	❏	11	❏	❏
6	❏	❏	12	❏	❏

14 •

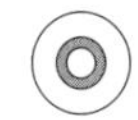

Luister en zeg na. Let vooral op de intonatie!

1
- Jan, hartelijk gefeliciteerd!
• Dank je wel.

2
- Hartelijk gefeliciteerd met uw verjaardag.
• Dank u wel.

3
- Hartelijk gefeliciteerd met de verjaardag van je moeder.
- Gefeliciteerd met je broer!
• Dank je.

4
- Van harte!
- Van harte proficiat!

5
- Goede reis! Veel plezier!
• Bedankt!

6
- Prettige vakantie!
• Dank je wel.
- Wanneer ga jij?
• Nog lang niet!

7
- Prettig weekend.
• Dank je. Hetzelfde!

8
- Veel succes!
- Het beste!
- Sterkte.
- Beterschap!

9
- Gecondoleerd.
- Wat erg voor je.
- Het beste met u.

SPREKEN

15 •

Luister naar de docent en geef een reactie. U kunt bij elke situatie uit meer reacties kiezen. Kies uit de volgende reacties:

- Ja, een klein beetje.
- Ja, redelijk.
- Nee, bijna niet.
- Nog een keer graag.
- Kunt u dat herhalen?
- Wilt u langzaam praten?
- Wilt u wat harder praten?
- Sorry, ik begrijp u niet.
- Sorry, ik versta u niet.
- Wat bedoelt u?
- Wat betekent dat?
- Wat betekent het woord __________ ?

Voorbeelden:

DE DOCENT VRAAGT	U ANTWOORDT
Spreekt u Nederlands?	- Een klein beetje. - Ja, redelijk. - Ja, vrij goed.

DE DOCENT ZEGT	U ANTWOORDT
Ik moet de belastingdienst bellen.	- Wat zeg je? - Wat bedoelt u? - Wat betekent dat woord? - Wat betekent 'belastingdienst'?

16

Vraag en antwoord. Werk in tweetallen.
Geef antwoord op de vragen in complete zinnen. Gebruik eventueel 'niet' of 'geen'.

1 Heb je broers?
2 Ben je getrouwd?
3 Heb je een grote familie?
4 Leeft je opa nog?
5 Heb je neefjes en nichtjes? (kinderen van broers of zussen)
6 Heb je veel neven en nichten? (kinderen van ooms en tantes)
7 Ga je vaak op familiebezoek?
8 Woont je familie in Nederland?

17

a Beantwoord de vragen.

Begin met Ja, ________.
Nee, ________.
Dat weet ik niet.

1 Is de trein uit Amsterdam altijd op tijd?
2 Vind je dit boek interessant?
3 Weet je oom de weg in Amsterdam?
4 Begrijpen jullie deze oefening?
5 Heeft je buurvrouw het huiswerk gemaakt?
6 Mag je voor dit gebouw parkeren?
7 Heb je genoeg geld voor een kopje koffie?
8 Gaat uw docent op de fiets naar het werk?

b Stel deze vragen aan andere cursisten, degene die naast u zit, uw docent, etc.

SCHRIJVEN

18 ●●

Jan Jaap belt Henk op. U bent A (Jan Jaap). Wat vraagt u?

B Met Henk Verlinden.
A Hoi Henk, met Jan Jaap ______________________________?
B Goed. Zeg, ik kan niet zo lang met je praten, want ik moet zo weg.
A ______________________________?
B Ik ga naar de Duitse les.
A ______________________________?
B Bij de Taalschool in Zeist.
A ______________________________?
B Meneer De Vries is de leraar.
A ______________________________?
B De cursus heeft 12 lessen.
A ______________________________?
B De les duurt drie uur.
A ______________________________?
B Ik ben om tien uur weer thuis.
A Dan bel ik je straks wel terug.

19 ●●

Anke belt Marijke de Wit op. U bent A. Wat vraagt u?

B Met Marijke de Wit.
A Met Anke.
______________________________?
B Jammer, ik kan niet. Ik ga met vakantie
A ______________________________?
B Ik ga naar Zweden.
A ______________________________?
B Zaterdag.
A ______________________________?
B Ik ga met een paar buitenlandse vriendinnen.
A ______________________________?
B Uit Zwitserland, Duitsland en een uit Zweden.
A ______________________________?
B Met de auto.
A ______________________________?
B Ik vind vliegen niet prettig.

A ____?

B We logeren bij de familie van de Zweedse vriendin.

A ____?

B Dank je wel. En nog bedankt voor de uitnodiging.

LEZEN

20

Heden overleed tot onze diepe droefheid mijn lieve man, onze vader, schoonvader en opa

Cornelis de Vries

in de leeftijd van 82 jaar.

Emmen:	Marianne de Vries-Roose
Zeist:	Henk de Vries en Margaret De Vries-Brown
Amsterdam:	Jan de Vries
Emmen:	Annie Gonzalez-de Vries en José Gonzalez Pepe
Corr. adres:	Lindenhove 11 Zeist

Op 12 februari a.s. zullen wij hem begraven op de begraafplaats 'PAX' aan de Frederik Hendrikstraat in Emmen. Gelegenheid tot condoleren na de begrafenis in de ontvangstkamer bij de begraafplaats.

Iris

zo heet het zusje van Amber
dat geboren is op 7 april 1998
om 07.18 uur, zij is 49 cm lang
en weegt 3390 gram.

Miranda, Peter en Amber

21

Uit Nijmeegse Zondagskrant 25 januari: Achternaam kiezen, veranderde regels per 1 jan. 1998.

Brochure 'Keuze van de achternaam'

Meer over de keuze van de achternaam leest u in de brochure "De keuze van de achternaam" van het ministerie van Justitie. Hierin staan ook de nieuwe regels over het gebruik van de achternaam door (getrouwde) partners. U kunt de brochure opvragen bij de Postbus 51 Infolijn, telefoon 0800-8051. U kunt dit nummer gratis bellen van maandag tot en met vrijdag van 9.00 tot 21.00 uur. Ook kunt u contact opnemen met het ministerie van Justitie, telefoon (070) 370 68 50.

22 ●●

De verjaardagskalender

Hebt u hem al eens gezien? Hij hangt meestal aan de binnenkant van de wc-deur. Op die kalender staan alle verjaardagen van familie en vrienden. Zo kun je hen niet vergeten!
Als er een verjaardag is, dan wordt niet alleen de jarige gefeliciteerd.
Wij feliciteren de hele familie met de verjaardag van bij voorbeeld hun zoon, broer, vader, oom of neef.

Cadeautjes
Alleen de jarige krijgt een cadeau.
Nederlanders pakken hun cadeaus meestal meteen uit, ook op een bruiloft of bij andere feesten. Vaak staat er dan een hele rij mensen te wachten om de feestvierder te feliciteren en een cadeau te geven. Het is vrij gewoon als de gever zegt: 'Als je het al hebt, kan ik het ruilen.'

1 Wat, denkt u, zal het verschil zijn tussen een verjaardagskalender en een gewone kalender?
2 Viert men in uw land verjaardagen? Hoe? Wat viert men dan?
3 Vindt u het leuk om cadeautjes te kopen of te krijgen?

Basis B

1 TEKST

1a Lees de introductie.

Dit is een radio-interview met Petra de Bruin. Petra werkt in de supermarkt van meneer Willems. U hoort de interviewer (een man), en Petra.

1b Luister naar de tekst. Kijk **niet** in het boek! 

interviewer	Dames en heren, vandaag in de serie Werk aan de Winkel een gesprek met Petra de Bruin. Zij werkt in een supermarkt. Ik praat met haar over haar werk. Dag, mevrouw De Bruin, ik wil u graag een paar vr......
Petra	Zegt u maar Petra, hoor!
interviewer	Oké. Petra, ik wil je graag een paar vragen stellen over je werk.
Petra	Prima.
interviewer	Hoe lang werk je al bij deze supermarkt?
Petra	Bijna drie jaar.
interviewer	Vind je het leuk om hier te werken?
Petra	Ja, heel leuk. Het bevalt me prima!
interviewer	Wat doe je nou zoal, op een dag?
Petra	Meestal zit ik achter de kassa, en soms sta ik bij de broodafdeling.
interviewer	Ja ja, dus je doet niet elke dag hetzelfde.
Petra	Nee, gelukkig niet!

interviewer	Welke andere afdelingen zijn er in de winkel?
Petra	We hebben vier afdelingen: groente en fruit, brood, vlees, en kaas. De andere producten kunnen de klanten zelf pakken.
interviewer	Wat doe je bij de broodafdeling?
Petra	Daar verkoop ik brood. Dat vind ik leuk om te doen. Je hebt tijd om een praatje met de klanten te maken, en je kan ze rustig helpen. Bij de kassa is het altijd druk. Dat is ook wel leuk want je ziet heel veel klanten. Maar je hebt geen tijd voor een praatje. Je moet heel snel werken.
interviewer	Ik begrijp het. En wat vind je vervelend?
Petra	Nou... om een paar honderd keer per dag te zeggen : "Spaart u zegels?" Dat is vervelend. En soms hebben we ook een moeilijke klant. Iemand komt met een klein probleem, en dan moet ik soms wel vijf minuten met hem of haar praten. De andere klanten moeten dan lang wachten. Dat is ook heel vervelend. Maar verder is het werk wel leuk, hoor!
intercom	*Petra, kassa 5 alsjeblieft!*
Petra	Oh, ik moet weer aan het werk!
interviewer	Natuurlijk, ga je gang. Bedankt voor dit gesprek.
Petra	Graag gedaan.

1c Oefening bij de tekst
Vul in.

1 Petra de Bruin werkt in ________ ________.
2 Ze werkt daar nu ________ jaar.
3 Het werk ________ haar prima.
4 Meestal zit ze ________ ________ ________.
5 Soms staat ze ________ ________ ________.
6 De supermarkt heeft vier ________ : groente en fruit, ________, vlees en ________.
7 Bij de ________ heeft Petra veel tijd voor de ________.
8 Ze kan een ________ met ze maken.
9 Bij de ________ heeft ze niet zoveel tijd.
10 Daar is het altijd ________ en ze moet heel ________ werken.
11 Twee dingen vindt ze ________.
12 Ze moet een ________ ________ keer per dag zeggen: "Wilt u zegels?"
13 En soms heeft ze een ________ klant.
14 Dat kost veel tijd en dan moeten de andere ________ lang ________.
15 Maar ________ vindt ze het werk heel leuk.

2 TEKST

2a Lees de introductie.

U hoort een gesprek in de kaaswinkel: een verkoper en een klant, een vrouw.
Ze koopt kaas en boter.

2b Luister naar de tekst. Kijk **niet** in het boek! 

verkoper	Wie kan ik dan helpen?
klant	Ik ben aan de beurt.
verkoper	Zegt u het maar.
klant	Ik wou graag een stuk jonge kaas.
verkoper	Hoe zwaar mag het zijn?
klant	Anderhalf pond.
verkoper	Wilt u even proeven?
klant	Graag. Mmmm, ja lekker.
verkoper	Mag het iets meer zijn? Zeven ons en 75 gram?
klant	Jawel, hoor.
verkoper	Anders nog iets?
klant	Ja, een pakje boter.
verkoper	De boter is in de aanbieding, want de winkel bestaat tien jaar. Bij twee pakjes boter krijgt u het derde pakje gratis.
klant	Nee, dank u wel. Ik wil er geen drie, ik wil er één.
verkoper	Prima. Anders nog iets?
klant	Nee, dank u.
verkoper	Dat is dan € 6,25 bij elkaar.
klant	Heeft u terug van honderd euro?
verkoper	Heeft u het niet kleiner?
klant	Nee, het spijt me.
verkoper	Dan krijgt u wel veel kleingeld. Alstublieft, 5 cent, 20 cent, 50 cent, drie euro, vijf briefjes van tien euro en nog twee briefjes van twintig euro. Tot ziens.

2c Oefening bij de tekst

Kies het goede antwoord.

1 Hoeveel kaas wil de klant kopen?
- a 500 gram kaas
- b 450 gram kaas
- c 750 gram kaas

2 Hoeveel kaas koopt de klant?
- a 450 gram
- b 750 gram
- c 775 gram

3 De winkel bestaat tien jaar.
  a Daarom betaal je voor twee pakjes boter, en krijg je er drie.
  b Daarom is de kaas in de aanbieding.
  c Daarom kun je drie pakjes boter gratis krijgen.

4 Hoeveel pakjes boter koopt de klant?
  a een pakje
  b twee pakjes
  c drie pakjes

5 Waarom betaalt de klant met een briefje van honderd?
  a De verkoper wil graag een briefje van honderd hebben.
  b De klant wil graag klein geld hebben.
  c De klant heeft alleen een briefje van honderd.

3 TAALHULP

In een winkel

VERKOPER	KLANT
Wie is er aan de beurt? Wie kan ik helpen?	Ik.
Zegt u het maar. Zeg het maar. Jazeker! Alstublieft. Nee helaas, die heb ik niet meer. Nee, sorry, de ______ zijn op.	Mag ik ______ ? ______ alstublieft. Heeft u ook ______ ?
Mag het iets meer zijn?	Ja hoor.
Anders nog iets?	Ja, ook nog ______, graag. Nee, dat was het. Nee, dat is alles.

Betalen

KLANT	VERKOPER
Hoeveel is het? Hoeveel is dat bij elkaar?	Dat is dan ______ . Dat is dan ______ bij elkaar.
Heeft u terug van € 100,-?	Ja, hoor. Alstublieft, met ______ . Heeft u het niet kleiner?

GEWICHT			
gram			
ons	1 ons	=	100 gram
pond	1 pond	=	500 gram
		=	een halve kilo
kilo	1 kilo	=	1000 gram

Een pakje boter weegt 250 gram.
Mag ik drie ons kaas?
Een pond jonge kaas, alstublieft.

Hoeveel weegt dat stuk kaas? Hoe zwaar mag het zijn?	Een halve kilo. Anderhalve (1,5) kilo graag.
Hoeveel weeg je? Hoe zwaar ben je?	80 kilo.

In een kledingzaak/in een schoenenzaak

VERKOPER	KLANT
Kan ik u helpen? Zoekt u iets speciaals?	Mag ik even rondkijken? Ik zoek (een) ____________ .
Welke maat heeft u?	Ik heb maat ____________ .
Wilt u even passen?	Ja graag. Waar kan ik even passen?

4 GRAMMATICA *vorming pluralis; regelmatig*

pluralis met -s		pluralis met 's	
één jongen	twee jongens	één agenda	twee agenda's
één winkel	drie winkels	één taxi	drie taxi's
één dochter	vier dochters	één auto	vier auto's
één bezem	vijf bezems	één paraplu	vijf paraplu's
één kopje	zes kopjes	één baby	zes baby's

VRAGEN

Pluralis met -s

Spreek de woorden hardop uit. Op welk woorddeel valt de klemtoon?
Wat is de regel, denkt u? Welke woorden krijgen *'s* in de pluralis?

pluralis met -en		pluralis: definiet		pluralis: indefiniet	
SINGULARIS	PLURALIS	SINGULARIS	PLURALIS	SINGULARIS	PLURALIS
één vrouw	drie vrouwen	*de* jongen	*de* jongens	*een* jongen	jongens
één fiets	vier fietsen	*de* stoel	*de* stoelen	*een* stoel	stoelen
één man	vijf mannen	*het* meisje	*de* meisjes	*een* meisje	meisjes
één strip	zes strippen	*het* boek	*de* boeken	*een* boek	boeken
één minuut	drie minuten				
één school	acht scholen				

Er plus numerale

Hoeveel pakjes boter wilt u?	Ik wil twee pakjes boter Ik wil er twee. Morgen wil ik er twee.
Hoeveel fietsen heb je?	Ik heb één fiets. Ik heb er een. Voor de vakantie koop ik er nog een.

VRAGEN
Wat gaat weg als u het woordje 'er' gebruikt? Op welke plaats staat 'er'?

Om ... te + infinitief

Wat vind je leuk? Wat vind je vervelend?	Ik vind het leuk *om* hier *te werken*? Ik vind het vervelend *om* een paar honderd keer per dag *te zeggen*: "Spaart u zegels?".
Waarvoor heb je tijd?	Je hebt tijd *om* een praatje met de klanten *te maken*.
Waarom ga je naar de bakker? Waarom moet je werken?	Ik ga naar de bakker *om* brood *te kopen*. Ik moet werken *om* geld *te verdienen*.

Oefeningen

TAALHULP

1 •

Kies de goede reactie.

1 VERKOPER in een groentewinkel:
Kan ik u helpen?

KLANT
a Ik wou graag een kilo appels.
b Ik zoek een kilo appels.

2 VERKOPER in een kledingzaak:
Kan ik u helpen?

KLANT
a Geeft u mij maar een zwarte broek.
b Ik zoek een zwarte broek.

3 KLANT bij de kaasafdeling
in een supermarkt:
Mag ik anderhalf pond oude kaas?

VERKOPER
a Wilt u even passen?
b Wilt u even proeven?

4 VERKOPER bij de vleeswarenafdeling
in een supermarkt:
Kan ik u helpen?

KLANT
a Ja, ook nog een ons paté graag.
b Mag ik een ons paté?

5 Bij de groenteafdeling staan vijf klanten te wachten.
VERKOPER:
a Kan ik u helpen?
b Wie kan ik helpen?

VOCABULAIRE

2 •

Welke kleur is het?

Voorbeeld:

Het papier is wit.	Het witte papier.
Het potlood is ________.	Het ________ potlood.
Het kostuum is ________.	Het ________ kostuum.
het gras is ________.	Het ________ gras.
De tomaat is ________.	De ________ tomaat.
De banaan is ________.	De ________ banaan.
De lucht is ________.	De ________ lucht.
Het hout is ________.	Het ________ hout.
De sinaasappel is ________.	De ________ sinaasappel.

3 ●

U kunt veel producten in de supermarkt kopen, maar er zijn ook speciale winkels.
Welk product koopt u in welke winkel?
Gebruik eventueel een woordenboek.

appels
bruine schoenen
een doosje bonbons
een stuk jonge kaas
een flesje parfum
een kilo bananen
een woordenboek
een fles rode wijn
een kaart van Nederland
een half gesneden wit
een paar sokken
een pakje roomboter
gevulde koeken

volkorenbrood
sandalen
eieren
aspirines
een T-shirt
een kip
ondergoed
runderlapjes
sperziebonen
een fles whisky
een rok
shampoo
een hoed

een pak melk
een krop sla
stroopwafels
rollade
karnemelk
laarzen
druiven
gehakt
karbonade
krentenbollen
jenever
een zomerjurk
croissants

appeltaart
een colbert
een roman
sokken
een cd
cassettes
mandarijntjes
een bloes
citroenen
koekjes
een sjaal
een jurk

WINKEL	PRODUCT	LEVENSMIDDELEN
de bakker/de bakkerij	_____ _____ _____ _____ _____	❑ ja ❑ nee
de slager/de slagerij	_____ _____ _____ _____ _____	❑ ja ❑ nee
de melkboer	_____ _____ _____ _____ _____	❑ ja ❑ nee
de drogist/de drogisterij	_____ _____ _____ _____ _____	❑ ja ❑ nee
de slijter/de slijterij	_____ _____ _____ _____ _____	❑ ja ❑ nee
de groenteboer	_____ _____ _____ _____ _____	❑ ja ❑ nee
de kledingzaak	_____ _____ _____ _____ _____	❑ ja ❑ nee
de schoenenzaak	_____ _____ _____ _____ _____	❑ ja ❑ nee
de boekwinkel	_____ _____ _____ _____ _____	❑ ja ❑ nee
de muziekwinkel	_____ _____ _____ _____ _____	❑ ja ❑ nee

GRAMMATICA

4 ●

Zet in de pluralis.

Voorbeeld: pakje Hoeveel ________ boter wilt u?
Hoeveel *pakjes* boter wilt u?

1 supermarkt	interviewer	In Utrecht zijn veel ________ .
2 vraag	interviewer	Vandaag gaan we een paar ________ aan Maria stellen.
	interviewer	Maria, hoe lang werk je hier al?
3 week	Maria	Nog niet zo lang, pas drie ________ .
4 afdeling	interviewer	Op welke ________ werk je graag?
	Maria	Bij de broodafdeling en de kaasafdeling, maar ik werk ook graag aan de kassa.
5 klant		Daar heb je meer contact met de ________ . Dat vind ik erg leuk.
6 collega	interviewer	Heb je veel ________ ?
7 persoon	Maria	Ja, in deze winkel werken ongeveer 20 ____ .
		Mijn chef is heel erg aardig en met de
8 meisje		________ van de broodafdeling heb ik altijd veel plezier.
9 boodschap	interviewer	Doe jij ook je ________ in deze supermarkt?
10 paprika appel	Maria	Brood koop ik bij de bakker, maar groente en fruit zoals ________ en ________ koop ik altijd hier.
	interviewer	Dank je wel voor dit korte gesprek.
	Maria	Graag gedaan!

5 ●

Wat vervangt *er*?

Voorbeeld: Hoeveel pakjes boter wilt u?

Ik wil *er* twee.

Er = pakjes boter.

1. Hoeveel talen spreekt u?
   Ik spreek er twee. Er = ________
2. Hoeveel kopjes koffie drinkt u per dag?
   Ik drink er vijf. Er = ________
3. Hoeveel vakantiedagen heeft u per jaar?
   Ik heb er vijfentwintig. Er = ________

4 Hoeveel fietsen ziet u in de winkel?
Ik zie er veel. Er = ________
5 Hoeveel lessen heeft het boek?
Het heeft er zestien. Er = ________
6 Hoeveel kaartjes kopen jullie?
We kopen er vier. Er = ________
7 Hoeveel dagen heeft januari?
Januari heeft er eenendertig. Er = ________
8 Hoeveel auto's heeft u?
Ik heb er geen. Er = ________

Antwoord nu zelf.
9 Hoeveel Nederlandse vrienden heeft u? ________
10 Hoeveel bladzijden heeft dit boek? ________

6 ●

Antwoord met 'om... te ...'
Voorbeeld: Waarom ga je naar de bakker?
Om brood *te* kopen.

Waarom ga je naar de banketbakker?
Waarom ga je naar de slager?
Waarom ga je naar de kaasboer?
Waarom ga je naar de drogist?
Waarom ga je naar de slijter?
Waarom ga je naar de groenteboer?
Waarom ga je naar de schoenwinkel?
Waarom ga je naar de boekwinkel?

7 ●

Zet in de goede volgorde.
Begin met het woord met de hoofdletter.
Voorbeeld: je / Hoe lang / in Nederland / woon?
Hoe lang woon je in Nederland?

1 zaterdag / Ik / een pilsje / om / te drinken / naar een café / ga.
2 om / te kopen / fruit / Wij / gaan / naar de markt.
3 Gaan / mee naar de film / jullie?
4 jullie / gaan / Waar / vanavond / naar toe?
5 iets / Mogen / wij / u / storen / om / te vragen?
6 De leraar / praten / met de studenten / wil.
7 naar het station / om / te gaan / ik / Welke bus / nemen / moet?
8 hier / geen koffie / drinken / Jullie / mogen.
9 we / gaan drinken / Zullen / straks/ een pilsje?
10 meer informatie / Wie / geven / ons / kan?

LUISTEREN

8 ●

Personen en situatie

Op de markt, een marktkoopman en een klant (vrouw).
Wat koopt de klant?

	ja	nee
een krop sla	❏	❏
een kilo tomaten	❏	❏
een rode paprika	❏	❏
een gele paprika	❏	❏
een groene paprika	❏	❏
twee groene pepers	❏	❏
een kilo sinaasappels	❏	❏

9 ●
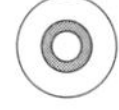

Personen en situatie

Gesprek in een krantenkiosk, verkoper en klant.

VRAGEN

1 Wat zoekt de klant?
2 Waarom wil de klant geen Nederlandse krant?
3 Hoe vaak krijgt de verkoper buitenlandse kranten.
4 Hoeveel kranten koopt de klant?

10 ●●

Personen en situatie

Gesprek in een schoenenzaak, verkoopster en klant.
Lees de vragen. Luister dan naar de tekst.
Probeer alle vragen te beantwoorden. Luister dan nog een keer naar de tekst.

Welke maat schoenen zoekt de klant?	41 / 42
Hoeveel paar schoenen past de klant?	1 / 2
Hoeveel kosten de bruine schoenen?	€ 16 / € 21
Zijn de schoenen goed?	ja / nee
Waarom zijn ze in de aanbieding?	Ze zijn niet zo mooi. Het is het laatste paar.
Wanneer komt de klant terug?	Volgende week. De volgende dag.

PROSODIE

11 ●
Luister naar de docent.

12 ●
Luister en zet een ● in de goede kolom.
Voorbeelden:

1	Utrecht	3	Saskia
2	vandaag	4	Maria

Vul in.

	A	B	C	D
	— •	• —	— ••	• — •
1	●			
2		●		
3			●	
4				●

13 ●● 
Luister naar het ritme. Welke zin is anders?

a Zegt u maar Jan.
b Ze vindt het leuk.
c Komt u maar hier.
d Ik heb geen tijd.
e Ik studeer niet.
f Het is te druk.
g Dat doe ik niet meer.
h Dat doe ik graag.
i 'k Heb het te druk.
j Pakt u maar zelf!

14 ●● 
Hoort u een vraag?

	Ja	Nee		Ja	Nee
1	❑	❑	10	❑	❑
2	❑	❑	11	❑	❑
3	❑	❑	12	❑	❑
4	❑	❑	13	❑	❑
5	❑	❑	14	❑	❑
6	❑	❑	15	❑	❑
7	❑	❑	16	❑	❑
8	❑	❑	17	❑	❑
9	❑	❑	18	❑	❑

15

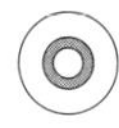

Luister en zeg na.

1 Wie is er aan de beurt? 2 Wie nu? 3 Wie kan ik helpen?	Ik! Die mevrouw! Ik ben aan de beurt.	
4 Zegt u het maar! 5 Zeg het maar.	Mag ik een fles melk? Een pond kaas, alstublieft.	Jazeker! Alstublieft! Mag het iets meer zijn?
6 Zeg het maar!	Heeft u ook tomaten?	Jawel. Hoeveel? Nee, helaas, die heb ik niet meer. Nee, sorry, de tomaten zijn op.
7 Dat was het? 8 Hoeveel is het? 9 Hoeveel is het bij elkaar?	Dat is alles. Ook nog een zakje aardappels. Dat is dan zes euro vijftig. Dat wordt dan tien euro bij elkaar.	
10 Heeft u terug van honderd euro?	Heeft u het niet kleiner?	Ja hoor, alstublieft!

SPREKEN

16

Vraag en antwoord. Werk in tweetallen.
Denk aan 'er'. Voorbeeld: (pakje) boter twee.

a Kan ik u helpen?
b Ik wou graag boter.
a Hoeveel pakjes boter wilt u?
b Ik wil er twee.

1 (pak) melk - twee
2 (paprika) - vijf
3 (doosje) eieren - een
4 (reep) chocola - drie
5 (blik) doperwten - een
6 (rolletje) drop - vijf
7 (pakje) sigaretten - vier
8 (doosje) lucifers - een

17 ●●

Werk in tweetallen. U krijgt instructies van uw docent.

1 Op de markt 2 Bij de kaasafdeling

18 ●

Vraag en antwoord. De docent wijst en vraagt, cursisten antwoorden.

a Voorbeeld:
docent: Hoeveel stoelen zie je/ziet u?
cursist: Ik zie er ________ .
De stoelen zijn ________ (een kleur).
of
docent: Wat is de kleur van die stoelen?
cursist: Bruin. De stoelen zijn bruin.
b Voorbeeld:
docent: Wat is dat?'
cursist: Dat is een tafel. De tafel is zwart.
of
docent: Wat zijn dat?
cursist: Dat zijn stoelen. De stoelen zijn bruin.

SCHRIJVEN

19 ●

U bent in een kledingzaak. Geef antwoord op de vragen van de verkoopster.

In de kledingzaak

VERKOOPSTER	KLANT
Goedemiddag, kan ik u helpen?	________ .
Welke maat heeft u?	________ .
Hoe vindt u deze?	________ .
Wilt u even passen?	________ .
Daar links zijn de paskamers.	________ .
Zit hij goed?	________ .
Nee, het spijt me.	________ .
Volgende week krijgen we nieuwe modellen binnen.	________ .
Goed hoor, tot ziens.	________ .

LEZEN

20

Vraag: Wanneer is deze winkel geopend/gesloten?

21

Openingstijden

In Nederland zijn winkels over het algemeen open van maandag tot en met zaterdag, van ongeveer 9.00 uur 's morgens tot 18.00 uur 's avonds. Bakkers zijn vaak al vroeger open, bijvoorbeeld vanaf 8.00 uur. De meeste winkels zijn dus 's avonds en 's zondags gesloten. Sommige winkels sluiten hun deuren ook nog een uurtje tijdens lunchtijd, of een halve dag per week, vaak is dat de maandagochtend. In de meeste steden is er op één vaste avond per week een zogenaamde 'koopavond'. De winkels in het centrum van de stad blijven op zo'n avond tot 21.00 uur open. Meestal is dat iedere donderdag- of vrijdagavond. Voor de 'feestdagen', dat wil zeggen voor Sinterklaas en Kerstmis, zijn er extra koopavonden. In veel grote steden zijn de winkels een maal per maand ook op zondag open, bijvoorbeeld iedere tweede zondag van de maand.
Op veel plaatsen is het één keer per week, op een vaste dag, markt. Op de markten kunt u groenten, fruit, planten, maar ook kleding en allerlei andere artikelen kopen. Meestal zijn de artikelen daar goedkoper dan in de winkels. Op welke dagen er bij u in de buurt markt is, kunt u lezen in de gemeentegids en in de huis-aan-huis bladen. Daarin vindt u ook wanneer er in uw gemeente koopavonden en koopzondagen zijn.

22 ●●

Tekst om te lezen en over te praten.

Vreemd volk?
Heeft u deze ervaring ook?

Je staat versteld van de klachten die je over Nederlanders hoort, vooral over onze slechte service: het winkelpersoneel staat te kletsen terwijl jij je boodschappen niet kunt vinden, een hotelbediende wacht net zolang totdat een klant wanhopig wordt.

Naar: Jacob Vossestein, auteur van 'Dealing with the Dutch.' In De Volkskrant.

Basis

1 TEKST

1a Lees de tekst.

Saskia is tweeëntwintig jaar. Zij woont in Houten bij haar ouders. Zij heeft daar een mooie kamer, maar zoals veel studenten in Nederland wil zij liever zelfstandig wonen. Daarom zoekt zij een kamer in Utrecht. Daar studeert zij.
Als zij verhuist, krijgt Remco de kamer van Saskia. Hij heeft ook wel een mooie kamer, maar zijn kamer is kleiner dan de hare.

Je kunt een kamer zoeken via een advertentie in een krant of via een kamerbureau.
Vaak wonen studenten of jongeren samen in een huis of een flat. Zij hebben daar ieder een kamer en zij delen de keuken, badkamer en w.c.

1b Opdracht
Saskia kijkt in de krant. Op welke advertentie kan zij reageren?

Kamer of etage aangeboden

A
Schrijf je in bij de SSH (Stichting Studentenhuisvesting) voor een kamer in een studentenflat of studentenhuis. Kamers in Utrecht en Zeist, huur vanaf € 275,- tot € 350,-.
Wachttijd 2 jaar.
Voor inschrijfformulier, bel 030-242 44 34.

B
Per direct te huur diverse kamers in Amsterdam Centrum en Amsterdam Zuid. Huurprijzen tussen € 300,- en € 400,-.
Schrijf u in bij kamerbureau 'Woongenot', Keizersgracht 340 te Amsterdam, tel.020-366 56 45. Inschrijfgeld € 75,-.

C
Jouw kamer te klein? De mijne is in Utrecht, vlakbij centrum, kamer (4 bij 4 m) inclusief gebruik woonkamer (4 bij 7 m), keuken en badkamer met douche en toilet. Magnetron en wasmachine aanwezig. € 200,- incl. gas, water, licht. Ik zoek een goedkopere kamer in Utrecht. Ruilen tegen de jouwe? Bel 030 - 238 38 55

D
Aangeboden. Ruime etage in het noorden van Rotterdam. Grote woonkamer, 1 grote en 1 kleine slaapkamer, keuken, douche, toilet. Balkon op het zuiden. Geen studenten!
Huur: € 400,- inclusief.
Bel 010-354 65 78 en vraag naar dhr Smit.

E
Per 1 mei te huur aangeboden: 2 kamers, alleen voor meisjes, in studentenhuis in Nijmegen. Huur € 189,- (20m^2) en € 147,- (12m^2). Inclusief gas, water, electra. Exclusief telefoon. Bel 024-493 32 21 en vraag naar Marjolein.

F
Flat te huur in Utrecht centrum, met woonkamer (30 m^2), 3 slaapkamers, open keuken, badkamer met douche en toilet, en groot balkon. Huur € 600,- incl. water en verwarming, excl. gas en licht. Bel mevr. Van Galen (tussen 20 en 22 uur), tel. 030-233 46 41

1c Waar of niet waar?

		waar	niet waar
1 A	Bij de SSH kun je per direct een kamer huren in Utrecht of Zeist.	❑	❑
2 B	Bij kamerbureau 'Woongenot' kun je snel een kamer krijgen, maar je moet eerst € 150,– aan het kamerbureau betalen.	❑	❑
3 C	Voor gas, water en licht hoef je niet extra te betalen.	❑	❑
4 D	De etage ligt in het zuiden van de stad.	❑	❑
5 E	Marjolein zoekt een kamer in een studentenhuis voor meisjes in Nijmegen.	❑	❑
6 F	De totale kosten per maand zullen meer zijn dan € 1250,–	❑	❑

2 TEKST

2a Lees de tekst.

Kamer of etage gezocht

G
Saskia, 22 jaar, zoekt een kamer in een studentenhuis in Utrecht (in of nabij het centrum).
Bel mij of mijn ouders: 030-249 88 90

H
Ik heb sinds 1 februari geen kamer meer!!!! Wie helpt mij, 4e jaars student rechten, 23 jaar, met spoed aan kamer in Amsterdam?
Bel 0315-786 67 en vraag naar Johan.

I
Drie verwende miljonairszonen zoeken huis of flat in centrum van Utrecht. Geld speelt geen rol. Zeer hoge beloning. Bel Jan-Pieter (2566414), Charles of Dinant (2498673)

J
Klerenkast, bureau, bankje, boekenkast, bed, veel boeken, tafeltje, nog meer boeken, etc. etc. Mijn kamer is te klein! Wie helpt mij aan een grotere kamer in Utrecht?
Bel Wilma (030-453 62 66)

K
Gratis Franse les door Franse studente als je voor haar een leuke kamer weet in Nijmegen. Spoed! Max. € 225,- incl.
Bel Louise (024-2003707)

L
Jonge werkende man (25 jaar) zoekt etage in Rotterdam. Tot € 410,-. Bel Dolf Jansen 030-233 65 45 (privé) of 010-465 08 98 (werk), of mail djansen@kov.era.nl

2b Waar of niet waar?

		waar	niet waar
1 G	Saskia wil alleen een kamer in het centrum van Utrecht.	❑	❑
2 H	Johan moet zo snel mogelijk een kamer hebben.	❑	❑
3 I	Jan-Pieter, Charles en Dinant kunnen niet veel huur betalen.	❑	❑
4 J	Wilma moet direct haar kamer uit. Daarom zoekt zij een andere kamer.	❑	❑
5 K	Als je Louise aan een kamer helpt, dan geeft zij je Franse les.	❑	❑
6 L	Dolf Jansen wil in Rotterdam gaan wonen.	❑	❑

2c De personen uit de advertenties bij tekst 2, 'gezocht', lezen de advertenties bij tekst 1, 'aangeboden'. Op welke advertentie(s) zullen zij reageren?

1 Saskia (G) zal reageren op advertentie(s) ________ .
2 Johan (H) zal reageren op advertentie(s) ________ .
3 Jan-Pieter, Charles en Dinant (I) zullen reageren op advertentie(s) ________ .
4 Wilma (J) zal reageren op advertentie(s) ________ .
5 Louise (K) zal reageren op advertentie(s) ________ .
6 Dolf Jansen (L) zal reageren op advertentie(s) ________ .

3 TAALHULP

Beschrijven

VRAGEN NAAR EEN BESCHRIJVING	EEN BESCHRIJVING GEVEN
Hoe ziet je kamer / woning eruit?	Ik heb een mooie kamer. Het is een ruime etage. Mijn flat heeft een grote woonkamer en een kleine slaapkamer.

Grootte en oppervlakte

VRAAG	ANTWOORDEN
Hoe groot is je kamer?	Mijn kamer is 7 bij 4 (meter). 7 Meter lang en 4 meter breed. Woonkamer 30 m² (dertig vierkante meter)

Maten

een meter = 100 centimeter
1000 meter = een kilometer

afkortingen:
mm = millimeter
cm = centimeter
dm = decimeter
m = meter
km = kilometer

Vergelijken

De kamer van Remco is kleiner dan die van Saskia.
Ik zoek een goedkopere kamer.
Wie helpt mij aan een grotere kamer?

Bezit

van + naam:	Remco krijgt de kamer van Saskia. Het huis van de familie Willems.
possessief:	Is jouw kamer te klein? Saskia woont bij haar ouders.
de/het + possessief + e:	De mijne is in Utrecht. Ruilen tegen de jouwe?

4 GRAMMATICA

pronomen possessivum

PERSOON	SCHRIJFTAAL	SPREEKTAAL	
1 *singularis*	mijn	m'n	de/het mijne
2 *singularis*	jouw/je		de/het jouwe
	uw		de/het uwe
3 *singularis*	zijn (mnl.)	z'n	de/het zijne
	haar (vrl.)	d'r	de/het hare
1 *pluralis*	ons/onze		de/het onze
2 *pluralis*	jullie/je		*
3 *pluralis*	hun		de/het hunne

Voorbeelden

Mijn huis is te duur.
Jouw kamer is mooi.
Is *uw* flat groot?
Hij is *zijn* formulier kwijt.
Zij moet *haar* huur nog betalen.

Ons huis is groot.
Onze keuken is groot.
Hebben jullie *jullie/je* sleutels bij je?
Ik zie *hun kamer* voor het eerst.

VRAGEN
Is 'huis' een *de*- of een *het*- woord? Is 'keuken' een *de*- of een *het*- woord?
Ons gebruik je voor ______ - woorden / *Onze* gebruik je voor ______ - woorden.

NB: *De* kamer: *De* mijne is te duur. *Het* huis: *Het* mijne is te groot.

verwijzen naar dingen

	SUBJECT (DINGEN)	OBJECT (DINGEN)
singularis	*De* tafel is wit.	Ik koop *de* tafel.
	Hij is wit.	Ik koop *hem*.
	Het boek is interessant.	Ik lees *het* boek.
	Het is interessant.	Ik lees *het*.
pluralis	*De* boeken zijn oud.	Ik zie *de* boeken.
	Ze zijn oud.	Ik zie *ze*.

Vul in.

	subject	object
Naar *de-woorden* verwijs je met	______	______
Naar *het-woorden* verwijs je met	______	______
Naar woorden in *pluralis* verwijs je met	______	______

Adjectief

singularis	DEFINIET	INDEFINIET
De kamer is mooi.	*de* mooi*e* kamer	*een* mooi*e* kamer
De etage is ruim.	*de* ruim*e* etage	*een* ruim*e* etage
Het huis is ruim.	*het* ruim*e* huis	*een* ruim huis
Het balkon is groot.	*het* grot*e* balkon	*een* groot balkon
pluralis		
De kamers zijn mooi.	*de* mooi*e* kamers	mooi*e* kamers
De etages zijn ruim.	*de* ruim*e* etages	ruim*e* etages
De huizen zijn ruim.	*de* ruim*e* huizen	ruim*e* huizen
De balkons zijn groot.	*de* grot*e* balkons	grot*e* balkons

Vul in.

	DEFINIET	INDEFINIET
de- woorden	adjectief + *e*	adjectief ________
het- woorden	adjectief ________	adjectief ________
pluralis	adjectief ________	adjectief ________

Comparatief van adjectieven en adverba

Ik zoek een goedkopere kamer.
Wie helpt mij aan een grotere kamer.
Zij wil liever zelfstandig wonen.

klein	Mijn kamer is klein*er dan* de jouwe.
goedkoop	Mijn kamer is goedkop*er dan* de jouwe.
groot	Mijn kamer is grot*er dan* de jouwe.
duur	De huizen in Nederland zijn duur*der dan* in mijn land.
ver	Ik woon ver*der* van het centrum *dan* jij.

Onregelmatig

graag	*liever*	Zij wil liever zelfstandig wonen.
goed	*beter*	Het gaat beter met mijn Nederlands.
weinig	*minder*	In Nederland wonen minder mensen dan in China.
veel	*meer*	De totale kosten zullen meer zijn dan € 1250,–.

syntaxis: plaats van 'dan ________.'		
1	Ik moet verder reizen	dan jij.
2	Daarom wil ik liever een flat huren	dan kopen.
3	Wil jij liever zelfstandig wonen	dan bij je ouders?

pluralis substantiva

speciale vormen met -s		speciale vormen met -en *let op de spelling!*		-eren	
hotel	hotel*s*	dag	dag*en*	kind	kind*eren*
station	station*s*	glas	gla*zen*	ei	ei*eren*
restaurant	restaurant*s*	huis	hui*zen*		
café	café'*s*	brief	brie*ven*		
tram	tram*s*	stad	st*e*den		
tv	tv'*s*	weg	weg*en*		
computer	computer*s*				

Oefeningen

TAALHULP

1 ●

Geef een beschrijving van uw woning. Kruis uw antwoorden aan.

1 Ik heb een ____________ ?
- ❑ kamer ❑ appartement ❑ rijtjeshuis ❑ vrijstaand huis

2 Wat kunt u zeggen van uw woning? Het is ____________ .
- ❑ een kleine woning ❑ een grote woning
- ❑ een nieuwe woning ❑ een oude woning
- ❑ een dure woning ❑ een goedkope woning
- ❑ een leuke woning ❑ een afschuwelijke woning

3 Wat kunt u zeggen van de straat waar u woont? Het is ____________ .
- ❑ een stille straat ❑ een drukke straat

4 Wat kunt u zeggen van de buurt waar u woont? Het is ____________ .
- ❑ een saaie buurt ❑ een gezellige buurt

5 Hoe zijn uw buren? Het zijn ____________ .
- ❑ vriendelijke buren ❑ vervelende buren

6 De huizen in Nederland zijn meestal *kleiner / groter* dan de huizen in mijn land.
❑ kleiner ❑ groter dan de huizen in mijn land

2 ●

Vul in.

1 Mijn kamer is ______ bij ______ meter.
2 Hoe groot is de kamer van uw docent? ______ m≈.
3 Hoe groot is een creditcard? ______ bij ______ centimeter.
4 Ons klaslokaal is ______ m^2.

VOCABULAIRE

3 ●

Welk woord hoort er niet bij? Waarom niet?

1 bank - stoel - tafel
2 bed - kast - hoek
3 lamp - stoel - tafel
4 bed - deur - raam
5 bank - hoek - muur

4 ●

Waar vind je ______________ ?

meubels: bank, bed, boekenkast, bureau, kast, stoel, tafel

objecten: bad, boeken, cd-speler, computer, foto, kranten, lamp, plant, radio, schilderij, telefoon, televisie, vaas

KAMERS	MEUBELS	OBJECTEN
woonkamer		
slaapkamer		
kantoor		
keuken		
badkamer		
balkon		
tuin		

5 ●●

a Maak combinaties. Wat betekent de nieuwe combinatie? Gebruik eventueel een woordenboek.

Voorbeeld: keukenkast = een kast in de keuken.

keuken	speler	boeken	tafel
kleren	stoel	stereo	kast
cd	installatie		

b Kijk naar de volgende woorden. Uit welke delen bestaan ze. Kunt u de betekenis raden?

Voorbeeld: bureaulamp = bureau + lamp

eettafel	eetkamerstoel
leunstoel	schemerlamp
computertafel	woonkamer
zolderkamer	

GRAMMATICA

6 ●

Onderstreep het possessief. Voorbeeld:

Volgens mij is dat zijn fiets niet.

Volgens mij is dat <u>zijn</u> fiets niet.

1 Is die fiets van jou? Nee, die fiets is niet van mij. Mijn fiets is veel mooier.
2 Hoe gaat het met jou? En met je ouders?
3 In haar huiskamer staan veel kamerplanten.
4 Onze docent vertelt ons over wonen in Nederland.
5 Hebben jullie ook veel boeken in jullie huiskamer?
6 Zij kopen hun boodschappen altijd op de markt.

7 ●

Vul een pronomen possesivum in.

1 Een jongen is ________ sleutels kwijt.
Hij vraagt aan ________ medestudenten: "Hebben jullie ________ sleutels gezien?"
2 Meneer en mevrouw Jansen zijn ________ koffer kwijt.
De steward vraagt: "Is dit toevallig ________ koffer?"
Meneer Jansen antwoordt: "Nee, dat is ________ koffer niet."
3 Mevrouw Jansen is ________ paraplu kwijt.
Marie vraagt: "Is dat ________ paraplu, mevrouw Jansen?"
Mevrouw Jansen: "Ja, gelukkig! Dat is ________ paraplu."

4 Saskia is ________ fiets kwijt.
Saskia: "Ik zie ________ fiets niet meer."
Piet: "Waar zet je ________ fiets altijd neer?"
Saskia: "Voor het Instituut."

5 Saskia en Maria zijn ________ treinkaartjes kwijt.
Saskia: "Sorry, conducteur. Wij kunnen ________ kaartjes niet vinden."
Conducteur: "Ik kom zo terug. Als jullie dan ________ kaartjes niet hebben, moeten jullie een nieuw kaartje kopen."

8 ●

Onderstreep de adjectiva.

Met de smalle en brede aanbouwdelen maak je deze multifunctionele opberger nóg functioneler. Een ruim tv-meubel en barmeubel op wielen. Of een extra ruime tv-plank van 51 cm. Ook geschikt voor je werkplek thuis.

Een mooie, comfortabele fauteuil die helemaal bij jou, je interieur en je levensstijl past. IKEA heeft draaifauteuils, relaxfauteuils en gewone fauteuils. Ideaal om te combineren met onze overige meubels.
We hebben ook allerlei losse, wasbare hoezen.

In zo'n eethoek krijg je meteen trek. Country, moderne of klassieke combinaties? Je kiest altijd voor goede smaak. Veel kinderen? Plaats genoeg aan onze reuzegrote tafels. Weinig ruimte? Onze piepkleine tafels ontplooien hun geheimen als er gasten komen. Slim van IKEA.

9 ●

Waarnaar verwijst het gecursiveerde woord?
Voorbeeld:
Mijn auto is kapot. Ik moet *hem* naar de garage brengen.
hem → mijn auto → auto = *de*- woord.

1 A Ken je dat nieuwe boek van Harry Mulisch? *Het* is heel goed.
  B Nee, ik ken *het* nog niet, maar ik wil *het* graag lezen.
2 A Weet jij waar mijn autopapieren zijn?
  B Ja, *ze* liggen op je bureau. Je kunt *ze* beter in je portefeuille doen.
3 Ik heb een foto van de Oudegracht. *Hij* is heel mooi. Ik zal *hem* aan de muur hangen.
4 Mijn nieuwe schoenen zijn niet goed. *Ze* zijn te krap. Ik ga *ze* ruilen.

10 ●

Vul in. Kies uit: *de, het, hij, ze.*
(Zoek eventueel op in het woordenboek: *de*-woord of *het*-woord.)

1 Je hebt wel een mooie kamer, maar ______ is een beetje klein.
  ______ kamer van Jan is niet zo mooi, maar wel groot.
2 Ik heb een nieuw woordenboek. ______ is heel goed. ______ woordenboek van Piet is niet zo goed, want ______ heeft geen informatie over 'de' en 'het'.
3 Kijk, ______ kaas is hier in de reclame. Zie je dat ______ erg goedkoop is?
4 Op de plank staan melkflessen en wijnflessen. ______ zijn leeg. ______ melkflessen moeten terug naar de melkboer, ______ wijnflessen moeten in de glasbak.
5 In deze bloemenwinkel kun je bloemen kopen. ______ zijn niet zo mooi.
  ______ bloemen op het station zijn wel mooi, maar een beetje duur.
6 Op het station kun je wel koffie krijgen, maar ______ is meestal niet lekker.
  In ons restaurant is ______ koffie lekker en goedkoop.
7 Ik ben mijn sleutels kwijt. ______ liggen niet waar ______ meestal liggen.
8 Jullie zoeken een etage? Hier heb ik een advertentie voor jullie. ______ is uit de krant van vandaag. In ______ advertentie staat niet hoeveel de etage kost.

LUISTEREN

11 ●

Personen en situatie

Bij studentenhuisvesting, dat is een kamerbureau speciaal voor studenten.
Saskia spreekt met een receptioniste, de receptioniste belt met meneer Jansen.
Luister naar de band en vul in.

Saskia	Ik zoek meneer Jansen. Is ______ er al?
Receptioniste	Ja, weet ______ dat u komt?
Saskia	Nee, ik heb geen afspraak met ______ , maar ______ wou ______ graag iets vragen over mijn inschrijving.
Receptioniste	Misschien heeft ______ geen tijd, maar ______ zal ______ toch even voor u bellen. Hoe is uw naam?
Saskia	Saskia Willems
	Tringggg...
Jansen	Jansen
Receptioniste	Er is iemand voor u. Ze wil u graag even spreken.
Jansen	Wie is ______ ?
Receptioniste	Saskia Willems.
Jansen	Ja, ______ inschrijfformulier is kwijt. Wilt u ______ een nieuw formulier geven? En wilt u ______ dan zeggen dat ze ______ moet invullen en afgeven?
Receptioniste	______ zal ______ ______ zeggen.

12 ●

U ziet een kamer.
In de kamer staan allerlei dingen. U hoort een beschrijving van deze kamer. 2 of 3 dingen staan niet op de tekening. Welke dingen?

13 

Personen en situatie

Twee mensen hebben een nieuw huis gekocht. Ze hebben een plattegrond van het huis.
Ze zijn bij vrienden en laten de plattegrond zien.
Kies de juiste plattegrond.

A

B

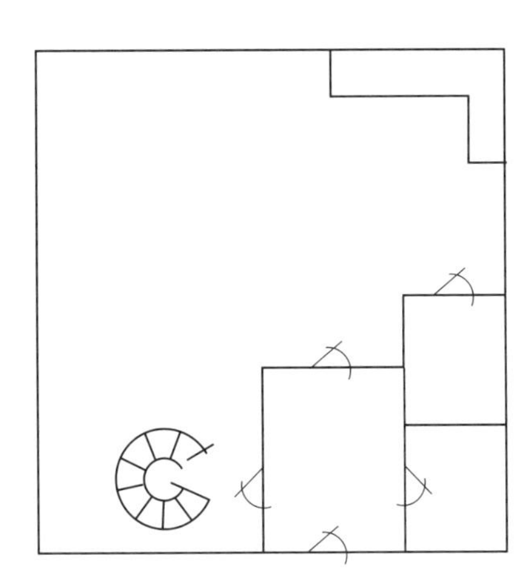

C

D

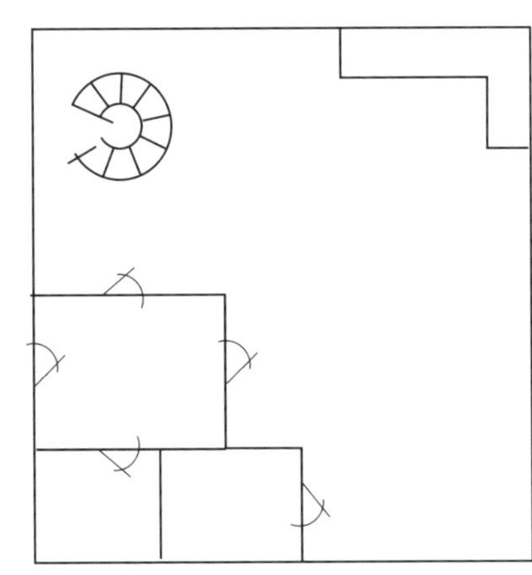

14

Personen en situatie

Kees (de 'ik' in de dialoog) gaat naar een woningbureau. Hij spreekt met een medewerker van het woningbureau. Luister eerst heel goed naar de tekst, maak daarna de volgende zinnen af.

Kees wil zich bij een woningbureau laten inschrijven, maar :
Eerst moet hij naar ______ .
De vrouw vraagt of hij in de gemeente ______ .
Kees gaat weer naar het woningbureau.
Toch kan Kees zich nog niet bij de woningbureau laten inschrijven
want hij heeft geen ______ .

PROSODIE

15 ●
Luister naar de docent.

16 ●
Luister en zet een ● in de goede kolom.
Voorbeelden:

1	Utrecht	3	Saskia	5	Ze studeert.
2	vandaag	4	Maria	6	wasmachine

Vul in.

	A	B	C	D	E	F
	— •	• —	— ••	• — •	•• —	— •••
1	●					
2		●				
3			●			
4				●		
5					●	
6						●

17 ●●

Luister naar het ritme. Welke zinnen zijn anders?

a Saskia woont in Houten.
b Ze woont bij haar ouders.
c Ze gaat naar college.
d Ze kijkt en ze luistert.
e Haar broer woont in Utrecht.
f Hij heeft daar een kamer.
g Het boek ligt op tafel.
f De kinderen zitten op de Havo.

18 ●●

Hoort u een vraag?

	Ja	Nee
1	❑	❑
2	❑	❑
3	❑	❑
4	❑	❑
5	❑	❑
6	❑	❑
7	❑	❑
8	❑	❑
9	❑	❑
10	❑	❑
11	❑	❑
12	❑	❑
13	❑	❑
14	❑	❑
15	❑	❑

19 ●

Luister en zeg na. Let vooral op de intonatie!

Een mooie kamer.
Ik heb een mooie kamer.
Wat een mooie kamer!

Een ruime etage.
Ik heb een ruime etage.
Wat groot!

Hoe groot is de kamer?
Vier bij vier.

Hoe groot is de woonkamer?
Dertig vierkante meter.

Is jouw kamer te klein?
Ruilen tegen mijn kamer?
Ruilen tegen de mijne?

Zijn kamer is te klein.
Ruilen tegen jouw kamer?
Ruilen tegen de jouwe?

De mijne is in Amsterdam.
Waar is de zijne?
En de uwe ook?

SPREKEN

20 ●

Vraag en antwoord. Werk in tweetallen. U krijgt een tekening van uw docent.

Waar is ________?   De ________ staat/ligt/hangt/ ________ .

21 ●

Vraag en antwoord. Werk in tweetallen.

- Woont u in een huis, een flat of een etage?
- Hebt u een leuke/mooie kamer (kamers)?
- Hoe groot is uw kamer (zijn uw kamers)?
- Hoeveel huur moet u betalen?
- Wat staat er in uw kamer (kamers)?
- Waar staat/staan/hangt/hangen/ligt/liggen het/de ________ ?
- Bent u tevreden met uw woning?
- Hebt u een tuin of balkon?

enzovoorts

22 ●●

Vraag en antwoord. Werk in tweetallen. Kijk naar de advertenties van tekst 1b.
Cursist A: U zoekt een kamer. Op welke advertentie (A, B, C, D, E, F) wilt u reageren?
U moet 5 vragen stellen.
Cursist B: U biedt een kamer aan en geeft antwoord.

SCHRIJVEN

23

Lees de beschrijving van de kamer links, geef daarna een beschrijving van de kamer rechts.

1 Dit is een kamer.
2 *In* de kamer staat een bed.
3 Het bed staat *tegen* de muur.
4 *Naast* het bed staat een stoel.
5 De stoel staat *onder* het raam.
6 *In* de kamer staan twee stoelen.
7 Een stoel *naast* het bed, en een stoel *bij* de deur.
8 *In* de hoek van de kamer staat een tafel.
9 De kamer heeft twee deuren.
10 Een deur *bij* het bed, en een deur *bij* de stoel.

24

Gebruik *moeten*, *willen*, *kunnen*, *mogen*, *gaan* als auxiliair. Denk aan inversie.
Voorbeeld:

Dit is onze klas. Wat doe je hier?
Hier *(Nederlands leren)*.
Hier kun je Nederlands leren.

Waarom gaan die mensen naar het hotel?
Ze zijn heel moe. Daar *(slapen)*.
Daar willen zij lekker slapen.

S Ik ga naar de stad.
Eerst *(postzegels kopen)* en daarna *(winkelen)*.
Ga je mee?
M Hartstikke leuk. Wat wil je allemaal in de stad doen?
S Na het postkantoor wil ik naar een boekwinkel.
In de boekwinkel *(een leuk boek kopen)*.
Ook wil ik naar de banketbakker.
Bij de banketbakker *(lekkere bonbons kopen)*.
M Ik wil graag naar een kledingzaak.
Voor deze winter *(een nieuwe winterjas kopen)*.
M Gaan we daarna samen naar een café?
Daar *(iets drinken)*.
S Prima. Maar dan wil ik ook naar een gezellig restaurant.
In een restaurant *(iets eten)*.
Eventueel gaan we ook nog naar de bioscoop.
Daar *(de nieuwe James Bond film zien)*.
M Goed. En daarna ga ik naar huis en naar bed.
Dan *(lekker dromen over James Bond)*.

25 ●●

Maak de zinnen van B compleet. Begin de zin met het woord met de hoofdletter.
Voorbeeld:

Bij de receptie van een hotel

A Meneer, waar is het restaurant?
B (u/kunnen/vinden) Ons restaurant aan het einde van de gang.
Ons restaurant *kunt u* aan het einde van de gang *vinden*.
A Dank u, en wanneer is het open?
B (u/kunnen/ontbijten) 's Morgens tussen 8 en 10 uur ________________.
's Morgens *kunt u* tussen 8 en 10 uur *ontbijten*.
(het diner/zijn) 's Avonds tussen 6 en 9 uur ________________.
's Avonds *is het diner* tussen 6 en 9 uur.

1 Bij de receptie van het taalinstituut

A Dag, mevrouw, ik kom voor de cursus Italiaans voor beginners.
Waar moet ik dan zijn?
B (u/moeten/zijn) Dan in lokaal 18. ________________.
A Dank u, en waar is dat?
B (u/vinden) Lokaal 18 op de eerste verdieping, hier de trap op en dan links.
________________.

A En hoe lang duurt de les?
B (de les/beginnen). Om 9 uur ________________________.
(u/hebben) Dan pauze van 10.15 tot 10.30. ________________________.
(de les/zijn) Om 11.30 afgelopen. ________________________.
(u/kunnen/koffie drinken) In de pauze in de kantine.

.

2 Aan de telefoon

M Met mevrouw Van Wychen.
S Dag mevrouw, met Saskia Willems. U hebt een kamer te huur, klopt dat?
M Ja, dat klopt.
S (de kamer/zijn) nog vrij? ________________________.
M Jazeker.
S (ik/kunnen/komen kijken) Wanneer ? ________________________.
M Wat mij betreft nu meteen.
S (ik/hebben) Op dit moment geen tijd. ________________________.
(we/kunnen/afspreken) voor vanavond? ________________________.
M Ja, dat is goed. Hoe laat? Om 7 uur?
B Ja graag, mevrouw. (ik/komen) Misschien iets later want ik kom
met de bus. ________________________.
M Geen probleem. Tot vanavond.

3 A en B kijken naar een foto

A Wat is dit?
B (je/zien) Op deze foto mijn nieuwe kamer in Amsterdam.
________________________.
A Leuk! Hoe lang woon je daar nu?
B (ik/wonen) In deze kamer nu twee maanden. ________________________.
A Kun je in Amsterdam snel een kamer vinden?
B Nee, zeker niet. Als je een kamer in het centrum wilt, (je/moeten/wachten)
lang. ________________________.
(ze/kunnen/helpen) En bij een kamerbureau je vaak ook niet.
________________________.

LEZEN

26 ●●

1 Welke voordelen noemt de schrijver van zijn huis? (noem er 4)
2 Wat doet de schrijver in zijn huis? (noem 6 activiteiten)
3 Zoek 'dwalen' op in een woordenboek. Kunt u de betekenis van 'verdwalen' raden?

Mijn leven speelt zich de laatste jaren veel te veel binnenshuis af. Het is het prettigste huis dat ik ooit bezeten heb en dat heeft er natuurlijk mee te maken.
Je kunt erin dwalen als je behoefte aan beweging hebt, zo groot is het. Soms verdwaal ik er zelfs in. Er hoort ook een tuin bij, waarin ik bloemetjes zou kunnen plukken, maar dat doe je niet in je eigen tuin.
In het huis zijn vier wc's, schep ik nog maar even verder op. Er zijn ook drie badkamers, dus een excuus om te vervuilen heb ik niet.
Wat doe ik in dat huis behalve slapen en eten, trap op-, trap aflopen? Ik werk er.

Naar: 'Campert over Campert.' colum van Remco Campert in: Rails.

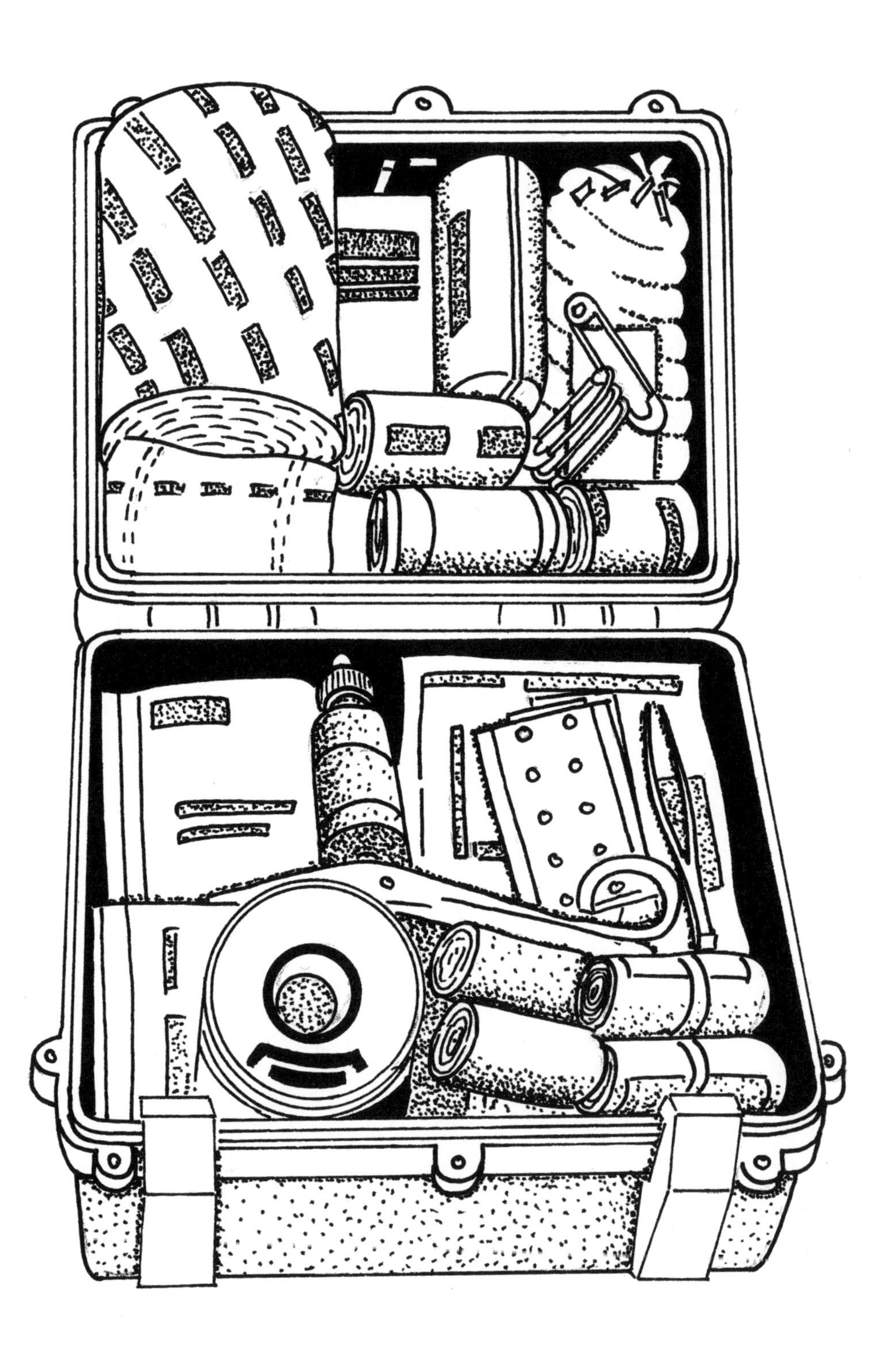

Basis

1 TEKST

1a Introductie

De titel van de tekst is: 'De werkdag van Myra Willems'. Zij is verpleegkundige.
Welke informatie zal deze tekst geven, denkt u?

1b Lees de tekst.

Myra Willems werkt drie dagen per week als verpleegkundige in het Academisch Ziekenhuis in Utrecht. Vandaag heeft zij een vroege dienst. Zij begint om acht uur. Op haar afdeling werkt een groep verpleegkundigen onder leiding van zuster Van Vliet, het hoofd van de afdeling. Het personeel begint altijd met een kopje koffie en een werkbespreking. Dan praten zij over de situatie van de patiënten. Welke patiënt heeft extra aandacht en verzorging nodig? Welke medicijnen hebben de patiënten nodig? Welk bed komt vrij?
Myra en haar collega's doen twee keer per dag een ronde over de afdeling. Na de bespreking doen zij hun eerste ronde. Dan verzorgen zij de patiënten. Als zij tijd hebben, maken zij een praatje. Helaas lukt dat niet altijd, omdat zij weinig tijd hebben.
Om twaalf uur 's middags brengen de verpleegkundigen het eten rond. Daarna gaan sommige patiënten rusten. Veel patiënten krijgen na de middag bezoek van familie of vrienden.
Vanaf twee uur doet Myra haar tweede ronde.
Tenslotte komt een groep andere collega's hen om half vijf aflossen. De hoofdzuster vertelt haar collega hoe het gaat met de patiënten. Daarna kan de eerste groep naar huis. Meestal is het dan vijf uur.

1c Oefening bij de tekst

Vul het schema in.

Kies uit: *eerste ronde, tweede ronde, aflossing, werkbespreking, het eten rondbrengen, koffie drinken*

8.00 uur	Begin dienst
8.00 - 9.00 uur	
8.00 - 9.00 uur	
9.00 - 12.00 uur	
12.00 uur	
14.00 uur	
16.30 uur	
17.00 uur	Naar huis

2 TAALHULP

TIJDSAANDUIDING

Om acht uur
Voor negen uur
Na de pauze
Tot half 6
Van 8 uur *tot* 11 uur
Tussen half 3 *en* half 4

tussen de middag = lunchtijd (tussen 12 en 14 uur)

AANDUIDING VAN DAG EN DATUM	
op dinsdag / *op* 12 december	Mevrouw Willems werkt op maandag, dinsdag en vrijdag.
tot vrijdag	Ik heb tot vrijdag nachtdienst.
van maandag *tot en met* zaterdag	De winkels zijn van maandag tot en met zaterdag open.
in de winter / *in* april / *in* het weekend *over* een week / *over* twee maanden	

FREQUENTIE	
weleens	Ben je weleens in een ziekenhuis geweest?
nooit	Ik ben nog nooit in een ziekenhuis geweest.
soms / af en toe	Af en toe maakt ze een praatje met een patiënt.
regelmatig	Ik ga regelmatig op bezoek bij mijn opa en oma.
vaak	Mijn opa moet vaak naar het ziekenhuis.
meestal	Ik ga meestal met de fiets naar mijn werk.
altijd	Het personeel begint altijd met een kopje koffie.

VOLGORDE	
eerst	Eerst nemen de verpleegsters een kopje koffie.
dan	Dan hebben ze een werkbespreking.
daarna	Daarna gaan ze de eerste ronde doen.
tenslotte	Ik moet veel doen vanochtend: patiënten wassen, bedden opmaken, planten verzorgen en ten slotte het eten rondbrengen.

3 GRAMMATICA

Welk/welke

singularis
Welk bed komt vrij?
Welke patiënt heeft extra verzorging nodig?

pluralis
Welke bedden komen vrij?
Welke patiënten hebben extra verzorging nodig?

VRAGEN
Is 'bed' een *de*-woord of een *het*-woord? En 'patiënt'?
Wanneer moet u *welk* of *welke* gebruiken?

Conjuncties: als en omdat

Wanneer doet Myra Willems haar 2e ronde?	*Als* het bezoekuur voorbij is.
Waarom moeten de patiënten rusten?	*Omdat* ze moe zijn.

Als ze tijd heeft, maakt ze een praatje.
Helaas lukt dat niet altijd *omdat* ze weinig tijd heeft.

Syntaxis: bijzin

Als **we** genoeg geld **hebben.**
Ja, maar alleen *als* **jij** ook **gaat.**
Omdat **ik** de taal niet goed **begrijp.**
Omdat **onze flat** te klein **is.**

VRAAG
Op welke positie staat de persoonsvorm in de bijzin? En het subject?

Combinaties van hoofdzin en bijzin

	HOOFDZIN	BIJZIN
A	*Ze* **maakt** een praatje,	als ze tijd heeft.
	Ze **kan** geen praatje maken,	omdat ze geen tijd heeft.
	BIJZIN	HOOFDZIN
B	Als ze tijd heeft,	**maakt** *ze* een praatje.
	Omdat ze geen tijd heeft,	**kan** *ze* geen praatje maken.

VRAGEN

Kijk naar de hoofdzin in combinatie A en in combinatie B. Kijk naar de plaats van *subject* en **persoonsvorm**. Wat is het verschil tussen hoofdzin A en hoofdzin B?

want en **omdat**

Ik zoek werk, *want* ik *heb* geld nodig.
Waarom zoek je werk? *Omdat* ik geld nodig *heb*.
Ik zoek werk, *omdat* ik geld nodig *heb*.

Ik kan nu niet blijven, *want* ik *heb* geen tijd.
Waarom kunt u niet blijven? *Omdat* ik geen tijd *heb*.
Ik kan niet blijven, *omdat* ik naar een bespreking *moet*.

VRAGEN

Wat is het verschil tussen de zinnen met 'want' en met 'omdat'?
Kijk naar de plaats van de persoonsvorm.
Let op de plaats van 'want' en 'omdat': 'want' staat niet aan het begin van de zin.

er / daar: verwijswoorden van plaats

Ben je al naar het ziekenhuis geweest?
Ja, *daar* ben ik al geweest.
Wanneer ben je *er* geweest?
Ik ben er vanmorgen geweest.

VRAGEN

Waarnaar verwijst *daar* in de tweede zin ?
Waarnaar verwijst *er* in de derde zin?

Oefeningen

TAALHULP

1

Kies het goede alternatief.

1	om / op:	Ik kom ______ half acht.
2	na / om:	We doen die oefening ______ de pauze.
3	tot / voor:	Het examen begint om tien uur. U moet ______ tien uur aanwezig zijn.
4	tussen / van:	Het examen duurt ______ tien tot twaalf uur.
5	tussen / van:	De pauze is ______ twaalf en twee uur.
6	om / op:	De test is ______ zaterdag 9 januari.
7	op / tot:	Vanaf vandaag ______ vrijdag heb ik vroege dienst.
8	in / over:	______ een week ga ik verhuizen. Dan geef ik een feest in mijn nieuwe huis.
9	in / over:	Het feestje is ______ het weekend.
10	in / op:	Ik ben ______ januari jarig. Dat is ______ de winter.

VOCABULAIRE

2

Vul in. Kies uit: *altijd, elke, meestal, nooit, soms, vaak, wel eens.*
Gebruik ieder woord één keer.

a Ben je ______ in Brussel geweest?
b Nee, nog ______ .
a En in Parijs?
b Ja, heel ______ , want mijn oom woont daar.
a Woont je oom er al lang?
b Ja, hij heeft er ______ gewoond.
Hij is er geboren en op school geweest. Hij is Fransman.
a Parijs is een leuke stad.
Je gaat er zeker ______ zomer naar toe hé?
b Nee, want ______ is mijn oom 's zomers niet in Parijs. Dan huurt hij met zijn familie een huisje in het zuiden van Frankrijk. Maar deze zomer ga ik er toevallig wel naar toe, want mijn oom kan niet met vakantie.
a Welke taal spreek je met je oom? Frans?
b Ja, maar ______ spreken we ook Nederlands, want mijn oom kent een klein beetje Nederlands.

3 ●

Vul in.

Kies uit: *eerst, dan, daarna, tenslotte, om, op, van, tot, tussen, daarvoor, na*

Er zijn verschillende mogelijkheden.

Jan de Bruin is postbode.
Iedere morgen staat hij om zeven uur op.
______ gaat hij onder de douche, ______ kleedt hij zich aan.
______ gaat hij naar de keuken om te ontbijten.
______ trekt hij zijn jas aan, stapt op zijn fiets en gaat naar zijn werk.
Het is dan kwart voor acht.
______ acht uur moet hij beginnen.
______ acht en tien uur moet hij post sorteren.
______ tien tot twaalf uur brengt hij de post rond.
Maar ______ neemt hij eerst even een kop thee.
______ de middag eet hij zijn boterhammen op in de kantine, samen met een paar collega's.
______ de lunch moet hij weer post rondbrengen, nu in de Schildersbuurt.
______ vier uur is hij daarmee klaar.
______ maandag en vrijdag gaat hij naar huis, maar ______ dinsdag ______ en met donderdag moet hij ______ nog naar het station, want moet hij helpen post uit de trein te halen.
Dat is zwaar werk.

GRAMMATICA

4 ●

Vul in.

Is het *welk* of *welke*? Geef ook antwoord op de vraag.

1 ______ dag is het vandaag? ______
2 Op ______ dagen hebt u Nederlandse les? ______
3 In ______ maand bent u jarig? ______
4 Op ______ dag? ______
5 ______ woordenboek gebruikt u? ______
6 ______ talen spreekt u? ______
7 ______ film hebt u kort geleden gezien? ______
8 ______ stad in Nederland vindt u mooi? ______
9 Uit ______ land komt u? ______
10 Naar ______ landen bent u al geweest? ______

5

Waarnaar verwijst *daar* of *er*? Voorbeeld:

Ken je Amersfoort? Ja, ik woon *er*! *er* = in Amersfoort

Gesprek tussen persoon A en persoon B

A	Ben je al in Amsterdam geweest?				
B	Ja, daar ben ik al geweest.	1	daar	=	______
A	Wanneer ben je er geweest?	2	er	=	______
B	Vorig jaar.				
A	Wat heb je er gezien?	3	er	=	______
B	Ik ben in het Rijksmuseum geweest.				
	Daar heb ik de Nachtwacht van Rembrandt gezien.	4	Daar	=	______
A	Heb je er ook andere dingen gezien?	5	er	=	______
B	Natuurlijk heb ik er ook andere schilderijen gezien.	6	er	=	______
	Na het Rijksmuseum ben ik naar het oude centrum				
	van Amsterdam gegaan. Daar heb ik twee uur gelopen.	7	Daar	=	______
	In Amsterdam zijn heel veel leuke cafés.				
	Daar kun je lekkere koffie drinken.	8	Daar	=	______
	Ook kun je er iets eten.	9	er	=	______
A	Als je nog eens naar Amsterdam gaat, dan wil ik wel mee.				
B	Toevallig ga ik er dit weekend weer naartoe.	10	er	=	______
	Heb je zin om dit weekend mee te gaan?				
A	Ja leuk, want ik ben er nog nooit geweest.	11	er	=	______

6

Vraag en antwoord. Werk in tweetallen. Voorbeeld:

a Bent u wel eens in Amsterdam geweest? b Ja, *daar* ben ik wel eens geweest.

a Wanneer bent u *er* geweest? b Ik ben *er* vorig jaar geweest.

in Amsterdam	vandaag
in Parijs	vanmorgen
bij een woningbureau	gisteren
op het postkantoor	eergisteren
bij de universiteit	vorige week
op het politiebureau	vorige maand
bij de bank	vorig jaar
in het ziekenhuis	nog nooit
bij de buren	maandag
op het kantoor van de krant	in januari

7 ●

Combineer de zinnen. Denk aan de goede volgorde.

1 Ik ga naar het taleninstituut omdat ____ .
2 Ik maak een praatje met de patiënten als ____ .
3 Ik ga eten want ____ .
4 Wij hebben zin in koffie maar ____ .
5 Om kwart voor zeven ga ik weg want ____ .
6 Ze gaat op de fiets naar haar werk omdat ____ .
7 Ik vind werken heel leuk maar ____ .
8 Ik ga dat huis kopen als ____ .

a de trein vertrekt om zeven uur.
b ik genoeg geld heb.
c ik Spaans wil leren.
d ik veel tijd heb.
e het vandaag niet regent.
f ik heb honger.
g de kantine is gesloten
h een vrije dag vind ik ook fijn.

8 ●

a Vul in. Kies uit: *omdat* en *want*

Jos Visser (45) heeft het syndroom van Down. Zijn ouders zijn twee jaar geleden overleden. Sindsdien woont Jos in een tehuis in Amstelveen.
Jos is een zelfstandig mens. Hij staat iedere morgen om zes uur op, hij moet om half acht naar zijn werk. Hij is timmerman in de sociale werkplaats. 's Middags doet hij boodschappen. In zijn vrije tijd gaat hij soms naar zijn club 'De Schakel', ________ hij vindt het gezellig om daar een pilsje te drinken.
En hij houdt contact met zijn zes broers en zussen. Hij houdt heel veel van hen, ________ zij altijd voor hem klaar staan.
Maar zij hoeven hem niet te verzorgen, ________ hij kan alles zelf.

b Vul in. Kies uit: *als* en *omdat*

Zus Susan (55) over Jos: 'Jos komt regelmatig een weekendje logeren. Dat is altijd gezellig, ________ een blij en vrolijk mens is.
Ook nemen wij Jos vaak mee naar de film. En ________ het mooi weer is, gaan we samen naar het strand. Onze zus Marion heeft daar een café, en daar gaan we dan iets drinken.'

Zus Rietje (57): 'Voor Jos ben ik eigenlijk het hoofd van de familie. ________ hij iets wil hebben, een nieuwe televisie bijvoorbeeld, gaat dat via mij.
Maar ________ ik tegen hem zeg dat hij nog even op de televisie moet wachten, dan vraagt hij het toch aan een van zijn andere broers of zussen!'
Bron: 'Dit is het familie-team van Jos!' in: Margriet nr. 11, 6/13 maart 1998

9 ●●

Vul in. Kies uit: *omdat, want, als, maar*

1 Elke ochtend sta ik al om zeven uur op, ________ ik wil genoeg tijd hebben voor een kopje thee.
2 Na het ontbijt spring ik op de fiets en ga ik naar mijn werk. Ik werk bij een krant. Ik ga op de fiets, ________ ik vlakbij mijn werk woon.
3 ________ ik om half negen op kantoor ben, kijk ik eerst in mijn agenda.
4 Om elf uur zie ik bijna alle collega's, ________ we dan samen koffie drinken.
Ik drink soms koffie, ________ ik drink meestal thee.
5 Na de lunchpauze ga ik naar de redactie, ________ ik 's middags daar werk.
6 Ik werk daar van twee tot vijf.
Ik moet heel hard werken, ________ het is op de redactie heel erg druk.
7 Ik mag naar huis ________ het vijf uur is, ________ vaak werk ik tot zes uur.
8 's Avonds kan ik niet veel meer doen, ________ ik dan erg moe ben.

10 ●●

Zet in de goede volgorde
Voorbeeld: Ik ga naar huis als - het - is - vijf - uur
Ik ga naar huis als het vijf uur is.

1 Rebecca staat elke dag om zes uur op, want - haar bus vertrekt - al - om half acht.
2 Ze moet om acht uur in het ziekenhuis zijn, omdat - haar dienst - begint - al - om kwart over acht
3 Als het tien uur is, - ze - heeft - een - koffiepauze.

4 Om één uur gaat ze vaak even buiten wandelen, omdat - ze - houdt - van - frisse - lucht.
5 's Middags brengt ze de patienten thee, als - het bezoek - is - weer - weg.
6 Daarna denkt ze aan vijf uur, want - ze - mag - dan - weg.
7 Ze vindt werken in een ziekenhuis zwaar, maar - het - is - soms - ook - erg - leuk
8 Als ze thuis komt, - ze - leest - eerst - de krant.
9 Voor het eten gaat ze regelmatig hardlopen, omdat - ze - wil - een - beetje - fit - blijven.
10 Omdat ze de volgende ochtend weer vroeg op moet, - ze - gaat - om - half elf - naar bed.

11 ●●

Vervang de gecursiveerde woorden door *er* of *daar*.

Vandaag vertel ik jullie iets over Frankrijk.
In Frankrijk ben ik elk jaar in juli, omdat mijn oom *in Frankrijk* woont.
Hij heeft een huisje in de Bourgogne en *in de Bourgogne* is het heel erg mooi.
Mijn zus en ik maken *in de Bourgogne* lange wandelingen.

Het huis van mijn oom staat midden in het bos.
In het bos is het altijd lekker rustig.
Ook hoor je *in het bos* de vogels nog zingen.
In Amsterdam hoor je andere dingen: *in Amsterdam* hoor je auto's.
Maar je hoort *in Amsterdam* natuurlijk ook wel vogeltjes.

Volgende week gaan we naar Utrecht.
In Utrecht kun je veel dingen kopen.
Ik koop *in Utrecht* ook altijd koekjes: Utrechtse sprits.
Ik ga ook naar Utrecht omdat mijn oma *in Utrecht* woont.
Zij woont in het centrum, *in het centrum* woon je prachtig.
Je ziet *in het centrum* veel mooie grachten.
Aan de grachten zijn de huizen wel erg duur.

LUISTEREN

12 ●

Personen en situatie

Twee personen beschrijven hun werk- of studiedag.

Opdracht: Kijk naar de lijst met hun activiteiten. De volgorde klopt niet.

Zet de activiteiten in de goede (chronologische) volgorde.

Mevrouw Mulder

- lesgeven aan de brugklas	1	______
- lesgeven aan tweede klas mavo	2	______
- lesgeven aan eindexamenklas havo	3	______
- zoontje van school halen	4	______
- zoontje naar school brengen	5	______
- opstaan	6	______
- koken	7	______
- koffiepauze	8	______
- lunchen	9	______
- theedrinken	10	______

Remco Willems

- gitaar spelen	1	______
- naar muziek luisteren	2	______
- voetbaltraining	3	______
- les wiskunde	4	______
- les Engels	5	______
- les natuurkunde	6	______
- tv-kijken	7	______
- huiswerk maken	8	______
- koffiepauze	9	______
- lunchen	10	______

PROSODIE

13 ●

Luister en zet een ● in de goede kolom.

Voorbeeld:

1 Utrecht 4 Maria
2 mevrouw 5 telefoon
3 Saskia 6 kopje koffie

Vul in.

	A	B	C	D	E	F
	— •	• —	— ••	• — •	•• —	— • — •
1	●					
2		●				
3			●			
4				●		
5					●	
6						●

14 ●●

Klinkt dit vriendelijk ☺ of niet vriendelijk ☹ ?

Voorbeeld:

Wilt u een kopje thee? ☺

Hier, thee. ☹

	☺	☹		☺	☹
1	❑	❑	5	❑	❑
2	❑	❑	6	❑	❑
3	❑	❑	7	❑	❑
4	❑	❑	8	❑	❑

15 ●● 

U hoort een vraag. Geef het goede antwoord.

1 Gaat Peter met de bus naar Amsterdam?
- ❑ Nee, Jan.
- ❑ Nee, met de trein.
- ❑ Nee, naar Den Haag.

2 Ga je morgen met je collega koffie drinken?
- ❑ Nee, vandaag.
- ❑ Nee, met mijn vriend.
- ❑ Nee, eten.

3 Heeft Peter de pen op de tafel gelegd?
- ❑ Nee, Jan.
- ❑ Nee, het boek.
- ❑ Nee, op de stoel.

4 Woont John in New York?
- ❑ Nee, hij is op vakantie in New York.
- ❑ Nee, Lukas.
- ❑ Nee, in Boston.

5 Is de bruine tas van John?
- ❑ Nee, de zwarte.
- ❑ Nee, het bruine boek.
- ❑ Nee, van Peter.

6 Begint de cursus morgen om half tien?
- ❑ Nee, de vakantie.
- ❑ Nee, vandaag.
- ❑ Nee, half elf.

16 ● 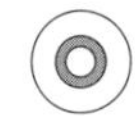

Luister en zeg na. Let vooral op de intonatie!

- • Ben je weleens in een ziekenhuis geweest?
- \- Ik? Nee, nog nooit. Ik ben nog nooit in een ziekenhuis geweest.
  En jij? Ben jij weleens in een ziekenhuis geweest?
- • Ik? O ja, vaak.

- • Ga je weleens naar de dokter?
- \- Ik? Ja, af en toe.
  En jij? Ga jij weleens naar de dokter?
- • Ik? Ja, soms.
  En u? Gaat u weleens naar de dokter?
- ⋆ Ik? Bijna nooit.

- • Heeft u het druk?
- \- O ja, eerst moet ik patiënten wassen, dan bedden opmaken,
  daarna planten verzorgen en ten slotte het eten rondbrengen.

SPREKEN

17 ●

Vraag en antwoord. Werk in tweetallen. Beschrijf aan elkaar uw eigen werk- of studiedag.

Voorbeeld: VRAAG: Wat doet u 's morgens?
ANTWOORD: 's Morgens neem ik een douche.

TIJD	ACTIVITEITEN
's Morgens	een douche nemen
's Middags	iets eten/drinken
's Avonds	ontbijten/lunchen
's Nachts	koffie/thee zetten
Om 7 uur	naar school gaan
Om half acht	boodschappen doen
Om ______	eten klaarmaken
	huiswerk maken
	televisie kijken
	de krant lezen
	naar bed gaan
	slapen
	dromen

SCHRIJVEN

18

Schrijf op hoe u iets doet. Gebruik: *eerst, dan, daarna, ten slotte*

Voorbeeld: • koffie zetten.

Eerst kook ik water.

Dan zet ik de filter op de koffiepot.

Daarna doe ik koffie in de filter.

Ten slotte giet ik het kokende water op de koffie.

Beschrijf:

- thee zetten
- naar uw werk gaan
- tanden poetsen
- thee/koffie uit de automaat halen

19

Beschrijf uw werkdag of studiedag.

Begin elke zin met een indicatie van tijd of volgorde.

Voorbeeld:

Meneer Willems: Om 7 uur gaat hij zijn bed uit.
Daarna ontbijt hij/gaat hij ontbijten.
Om 8.30 begint zijn werkdag.

LEZEN

20

Naar school in Nederland

Sinds 1900 heeft Nederland een leerplichtwet. Kinderen moeten van hun vijfde tot en met hun zestiende jaar naar school, maar de meeste kinderen gaan al vanaf hun vierde jaar naar school, en velen volgen onderwijs tot hun zeventiende of achttiende jaar. Tot hun twaalfde jaar gaan zij naar de basisschool. Die bestaat uit kleuteronderwijs en 'lager onderwijs'. Daarna gaan ze naar het 'voortgezet onderwijs'. Er zijn allerlei schooltypen, op verschillende niveaus. Op de verschillende schooltypen gaan de kinderen korter of langer naar school; variërend van vier tot zes jaar.

Sinds 1848 is er de 'vrijheid van onderwijs'. Iedereen kan in principe een school beginnen. Men is dan verplicht bepaalde vakken te geven, maar de school is vrij de religieuze, politieke en didactische aspecten van het onderwijs te bepalen. Hierdoor hebben wij in ons land 'openbare' en 'bijzondere' scholen. De bijzondere scholen hebben van oudsher een bepaalde religieuze achtergrond, bijvoorbeeld een katholieke, of protestante. Er zijn ook Islamitische scholen in Nederland. Ook scholen die bepaalde didactische principes hanteren, zoals die van Maria Montessori of Rudolf Steiner, noemt men bijzondere scholen.

VRAGEN

Is er in uw land ook leerplicht?
Is dat ook van vijf tot zestien jaar?
Hoe lang duurt in uw land het basisonderwijs?
Zijn er in uw land veel verschillende soorten voortgezet onderwijs?
Is er in uw land ook verschil tussen openbaar en bijzonder onderwijs?

21 ●●

1 Waarom werkt Robbert Hijdra meer gemotiveerd als hij aan zijn kinderen denkt?
2 Wat doet Robbert Hijdra tijdens het voorbereiden van zijn presentatie?
3 Hoeveel mensen werken er op de afdeling van Robbert Hijdra?
4 Werken de Vereniging Natuurmonumenten en de Vereniging van Exploitanten van Waterwinbedrijven in Nederland al samen?
5 Wat doet Robbert Hijdra tussen de middag?
6 Met wie praat Robbert Hijdra als hij naar Den Haag gaat?
7 Hoe laat gaat Robbert Hijdra meestal naar huis?
8 Wat is 'een geluksvogel'?

Een dag uit het leven van ... Robbert Hijdra

Robbert Hijdra werkt bij de 'Vereniging Natuurmonumenten'.
Zijn werk bestaat vooral uit overleggen en vergaderen.

8.30 uur
Ik breng Wendelien (5) en Rosanne (7) naar school. Als ik aan hen denk, doe ik mijn werk extra goed. Ik vind het namelijk essentieel dat zij over twintig jaar volop door de natuur in Nederland kunnen wandelen en fietsen.

8.45 uur
Aangekomen op het hoofdkantoor van Natuurmonumenten bereid ik mijn presentatie van vanochtend voor, bij een van mijn dagelijkse tien koppen koffie. Het behartigen van de belangen van de natuur doe ik niet alléén. Hier op mijn afdeling heb ik vijf gemotiveerde, professionele collega's.

9.30 uur
Een eerste overleg tussen onze directie en de Vereniging van Exploitanten van Waterwinbedrijven in Nederland, omdat ook zij een schone natuur nodig hebben. Zeker nu Nederland steeds meer drinkwater nodig heeft. Ik presenteer een aantal voorstellen tot samenwerking.

11.30 uur
In de wandelgangen praat ik met onze directie.

12.30 uur
Na de lunch wandel ik een kwartier door het oude bos achter het kantoor.

13.00 uur

Op de fiets naar het station voor een van mijn reizen naar Den Haag. Elke twee à drie weken ben ik in de Tweede Kamer en op ministeries om onze ideeën te bepleiten.

14.30 uur

Overleg met Tweede-Kamerlid Marijke Augusteijn-Essen (D66) over onze plannen.

17.30 uur

Een uurtje vroeger dan normaal fiets ik naar huis om me voor te bereiden op de avondvergadering. Het is nog licht, ik fiets even de polder in.

20.00 uur

Avondvergadering op kantoor.
Als ik later op de avond buiten mijn fiets pak, voel ik me een geluksvogel dat ik dit werk mag doen.

Bron: 'Natuurbehoud', kwartaalblad Vereniging Natuurmonumenten.

Basis

1 TEKST

1a Lees de introductie.

Gesprek tussen Karel en zijn studiegenoot Theo over vrije tijd en hobby's.
Tijdens de lunch spreken zij met elkaar.

1b Luister naar de tekst. Kijk **niet** in het boek!

Karel	Theo, ik ga vanavond met Hannie naar de film. Ga je ook mee?
Theo	Nee, sorry, ik kan vanavond niet. Ik moet naar pianoles.
Karel	Leuk! Speel je goed piano?
Theo	Jawel ... redelijk. Ik vind het in ieder geval erg leuk om te doen. Ik speel al een jaar of acht. Speel jij ook een instrument?
Karel	Nee, ik ben helemaal niet muzikaal. Ik luister wel graag naar muziek, maar ik speel zelf geen instrument.
Theo	Maar je vriendin is wel muzikaal, hè? Ze zingt toch in een koor?
Karel	Ja, dat klopt. Hannie zingt in een koor. Ze zingen klassiek en jazz. Ik houd niet zo van koorzang, maar ik vind dat Hannie heel mooi zingt.
Theo	Maar wat doe jij dan in je vrije tijd? Heb je een hobby?
Karel	Ja, ik zit op een voetbalclub. Ik voetbal elke zondag, en in de zomer ga ik vaak tennissen. Ik kijk ook graag naar sport op de tv.
Theo	Dus jij bent meer het sportieve type. Kun je goed voetballen en tennissen?
Karel	Ik kan vrij goed voetballen, zondag hebben we ook weer gewonnen. Met tennissen verlies ik meestal. Doe jij iets aan sport?

Theo	Nou, nee, ik ben niet zo sportief. Vroeger op school heb ik natuurlijk wel gesport, maar tegenwoordig is mijn conditie waardeloos. Ik kijk wel af en toe naar sport op tv. Vooral naar volleybal en basketbal.
Karel	Heb je nog andere hobby's?
Theo	Ja, ik ga regelmatig naar concerten. En ik lees graag.
Karel	Nou, geef mij maar een stripboek! Lezen is niks voor mij. Ik kijk liever tv, bijvoorbeeld naar films en documentaires. En ik ga regelmatig met Hannie naar de bioscoop.
Theo	Naar welke film gaan jullie trouwens vanavond?
Karel	Naar 'Karakter', naar het boek van Bordewijk. Ik heb de recensie in de krant gelezen en die was heel positief.
Theo	Oh, ja, die is heel goed, ik heb hem al gezien. Veel plezier, en doe de groeten aan Hannie.
Karel	Dat zal ik doen. Veel plezier met je pianoles.

1c Opdracht

Wat doen ze in hun vrije tijd? Vul het schema in.

Sport			
Muziek			
Andere hobby's			

2 **TEKST**

2a Lees de tekst.

Gelukkig is het weer vrijdag

Vrijdagmiddag half vijf. Marijke is vrij en het weekend staat voor de deur. Als ze een week hard heeft gewerkt, wil ze in het weekend goed uitrusten. Dus wil ze op zaterdag lekker lang uitslapen. Ze staat dan nooit voor tien uur op. Gelukkig woont ze in het centrum van de stad en kan ze heel snel boodschappen doen. Op zaterdagmiddag heeft ze vaak een afspraak met een goede vriendin. Marijke haalt haar altijd op en dan gaan ze samen bijvoorbeeld winkelen of naar de kapper. Soms gaat de vriend van Marijke ook mee, maar niet als ze gaan winkelen. Dat vindt hij vreselijk vervelend. Op zaterdagavond gaan Marijke en haar vriend vaak naar een toneelstuk of een concert. Maar in de zomer gaan ze dan vaak fietsen. Omdat het dan lang licht is, kunnen ze laat thuiskomen. Zondag is een echte vrije dag. Voor die dag spreken ze nooit iets af.

2b Kies het goede antwoord.

1 Het weekend is in Nederland op:
- ❑ a vrijdag en zaterdag.
- ❑ b zaterdag.
- ❑ c zaterdag en zondag.

2 Met wie doet Marijke boodschappen?
- ❑ a Met niemand, ze doet alleen boodschappen.
- ❑ b Met haar vriendin.
- ❑ c Met haar vriendin, en soms gaat haar vriend ook mee.

3 Gaan Marijke en haar vriend elke zaterdagavond naar het theater?
- ❑ a Ja
- ❑ b Nee

3 TAALHULP

Praten over hobby's

VRAGEN	ANTWOORDEN
Wat doet u in uw vrije tijd? Heb je hobby's? Doe je aan sport? Houd je van ________ ? Ga je vaak naar ________ ?	Ik doe aan sport. Ik voetbal / zwem / tennis / basketbal / volleybal / ________ . Ik zit op een ________ . Ik maak muziek. Ik speel piano / viool / contrabas / ________ . Ik zing. Ik maak foto's / kleding ________ . Ik wandel / fiets veel. Ik ga vaak naar een concert / een film / ________ .

waardering uitdrukken

POSITIEF	NEGATIEF
Ik ______ graag. Ik vind het (heel) leuk om ______ te ______. Ik houd van ______.	Dat is niets voor mij! Ik vind ______ saai/ vervelend. Ik vind ______ niet (zo) leuk. Ik ben niet sportief/ muzikaal/ ______.

4 GRAMMATICA

Indirecte zin / Bijzin met **dat**	
Ik vind *dat* je mooi zingt. Ik denk *dat* ik goed kan voetballen.	
Karel: "*Ik ga* vanavond naar de film." Ik denk dat *ik* vanavond naar de film *ga.*	Wat zegt Karel? Karel zegt dat *hij* vanavond naar de film *gaat.*
Theo: "Ik *moet* vanavond weg." Ik geloof dat *ik* vanavond weg *moet.*	Wat zegt Theo? Theo zegt dat *hij* vanavond weg *moet.*

dus:

______ zeg(t) dat ______.
______ geloof(t) dat ______.
______ denk(t) dat ______.
______ vind(t) dat ______.

separabel verbum	
uitrusten = uit + rusten opbellen = op + bellen	weggaan = weg + gaan uitgaan = uit + gaan
A Ik wil in het weekend *uitrusten.* Hij zal je vanavond *opbellen.* Wij kunnen vanavond *uitgaan.* Om negen uur moet zij *weggaan.*	B Ik *rust* in het weekend *uit.* Hij *belt* je vanavond *op.* Wij *gaan* vanavond *uit.* Om negen uur *gaat* zij *weg.*

Wat gebeurt er met het verbum in de zinnen van B?
Spreek de infinitieven uit. Op welk deel valt de klemtoon?

perfectum 1

Wanneer *ben* je in het Kröller-Müller Museum *geweest*?
Gisteren *ben* ik daar *geweest*.

De film 'Karakter' *heb* ik **vorige week** al *gezien*.
Ik *heb* de **afgelopen week** hard *gewerkt*.

Vul in.
Al deze zinnen gaan over ________ .

- ❑ a het verleden
- ❑ b de tegenwoordige tijd
- ❑ c de toekomst

In elk van deze zinnen staan twee verba, namelijk:

- ❑ 1 ________ of ________ (infinitieven: ________ en ________ .)
- ❑ 2 Het laatste woord begint met de letters ________ .

Welke drie zinnen in tekst 1 hebben ook deze structuur?

Oefeningen

TAALHULP

1 ●

Vul in.

1 Houdt u van sport?
   a Ja, ik ________ graag.
   b Ik ben zelf niet sportief, maar ik kijk graag naar ________ .
   c Dat is niks voor mij! Ik vind sport ________ .
2 Houdt u van muziek?
   a Ja, ik speel ________ .
   b Ik ben zelf niet muzikaal, maar ik luister graag naar ________ .
   c Ik houd niet van muziek, ik vind muziek ________ .
3 Bent u creatief?
   a Ja, ik maak ________ .
   b Nou, ik ben niet creatief, maar ik vind het leuk om naar ________ te ________ .

4 Houdt u van wandelen?
   a Ja, ik vind het heel leuk om te wandelen. Ik wandel graag in ________ .
   b Nee, dat is niks voor mij.
5 Gaat u graag naar een film?
   a Ja, dat vind ik heel leuk. Ik houd van ________ films.
   b Nee, ik ga liever ________ .

VOCABULAIRE

2 •

Onderstreep het separabele verbum.
Waar moet u zo'n verbum opzoeken in uw woordenboek?

Wat doe ik als ik na mijn werk thuiskom?

1 Ik doe de deur open.
2 In de winter moet ik meestal ook het licht aandoen.
3 Ik maak het eten klaar, en eet het op.
4 Na het eten was ik af.
5 Vaak zet ik dan ook even het raam open.
6 Als ik klaar ben, zet ik de tv aan.
7 Vandaag is er niks leuks op de tv, daarom bel ik iemand op.
8 Mijn vriendin is niet thuis, ik laat een boodschap doorgeven.
9 Dan maak ik maar een kopje koffie. Maar ik kan het niet opdrinken, want mijn vriendin belt al terug.
10 Ze vraagt of ik zaterdag zin heb om met haar uit te gaan.
11 Om half elf trek ik mijn kleren uit en ga ik naar bed.

Vul in.

de deur ________ doen
het licht ________ doen
het eten ________ maken
het eten ________ eten
________ wassen
het raam ________ zetten
de televisie ________ zetten

iemand ________ bellen
een boodschap ________ geven
je koffie ________ drinken
iemand ________ bellen
met iemand ________ gaan
je kleren ________ trekken

3 ●

Wat hoort bij elkaar? U kunt verschillende combinaties maken.

Voorbeeld: foto's maken
Ik maak veel foto's in de vakantie.

VERBA	SUBSTANTIEVEN
doen (aan)	ballet
maken	bioscoop
gaan (naar)	boodschappen
kijken (naar)	foto's
passen	gedichten
spelen	kleding
schrijven	schilderijen
	sport
	theater
	video's
	viool

4 ●●

Wat betekent: **'Het weekend staat voor de deur'**?
Waar in het woordenboek kunt u dat opzoeken?

Wat betekent:

Ergens een sport van maken.
Daar is geen kunst aan.
Daar zit muziek in.
De eerste viool spelen.
Ik snap er geen bal van.

GRAMMATICA

5 ●

Kijk naar tekst 1. Maak de zin met *dat* compleet.

Voorbeeld:
Theo: "Ik speel al acht jaar piano."
Theo zegt dat hij al acht jaar piano speelt.

1 Karel: "Ik ben helemaal niet muzikaal." Karel zegt dat ________________.
2 Karel: "Ik zit op een voetbalclub." Karel zegt dat ________________.
3 Theo: "Ik kan wel aardig biljarten." Theo zegt dat ________________.
4 Karel: "Ik verlies meestal met tennissen." Karel zegt dat ________________.
5 Theo: "Mijn conditie is waardeloos." Theo zegt dat ________________.

6 ●●

Kijk naar tekst 1.
Beantwoord de vragen. Gebruik *dat* in het antwoord. Soms kunt u meer antwoorden geven.
Voorbeeld:

Wat zegt Theo over zijn hobby, piano spelen?
Hij zegt dat hij redelijk piano speelt.
of: Hij zegt dat hij al 8 jaar piano speelt.
of: Hij zegt dat hij het leuk vindt.

1 Wat zegt Karel over het zangtalent van Hannie?
______________________________.
2 Wat zegt Karel over zijn eigen zangtalent?
______________________________.
3 Wat zegt Karel over zijn sportactiviteiten?
______________________________.
4 Wat zegt Theo over zijn sportactiviteiten?
______________________________.
5 Wat zegt Theo over zijn interesse in muziek?
______________________________.
6 Wat zegt Theo over zijn interesse in lezen?
______________________________.
7 Wat zegt Karel over zijn interesse in lezen?
______________________________.
8 Wat zegt Karel over de recensie van de film 'Karakter'?
______________________________.

7 ●

Onderstreep de separabele verba in de volgende zinnen.
Voorbeeld:
Ze wil in het weekend goed <u>uitrusten</u>.

1 Dus wil ze op zaterdag lekker lang uitslapen.
2 Ze staat dan nooit voor tien uur op.
3 Marijke haalt haar vriendin altijd op.
4 De vriend van Marijke gaat soms ook mee.
5 Ze kunnen in de zomer laat thuiskomen.
6 Ze spreken voor zondag nooit iets af.

8 ●

Vul het verbum in.

Kies uit: *ophalen opbellen opstaan afspreken thuiskomen weggaan uitslapen*

X Wil je Jan even ________ ?
Hij wil morgen meerijden naar Amsterdam.
________ jij even een tijd ________ .
Nu wil ik op zaterdag niet zo vroeg ________ .
Het is een vrije dag, dus we ________ eerst lekker ________ .
Dan ________ we pas om een uur of tien ________ .

Y Dus wij kunnen hem om elf uur ________ ?

X Dat moet lukken.
Dan hebben we genoeg tijd.
Ik wil om een uur of zes weer ________ , want Theo en Mieke komen bij ons eten.

9 ●●

Vul het verbum in.

Voorbeeld: (opbellen)
Het meisje - Jan -
Het meisje *belt* Jan *op*.

1	(opstaan)	Jan - altijd - om zeven uur - .
2	(aantrekken)	Ik - altijd - eerst - mijn sokken - .
3	(opgeven)	Ik - me - voor die cursus - .
4	(uitrusten)	Veel mensen - in het weekend - goed - .
5	(afspreken)	Hoe laat - zullen - we - voor morgen -?
6	(weggaan)	Als we nog op tijd op het concert willen zijn, - moeten - . we - nu - .
7	(ophalen)	- je - me -?
8	(aantrekken)	Als ik ga hardlopen, - ik - altijd - mijn hardloopschoenen - .
9	(meegaan)	Ik - met je -, als je gaat zwemmen.
10	(uitleggen)	Kun -jij - mij - de spelregels - van voetbal -?

10 ●

Welke zinnen staan in het perfectum?

1 a We zijn gisteren naar het Park De Hoge Veluwe geweest.
We hebben daar toch zo heerlijk gewandeld!

b Weet je dat je daar ook fietsen kunt lenen?

2 a Waar zullen we dit schilderij ophangen?
b Dat afschuwelijke ding wil ik niet meer aan de muur! Breng dat maar naar de zolder.
a Hoe kun je dat nou zeggen? Dat heeft Tante Truida's derde man speciaal voor ons geschilderd!

3 a Heb je de krant al gelezen? Er staat een recensie in van het boek van Bert.
b Heeft Bert een boek geschreven?
a Ja, over reizen als hobby.

4 a Zeg, kun jij me helpen? Jij bent toch ook ooit op dansles geweest? Vorige week hebben we de tango geleerd, maar ik weet niet meer hoe hij gaat.
b Nou, de tango, die is zo moeilijk, die kan ik ook niet meer.

11 ●

Vul het adjectief in. Verander de vorm als dat nodig is.

Voorbeeld: Ik houd veel van (klassiek) muziek.
Ik houd veel van *klassieke* muziek.
Ik lees graag een (goed) boek.
Ik lees graag een *goed* boek.

1 Ik speel piano, maar ik heb ook (ander) hobby's.
2 Wij gaan vanavond naar het optreden van een (goed) jazz-band.
3 Mijn vriendin zingt in een heel (gezellig) koor.
4 Vanavond komt er een (mooi) film op de tv.
5 Myra Willems heeft een (druk) baan als verpleegster.
6 Gelukkig heeft ze (leuk) collega's.
7 's Morgens begint ze haar werkdag met een (lekker) kopje koffie.
8 Als ze tijd heeft, maakt ze een (kort) praatje met de patiënten.
9 Saskia zoekt een kamer in een (gezellig) studentenhuis.
10 Ze wil graag een (ruim) kamer met een (groot) balkon.
11 Helaas staan er geen (interessant) advertenties in de krant.
12 Daarom schrijft ze zich in bij een (speciaal) kamerbureau voor studenten.

LUISTEREN

12 ● en ● ●

Personen en situatie

Een onderzoek naar vrije tijd.
Een interviewer spreekt mensen op straat aan en stelt hun vragen over vrije tijd en hobby's.
Luister naar de band.
Kies het goede antwoord bij de a-vragen
Schrijf een kort antwoord bij de b-vragen
Beantwoord de vragen ten slotte ook voor u zelf.

De vrouw: a Heeft ze vrije tijd? *nee/ heel weinig/ weinig/ redelijk veel/ veel*
b Wat doet ze in haar vrije tijd?
______________________________.

De man: a Heeft hij vrije tijd? *nee/ heel weinig/ weinig/ redelijk veel/ veel*
b Wat doet hij in zijn vrije tijd?
______________________________.

Het meisje: a Heeft ze vrije tijd? *nee/ heel weinig/ weinig/ redelijk veel/ veel*
b Wat doet ze in haar vrije tijd?
______________________________.

U: a Hebt u vrije tijd? *nee/ heel weinig/ weinig/ redelijk veel/ veel*
b Wat doet u in uw vrije tijd?
______________________________.

PROSODIE

13 ●

Luister en zet een ● in de goede kolom
Voorbeeld:
1 Saskia 2 Maria 3 telefoon

Vul in.

	A	B	C
	— ••	• — •	•• —
1	●		
2		●	
3			●

14 ●●

Luister naar de zinnen, let op het ritme. Welke horen er niet bij?

a Ik kan niet tennissen.
b Hij kan goed voetballen.
c Ze gaat graag winkelen.
d Wij zingen in een koor.
e Hij vindt mij waardeloos.
f Dat is onredelijk.
g We luisteren naar de muziek.

15 ● 

Luister en zeg na. Let goed op de intonatie!

- • Wat doe jij in je vrije tijd? Heb je hobby's?
- \- O ja, ik doe van alles!

- • Doe je aan sport?
- \- Ik voetbal, ik tennis graag en ik zwem.

- • Doe je aan muziek?
- \- Ik speel viool, ik speel een beetje piano en ik zing in een koor.

- • Ga je vaak naar een concert?
- \- Ja, ik ga graag naar een concert.

- • En jij? Houd jij van muziek?
- \- Ik? Nee, dat is niks voor mij. Ik vind het vervelend.

16 ● 

Is het antwoord positief (+) of negatief (-)?

VRAAG Kan ze goed zingen?
ANTWOORD 1 ❑ 2 ❑ 3 ❑ 4 ❑ 5 ❑ 6 ❑

VRAAG Is het een mooi museum?
ANTWOORD 1 ❑ 2 ❑ 3 ❑ 4 ❑ 5 ❑ 6 ❑

VRAAG Hoe was de wedstrijd?
ANTWOORD 1 ❑ 2 ❑ 3 ❑ 4 ❑ 5 ❑ 6 ❑ 7 ❑ 8 ❑

17 ●●

A vraagt: Ga je mee?

B antwoordt: Nee, ____________ .

Wat denkt u, heeft B zin in zijn activiteit?

	VRAAG A	ANTWOORD B	☺	☹
1	Ga je mee?	Nee, ik kan niet, ik moet naar de kapper.	❑	❑
2	Ga je mee?	Nee, ik kan niet, ik moet naar de kapper.	❑	❑
3	Ga je mee?	Nee, ik kan niet, ik moet naar pianoles	❑	❑
4	Ga je mee?	Nee, we gaan winkelen.	❑	❑
5	Ga je mee?	Nee, ik ga in mijn tuin werken.	❑	❑
6	Ga je mee?	Nee, ik ga naar een concert.	❑	❑
7	Ga je mee?	Nee, ik ga de kamers schilderen.	❑	❑

SPREKEN

18 ●

Vraag en antwoord. Vraag aan drie mensen wat zij in hun vrije tijd doen.

Gebruik zinnen uit paragraaf 3 (TAALHULP).

Vul het schema in.

naam			
sport			
muziek			
theater/concert/film			
creatief			
fietsen/wandelen			

19 ●●

Interview iemand uit uw groep

- Wat doet u in uw vrije tijd? Hoe vaak? Wanneer?
  Kan dat in alle seizoenen (lente, zomer, herfst, winter)?
- Hebt u speciale hobby's? Wanneer en hoe vaak bent u met deze hobby bezig?
  Hoe lang hebt u deze hobby al? Waarom vindt u deze hobby leuk?
- Waar gaat u naartoe als u uitgaat? Houdt u van muziek/film/theater?
  Van welke soort?

20

Vraag en antwoord. Werk in tweetallen.
Hoe vindt u deze kunstwerken?
raar? mooi? lelijk? saai? verschrikkelijk? fantastisch? geweldig? afschuwelijk? belachelijk? interessant? te gek? het einde? Hoe vindt u de schilderijen in les 1?
Vertel over een kunstwerk dat u kent.

SCHRIJVEN

21

Maak de volgende zinnen compleet. Gebruik de verba tussen haakjes.

0 Elk weekend heb ik een vol programma.
1 (uitslapen) Elke zaterdag ______________________________.
2 (boodschappen doen) Na het ontbijt spring ik op de fiets omdat ______________.
3 (zwemmen) Om half twaalf ben ik terug want mijn kinderen ______________.
4 (uitrusten) Om drie uur zijn we weer thuis en ______________________.
5 (tv kijken) Na het avondeten ______________________________.
6 (dromen) In de nacht van zaterdag op zondag ______________________.
7 (opstaan) Zondag moeten ______________________________
8 (voetballen) want mijn zoontje ______________________________.
9 (beginnen) De wedstrijd ______________________________.
10 (eten) Na de wedstrijd gaan ______________________________.
11 (koffie drinken) Ik wil altijd om vijf uur thuis zijn omdat ______________.
12 (op bezoek gaan) We __________ bijna elke zondagavond bij oma __________.

22 ●

Schrijf een antwoord op de volgende vragen.

1 Houdt u van fietsen? Waarom/waarom niet?
2 Kunt u schaatsen? Waarom/waarom niet?
3 Kijkt u graag naar ballet? Waarom/waarom niet?
4 Gaat u vaak naar een museum? Waarom/waarom niet?
5 Danst u graag? Waarom/waarom niet?
6 Houdt u van jazz? Waarom/waarom niet?
7 Vindt u het leuk om in de zon te liggen? Waarom/waarom niet?
8 Kunt u uw hobby ook in Nederland uitoefenen? Waarom/waarom niet?
9 Denkt u dat Nederlanders veel vrije tijd hebben? Waarom/waarom niet?
10 Hebben de mensen in uw land veel vrije tijd? Waarom/waarom niet?

23 ●●

Schrijf een tekst over Lisa. Gebruik onderstaande informatie. Kijk ook goed naar tekst 2.

Vrijdag: om 13.00 uur vrij.
Vrijdagavond: dansles
Zaterdag: druk
- niet uitslapen: half 9 zoontje naar zwemles brengen
- boodschappen
- half 11 andere zoontjes naar voetbal brengen
- naar hun wedstrijd kijken
- 's middags: huis opruimen, saai
- in de zomer in de tuin werken, wel leuk
- 6.00 uur pannenkoeken bakken
- 's avonds spelletjes doen, televisie kijken

Zondag:
- zondagochtend uitslapen
- na ontbijt: soms fietsen, wandelen, met kinderen spelen
- dikke zaterdagkrant lezen
- extra lekker koken

LEZEN

24 ●

Vragen bij de tekst Kröller-Müller Museum en Beeldenpark.

1 Is het museum op zondag open?
2 Hoe laat is het museum open in mei?

3 Hoe laat sluit het museum 's avonds in september?
4 Is het museum tussen de middag gesloten?
5 Kent u het museum? Bent u er wel eens geweest?
6a Als u naar het museum gaat, wat gaat u dan eerst bekijken? En daarna?
6b Als u in het museum bent geweest, beschrijf dan die dag.

Kröller-Müller Museum en Beeldenpark

Het Nationale park de Hoge Veluwe, eens het particuliere bezit van het echtpaar Kröller-Müller, is het grootste natuurgebied van Nederland. In het nationale park ligt het Kröller-Müller Museum, wereldberoemd om zijn Van Gogh-collectie en zijn magnifieke verzameling schilderijen van Mondriaan, Van der Leck, Seurat, Braque, Picasso en vele anderen. Het museum bevat ook oude kunst, alsmede een prachtige collectie Chinees porselein. Bij het museum ligt Europa's grootste Beeldentuin, met meesterwerken van Rodin, Moore en vele anderen. Nederlands mooiste museum heeft muren van bomen en de hemel als dak!

Openingstijden
dagelijks: van oktober t/m maart 9.00 - 18.00 u. april en mei 8.00 - 20.00 u. Van juni t/m augustus 8.00 - 22.00 u. september 9.00 - 20.00 u.

Bron: folder: De Hoge Veluwe, 60 jaar natuur & cultuur.

25 ●
Schrijf een kort antwoord bij elke vraag

a **Sportcentrum Olympos**
1 Wat biedt het sportcentrum aan?
____.
2 Zijn de tarieven voor iedereen hetzelfde?
____.
3 Hoe kunt u meer informatie krijgen over Olympos?
____.

Sportcentrum Olympos

De Universiteit Utrecht heeft een groot, modern sportcentrum op het Universiteitsterrein de Uithof. Olympos biedt een ruime keuze aan sport. Er zijn lange en korte cursussen in meer dan 30 verschillende sporten. Iedereen kan aan het sportprogramma meedoen, maar voor studenten gelden speciale, goedkope tarieven.
De accommodatie is ook te huur. Voor sportdagen, toernooien, trainingen of zomaar een uurtje sporten.
Wilt u meer weten? Alle informatie over Olympos is te vinden in de sport-brochure. Deze is vanaf half augustus verkrijgbaar bij de balie, Uppsalalaan 3 te Utrecht. U kunt natuurlijk ook bellen: telefoonnummer 030 - 253 64 78.

b Cultureel Centrum Parnassos

4 Op welk gebied kunt u bij Parnassos cursussen en workshops doen?

____

____.

5 Hoeveel kamers heeft het gebouw en wat kunt u daar doen?

____

____.

6 Hoe vaak kunt u starten met een nieuwe cursus?

____

____.

Cultureel Centrum Parnassos

Het Cultureel Centrum van de Universiteit Utrecht organiseert cursussen en workshops op het gebied van muziek, theater en dans.
In het gebouw zijn 24 grote en kleine kamers, waar je individueel of met een groep kunt repeteren. Er zijn piano's, clavecimbels, orgels en slagwerk waar je op kan spelen. Ook zijn er veel theaterfaciliteiten aanwezig.
Drie keer per jaar starten er korte cursussen op muziek-, theater-, en dansgebied (van muziektheorie tot popworkshop; van elementair toneel tot klassieke tragedie; van Argentijnse tango tot Afrikaanse dans). Daarnaast organiseert het Cultureel Centrum ook veel langlopende producties.
Vanaf half augustus is de nieuwe jaarbrochure gratis verkrijgbaar bij Parnassos, Kruisstraat 201 Utrecht, tel: 030 - 222 84 48.

c **Eetcafés**

7 Waar kunt u beter niet gaan eten als u niet veel geld hebt?

____

______________________________.

8 Waar kunt u naartoe gaan als u graag op een terras zit?

____

______________________________.

Eetcafés

In het centrum van Utrecht liggen diverse eetcafés dicht bij elkaar. Je kunt er lekker eten en drinken in een gezellige sfeer en budget-vriendelijk.
Omgeving het Wed: een paar kleine, altijd drukke cafés waar je goed kunt eten en waar het in de zomer goed toeven is op het terras.
Omgeving Janskerkhof: hier liggen een paar grote cafés. Het eten is er wat duurder, maar de ambiance is goed en er zijn regelmatig live-concerten.
Omgeving Domplein: enkele kleine en grote cafés. Redelijke prijzen, veel keuze en mooie terrassen, met uitzicht op de Domtoren.

Bron: het VADEMECUM van de Universiteit Utrecht.

26 ●●

VRAGEN

1 In het natuurgebied Koningshof wandelt u ____________.

❑ door duinen ❑ door bossen ❑ door weilanden

2 Als u vogels wilt zien, kunt u naar:

❑ Koningshof ❑ Brabantse Wal ❑ Limburg

3 Als u geen fiets hebt, kunt u dan toch mee met de fietsexcursie?
- ❏ ja
- ❏ nee
- ❏ Dat staat niet in de tekst

4 Hoeveel kost de fietsexcursie in het natuurgebied Brabantse Wal?
- ❏ 5,25
- ❏ niets
- ❏ Dat staat niet in de tekst

5 Wat laat John Meulensteen zien?
- ❏ vogels
- ❏ voorjaarsbloemen
- ❏ dia's

Voorjaarsexcursie KONINGSHOF zaterdag 18 april

Wij wandelen drie uur in dit vogelrijke, afwisselende duingebied en gaan op zoek naar de eerste voorjaarsbloemen. Kosten € 5,25 p.p., aanmelden tot 31 maart.

Natuurmonumenten in Limburg dinsdag 17 maart

In Natuur- en Milieucentrum 'De IJzeren Man', Geurtsvenweg 4 te Weert houdt John Meulensteen van onze vereniging een dialezing over de activiteiten van Natuurmonumenten in Limburg. Aansluitend is er mogelijkheid voor discussie. Aanvang 20.00 uur, toegang gratis.

Fietsexcursie Brabantse Wal zaterdag 16 mei

Deze gratis fietsexcursie, speciaal voor leden, start om 10.00 uur vanaf de fietsenstalling van het NS-station te Bergen op Zoom. De route van ongeveer drie uur voert langs verschillende natuurgebieden die op en aan de Brabantse Wal liggen.

Telefonisch aanmelden tot 1 mei. U dient zelf voor een fiets te zorgen. Maximaal 30 deelnemers.

Basis

1 TEKST

1a Lees eerst de introductie.

Saskia Willems studeert Spaans. Omdat zij de taal beter wil leren spreken, wil zij op vakantie naar Spanje. Zij belt een reisbureau op voor informatie.

1b Luister nu naar de tekst. Kijk **niet** in het boek! 

Monique	Goedemorgen. Reisbureau 'Goede reis', met Monique Somers.
Saskia	Met Saskia Willems. Mag ik Mirjam van der Linden van de afdeling Zuid-Europa van u?
Monique	Een ogenblikje, ik verbind u door. Het toestel is in gesprek. Kunt u even wachten?
Saskia	Ja hoor.
Mirjam	Afdeling Zuid-Europa, met Mirjam van der Linden.
Saskia	Hallo. Je spreekt met Saskia Willems. Ik ben vrijdag bij je geweest. Ik heb toen informatie over Spanje gevraagd.
Mirjam	O ja. Ik weet het weer.
Saskia	Ik heb in jullie brochure gelezen dat jullie ook bemiddelen voor taalcursussen. Mag ik je iets vragen over de taalcursussen?
Mirjam	Dat kan, ja. Wat wil je weten?
Saskia	De prijzen zijn inclusief overnachting in het studentenhotel...
Mirjam	Ja, dat klopt.
Saskia	... en zijn de excursies ook inbegrepen?
Mirjam	Nee, die moet je apart betalen.

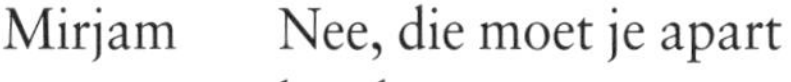

Saskia	Kan ik informatie krijgen over de zomercursus in Salamanca? Zijn er nog plaatsen vrij? Ik wil graag samen met een vriendin een cursus gaan doen.
Mirjam	Ik zal even kijken, momentje alsjeblieft. Nou, alleen voor de cursus van eind augustus zijn er nog een paar plaatsen vrij. Alle andere cursussen zijn vol deze zomer. Je moet wel snel beslissen als je deze zomer wilt gaan.
Saskia	Ik moet eerst met mijn vriendin overleggen. Misschien komen we straks wel langs om te reserveren.
Mirjam	Dat is heel verstandig want je moet echt deze week al bespreken om zeker een plaats te hebben.
Saskia	Oké, ik laat zo snel mogelijk iets weten.
Mirjam	Prima. Tot ziens.

1c Waar of niet waar?

		waar	niet waar
1	Saskia heeft vrijdag telefonisch informatie gevraagd.	❑	❑
2	In de brochure staan onder andere taalcursussen in Spanje.	❑	❑
3	Saskia wil een reis maken door Spanje.	❑	❑
4	Voor de cursus in augustus zijn nog wat plaatsen vrij.	❑	❑
5	De cursussen in de andere zomermaanden zijn vol.	❑	❑
6	Saskia moet deze week bespreken, want volgende week zijn alle plaatsen zeker gereserveerd.	❑	❑
7	Saskia komt morgen misschien langs om te reserveren.	❑	❑

2 TEKST

Personen en situatie

Telefoniste bij Openbaar Vervoer Reisinformatie Nederland.
Mijnheer Dekempenaer, Belg die in Nederland woont.

2a Luister enige malen naar de tekst. 
Maak aantekeningen en vul daarna onderstaand schema in:

TREIN VANAF	NAAR	VERTREK	AANKOMST
Den Bosch	A'dam Amstel		
Amstel	Duivendrecht		
Duivendrecht	Schiphol		

2b Luister nog een keer naar de tekst, lees mee, controleer uw reisschema.

Telefoniste	Openbaar Vervoer Reisinformatie Nederland.
Dekempenaer	Goedemorgen, met Dekempenaer. Ik wil met de trein van Den Bosch naar Schiphol. Kunt u mij daarover informatie geven?
Telefoniste	Hoe laat moet u op Schiphol zijn en wanneer?
Dekempenaer	Volgende week donderdag om half twee.
Telefoniste	's Middags neem ik aan?
Dekempenaer	Ja.
Telefoniste	Even kijken hoor. Dan moet u om 12.01 vertrekken vanaf 's-Hertogenbosch. U komt dan om 12.51 aan op Amsterdam Amstel. Daar moet u om 12.55 de trein richting Arnhem nemen.
Dekempenaer	Naar Arnhem, weet u dat zeker? Dat is toch weer naar het zuiden?
Telefoniste	Nou, richting Arnhem. Tot Duivendrecht, daar moet u overstappen.
Dekempenaer	O ja, ik snap het al.
Telefoniste	Die trein komt dus om 12.59 aan op Duivendrecht. Daar vertrekt om 13.02 de trein naar Schiphol, en dan bent u om 13.16 op Schiphol.
Dekempenaer	Dat gaat iets te snel. Kunt u het nog één keer herhalen?
Telefoniste	Ja hoor. Dus om 12.02 vanaf Den Bosch, om 12.51 op Amstel, om 12.55 vanaf Amstel richting Arnhem, tot Duivendrecht waar u aankomt om 12.59, en om 13.02 van Duivendrecht naar Schiphol, aankomst 13 uur 16.
Dekempenaer	In Duivendrecht heb ik dus niet veel tijd. Van welk spoor vertrekt die trein, weet u dat?
Telefoniste	Van spoor 4.
Dekempenaer	Dan weet ik voldoende. Dank u wel.
Telefoniste	Tot uw dienst. Goede reis.

3 TAALHULP

telefoneren

ZICH MELDEN (ZAKELIJK)
Goedemorgen, (naam bedrijf) met (naam persoon). Goedemorgen, Reisbureau 'Goede Reis' u spreekt met Monique van der Linden.

ZICH MELDEN (ALGEMEEN)
Met (voor- en/of achternaam). Hallo, u spreekt met Saskia Willems. Goedemiddag, u spreekt met Frits Dekempenaer.

NAAR IEMAND VRAGEN (ZAKELIJK, FORMEEL)
Mag ik (naam) van u? Mag ik Mirjam van der Linden van de afdeling Zuid-Europa van u? Kunt u mij doorverbinden met ... ?

NAAR IEMAND VRAGEN (ALGEMEEN, INFORMEEL)
Is Saskia thuis? Is Remco er ook? Mag ik Leon even? Is Willem in de buurt? Is de mevrouw Kelderman aanwezig?

informatie vragen

DE VRAAG	DE REACTIE
Mag ik iets vragen?	Ja hoor.
Kunt u mij informatie geven over ______ ?	Natuurlijk. Wat wilt u weten?

4 GRAMMATICA *Overzicht syntaxis*

plaats van 'dan ______'

HOOFDZIN TYPE 1	Ik wil liever met de trein naar Parijs	dan met het vliegtuig.
HOOFDZIN TYPE 2	Daarom wil ik liever een huisje huren	dan op een camping staan.
HOOFDZIN TYPE 3	Wil jij liever een ijsje	dan een biertje?

plaats van '(om) ________ te ________'

HOOFDZIN TYPE 1	Ik heb zin	*om* op vakantie *te gaan.*
	Ik ga in de zon liggen	*om* bruin *te worden.*
HOOFDZIN TYPE 2	Waarom vind je het leuk	*(om)* in de zon *te liggen*?
HOOFDZIN TYPE 3	Vind je het leuk	*(om)* met de boot *te reizen*?

hoofdzin + bijzin

HOOFDZIN	BIJZIN *conjunctie*	*subject*	*rest*	*verba*
Ik ga naar Spanje	omdat	ik	Spaans	wil leren.
Je moet snel reserveren	als	je	deze zomer de cursus	wilt volgen.

bijzin + hoofdzin

BIJZIN	HOOFDZIN *verbum*	*subject*	*rest*
Omdat ik Spaans wil leren,	ga	ik	naar Spanje.
Als je deze zomer wil gaan,	moet	je	snel reserveren.

Oefeningen

TAALHULP

1

Wat hoort bij elkaar? Vul op de ________ uw eigen naam in.

1. De telefoon gaat. U neemt op. Wat zegt u?
2. U moet Saskia Willems opbellen. U kiest een nummer en hoort: "Met Remco Willems." Wat zegt u?
3. U belt meneer Van IJzeren op. Hij werkt bij de MLA. U hoort: 'Goedemorgen, met de MLA.' Wat zegt u?
4. U belt een reisbureau op. U moet de afdeling Oost-Europa hebben, toestel 312. Eerst hoort u de telefoniste. Wat zegt u?
5. De telefoniste zegt: 'Het toestel is in gesprek, kunt u even wachten?' Wat zegt u?

a. Ja hoor.
b. Met ______ .
c. Met ______ . Mag ik toestel 312 van u?
d. Met ______ . Mag ik meneer Van IJzeren van u?
e. Met ______ . Is Saskia thuis?

VOCABULAIRE

2 ●

a Wat hoort bij elkaar? Kies één woord uit iedere kolom.
Als u de woorden niet kent, zoek ze dan op in een woordenboek.
Voorbeeld: trein - spoor - vertrekken

auto	bagage	controleren
douane	camping	inchecken
hotel	luchthaven	inpakken
koffer	paspoort	kamperen
reisbureau	rijbewijs	ophalen
tent	spoor	overnachten
trein	tweepersoons kamer	rijden
vliegtuig	vakantiebrochure	vertrekken

b Maak zinnen met de woordcombinaties uit oefening 2a.
Voorbeeld: trein - spoor - vertrekken
De *trein* naar Amsterdam *vertrekt* vandaag van *spoor* 4.

3 ●

Vul op de goede plaats in. Kies uit: *ambassade, douane, malariatabletten, pasfoto, paspoort, rijbewijs, visum, vaccinatiebureau*

Reisdocumenten

Ik wil in december naar Indonesië. Dat betekent dat ik me goed moet voorbereiden. Deze week wil ik ervoor zorgen dat al mijn reisdocumenten in orde zijn.
Vandaag heb ik gecontroleerd of mijn ___1___ nog geldig is. Gelukkig is het nog geldig.
Alleen heb ik nu lang haar, en op de ___2___ sta ik nog met kort haar.
Ik wil in Indonesië ook een auto huren, dus moet ik niet vergeten een internationaal ___3___ te halen.
Morgen stuur ik mijn paspoort naar de ___4___ van Indonesië in Den Haag.
Daar zorgen ze ervoor dat ik een ___5___ krijg. Voor veel landen in Europa heb je dat als Europeaan niet nodig, maar zonder ___5___ mag je Indonesië niet binnen. Dan kom je op Schiphol niet verder dan tot de ___6___ .
Omdat Indonesië een tropisch land is komt er ook malaria en hepatitis voor.
Daarom heb ik volgende week een afspraak op het ___7___ .
Daar geven ze mij een prik tegen hepatitis en ___8___ tegen de malaria.
Als dat allemaal gebeurd is, kan ik lekker op vakantie!

4 ●●

U gaat op vakantie. U maakt een lijst van dingen om mee te nemen.
Hieronder ziet u een deel van zo'n lijst.
Kunt u de lijst aanvullen?
Gebruik uw woordenboek als dat nodig is.

Wat neemt u mee op vakantie?

Identiteitspapieren	paspoort, ________, ________, ________.
reisdocumenten	(vlieg)tickets, ________, ________, ________.
kleren	korte broek, T-shirts, ________, ________.
schoenen	wandelschoenen, sportschoenen, ________.
toiletartikelen	handdoek, zeep, tandpasta, ________, ________.
eerste hulp artikelen	pleisters, verband, ________, ________.
andere artikelen	leesboeken, pen, schrijfpapier, ________, ________.

En als u gaat kamperen

kampeerspullen	tent, luchtbed, ________, ________, ________.
kookspullen	gasbrander, pannen, borden ________,

.

5 ●

Vul een prepositie in.

We denken al heel veel ________ onze vakantie.
We gaan dit jaar ________ vakantie ________ Zweden.
We hebben heel veel zin in een rustige vakantie en ________ Zweden is het vast heel rustig.
Vorige week zijn we ________ het reisbureau geweest om de reis te bespreken.
We vertrekken ________ de eerste maandag ________ juli.
Eerst rijden we ________ Duitsland ________ Denemarken.
Daar gaan we ________ de boot ________ Zweden.
We willen ________ kleine campings kamperen.
We blijven ________ half juli ________ Zweden en gaan dan ________ Denemarken weer ________ huis.
________ de vakantie, ________ augustus, moeten we weer werken.

GRAMMATICA

6

Kies de goede vorm.

Op een reisbureau

Medewerker	Goedemiddag, (kun/kan/kunt) ik je helpen?
Klant	Ja, ik (zal/wil/mag) wat vragen over fietsvakanties in Zuid-Europa. (Mag/wil/kunt) u me daar wat meer informatie over geven?
Medewerker	Jazeker, ik (zal/wil/moet) je een brochure geven over fietsreizen door Zuid-Frankrijk, Spanje en Italië. Maar waar (zal/wilt/wil) je precies naartoe?
Klant	Dat weet ik nog niet. Ik ga samen met mijn vriend, en we (moeten/kunnen/zullen) in augustus maximaal drie weken weg. Maar Italië lijkt mij wel leuk. (Kun/kunt/kunnen) we nog reserveren voor een fietsreis door Italië in augustus?
Medewerker	Ik (mag/zal/wil) even kijken. Een momentje... Ja, hoor, dat (kan/moet/mag) nog.
Klant	Maar ik (moet/mag/kan) eerst overleggen met mijn vriend. Ik weet niet wat hij (wilt/willen/wil).
Medewerker	Geen probleem. Jullie (zullen/moeten/willen) wel binnen drie weken reserveren om zeker een plaats te hebben. Kom maar even langs als je meer weet. Je (wilt/kunt/moet) natuurlijk ook bellen.
Klant	Dat (zal/moet/wil) ik doen. Bedankt voor de informatie.

7

Vul op elke open plaats een pronomen in.

Voorbeeld:

Zeg, moet *je* horen. *Ik* zou laatst met *mijn* vriend naar Engeland gaan. *We* zijn met de bus naar het station gegaan. Terwijl *we* daar op het perron staan, vraagt *mijn* vriend: Heb *je je* paspoort wel bij *je*? Nee dus! Gelukkig waren *we* een half uur te vroeg. Toen is *mijn* vriend nog snel met een taxi terug naar huis gegaan. *Hij* heeft tegen de chauffeur gezegd: 'Kunt *u* alstublieft heel snel rijden?' Nou, *hij* was net op tijd weer terug op het station. Met *mijn* paspoort! Gelukkig hebben *we* de trein nog gehaald!

1 Meneer en mevrouw Willems gaan vandaag op reis. ______ gaan vier dagen naar Londen. Omdat ______ vakantie zo kort is, gaan ______ vliegen. Het vliegtuig vertrekt over een paar uur. ______ hebben niet veel tijd meer,

maar mevrouw Willems moet ______ koffer nog inpakken en meneer Willems is ______ paspoort kwijt. Gelukkig vindt ______ het paspoort snel en een half uur later is ______ vrouw klaar met pakken. Een taxi brengt ______ naar het vliegveld. Meneer Willems laat ______ vliegtickets zien bij de balie en een uur later zijn ______ op weg naar Londen.

2 Petra de Bruin is vandaag een beetje te laat wakker. ______ heeft niet veel tijd om te ontbijten. Daarom eet ______ maar één broodje en drinkt snel ______ koffie op. ______ springt op ______ fiets en rijdt naar de supermarkt. Als Petra tien minuten te laat binnenkomt, zijn ______ collega's al druk bezig. Er staan al veel klanten in de rij om ______ boodschappen af te rekenen. "Zo, ben ______ daar eindelijk?" zegt collega Jan tegen ______ . Petra gaat snel aan het werk en zegt niks terug tegen Jan. Ze heeft een hekel aan ______ .

3 Meneer Pieters, leraar wiskunde, komt de klas binnen. ______ wacht even, want ______ leerlingen praten met elkaar. Als het stil is, zegt meneer Pieters tegen ______ : "Goedemorgen, jongens en meisjes, vandaag hebben ______ een test. ______ mogen tot 11 uur doorwerken, en dan kom ______ de papieren ophalen. Vergeet niet ______ naam op het papier te schrijven. Veel succes!"
Remco vraagt: "Mogen we ______ rekenmachientjes gebruiken?"
"Ja, dat mag", zegt Pieters en ______ gaat achter ______ bureau zitten.

8 ●

Wat is de pluralis van:

brochure	vriendin	reis
boot	vraag	vakantie
afdeling	plaats	huisje
dag	week	bureau
telefoontoestel	collega	uur

Vul nu in. Kijk goed of u singularis of pluralis moet gebruiken.

Saskia wil heel graag een keer naar Duitsland op ______ . Ze heeft twee ______ vakantie in juli, maar ze heeft geen zin om alleen te gaan. Dus heeft ze gisteren met Wilma gepraat. Wilma is een goede ______ van haar, maar ook een ______ want ze werken bij hetzelfde bedrijf.
Wilma vindt het een goed idee om samen naar Duitsland te gaan, dus gaan ze op zaterdag naar een reisbureau. Eerst kijken ze in een ______ . Daar staat veel informatie in over vakanties in Duitsland. Ze hebben niet veel tijd nodig om een

leuke ______ te kiezen. Wel hebben ze nog een paar ______ voor het meisje van het reisbureau. Ze willen namelijk in de buurt van de zee een ______ huren omdat ze geen van beiden graag kamperen. Maar zijn er nog wel ______ vrij? Bovendien houdt Wilma erg veel van watersport. Is het mogelijk om voor een paar ______ een ______ te huren?
Ze zijn drie uur op het reisbureau geweest, maar toen was het geregeld.
Op 2 juli vertrekken ze!

9 ●●

Waar kunt u de volgende dingen doen? Maak een zin met:
Je kunt naar een ______ gaan, om ______ te ______ .

- zwemmen
- een strippenkaart kopen
- iemand opbellen
- patat eten
- een film zien
- naar het voetballen kijken
- de Eiffeltoren zien
- skiën

10 ●●

Maak de zinnen af met *omdat* of *als*.

Voorbeeld: Ze haalt veel brochures. (georganiseerde tours)
Ze haalt veel brochures *omdat* ze veel over georganiseerde tours wil weten.
Ze wil reserveren voor de reis van september. (nog een huisje vrij)
Ze wil reserveren voor de reis van september *als* er nog een huisje vrij is.

1 Ze belt nog even naar het reisbureau. (nog meer informatie)
2 Ze moet even wachten. (het toestel in gesprek)
3 Afgelopen zaterdag is ze bij het reisbureau geweest. (informatie over Afrika)
4 Ze kan niet in oktober met vakantie naar Afrika. (de reis vol)
5 Ze wil wel reserveren voor de reis in september.
(haar vriendin ook in september)
6 Ze moet snel reserveren. (reizen naar Afrika populair)
7 Ze moet snel reserveren. (zeker een plaats hebben)
8 Ze laat snel iets weten. (definitief reserveren)

11 ●●

Maak combinaties. Gebruik de gegeven conjunctie. Gebruik alleen in de eerste zin een naam.

Voorbeeld : *omdat*

Maria is ziek. Maria gaat naar huis.
Maria gaat naar huis *omdat* ze ziek is.
Omdat Maria ziek is, gaat ze naar huis.

1 *als*
Karel gaat naar de bibliotheek. Karel heeft tijd.
2 *omdat*
Ik wil met vakantie naar Zweden.
Ik heb naar het Zweeds verkeersbureau gebeld.
3 *want*
Wij krijgen om acht uur visite. Wij moeten snel naar huis.
4 *maar*
Saskia wil heel graag naar de bioscoop. Saskia heeft helaas geen tijd.
5 *omdat*
Karel is zaterdag jarig. Zaterdagavond geeft Karel een feest.
6 *als*
Ik heb tijd. Ik ga naar Karels feest.
7 *want*
Saskia is heel erg blij. Saskia heeft een leuke kamer gevonden.
8 *maar*
Maria heeft de film niet goed begrepen.
Gisteravond heeft Maria een film gezien.

12 ●

Vul een comparatief in.

Voorbeeld: Saskia is 21 jaar, Remco is 17 jaar.
Remco is dus vier jaar *jonger* dan Saskia.

1 Leon is 9 jaar. Remco is dus ______ dan Leon.
Remco eet vier boterhammen en Leon eet er drie, dus Remco eet ______ boterhammen dan Leon.
2 Jan woont tien minuten lopen van het station. Piet moet twintig minuten van zijn huis naar het station lopen. Piet woont dus ______ van het station dan Jan.
3 Juan maakt veel fouten als hij schrijft. Pedro maakt bijna geen fouten, die schrijft dus ______ dan Juan.
Maria maakt vreselijk veel fouten, zij schrijft dus nog ______ dan Juan.
Maar Juan spreekt redelijk Nederlands. Hij spreekt ______ dan hij schrijft.
Hij vindt schrijven ______ dan spreken.

LUISTEREN

13 ●●

Situatie
U hoort een omroepbericht op een station.

Noteer:
- de steden (stations) waar de trein onder andere zal stoppen.
- hoeveel minuten vertraging de trein heeft.
- de vertrektijd van de trein die u als alternatief kunt nemen.
- van welk spoor die trein vertrekt.

14 ●●

Situatie
U gaat mee met een korte busreis van 3 dagen door het westen en midden van Nederland. De reis begint en eindigt in Utrecht. Voordat de bus vertrekt, geeft de reisleider een kort overzicht van de komende 3 dagen. Luister naar de reisleider en vul de namen en activiteiten in het schema in.

STEDEN: Alkmaar, Amsterdam, Den Haag, Hilversum, Scheveningen, Utrecht.

ACTIVITEITEN:
- rondvaart door het oude centrum
- zelf een paar uur rondkijken
- een rondwandeling door de stad
- de gebouwen van het parlement bezoeken
- een tv-/radiostudio bezoeken
- op het strand liggen en/of zwemmen
- diner als afsluiting
- naar theater gaan
- kaasmarkt bezoeken
- musea en kerken bezoeken
- gezellige cafés bezoeken
- naar Madurodam gaan

	STAD	ACTIVITEITEN
DAG 1	1 ______	______
		______
		______
	2 ______	______
DAG 2	1 ______	______
		______
		______
DAG 3	1 ______	______
		______
	2 ______	______
	3 Utrecht	Diner als afsluiting

15 ●●

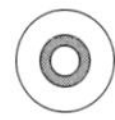

Personen en situatie

De volgende tekst is een fragment uit een radioprogramma, dat als volgt begint: interviewer: "Goedemiddag dames en heren. U luistert naar het consumentenprogramma Veilig op Reis. Vandaag zijn we hier op Schiphol om wat mensen te vragen waar ze naartoe gaan en waarom". Luister naar de tekst en beantwoord de vragen:

1 De vrouw heeft geen tijd voor een paar vragen,
  a omdat zij nog moet inchecken.
  b omdat ze haast heeft.
  c omdat ze geen zin in vragen heeft.
2 Uit hoeveel personen bestaat het groepje vriendinnen?
  a twee
  b drie
  c vijf
3 Waarom gaan ze op vakantie?
  a Dat zeggen ze niet.
  b Omdat het in Nederland zoveel geregend heeft de laatste tijd.
  c Omdat ze klaar zijn met hun studie.
4 Wat gaan ze in Griekenland doen?
  a Televisie kijken.
  b Naar het strand.
  c Historische plaatsen bezoeken.
5 Hoe lang blijft de man in Londen?
  a Van maandag tot en met zondag.
  b Van vrijdag tot en met maandag.
  c Van vrijdag tot en met zondag.

PROSODIE

16 ●

Luister en zet een ● in de goede kolom. Voorbeeld:

1 Saskia 3 Nederlandse
2 Maria 4 Informatie

Vul in.

	A	B	C	D
	— ••	• — •	— •••	•• — •
1	●			
2		●		
3			●	
4				●

17 ●●

Positief of negatief? Vrolijk of niet?

- Kom je?
- Nee.
- Waarom niet?
- Omdat ______________ .

	☺	☹		☺	☹
1	❑	❑	5	❑	❑
2	❑	❑	6	❑	❑
3	❑	❑	7	❑	❑
4	❑	❑			

18 ●

Luister en zeg na. Let vooral goed op de intonatie!

- pringggg!
- Jan!! Telefoon!! Neem jij hem even?

- Met Van IJzeren.
- Met wie spreek ik?
- Met Van IJzeren
- Met wie?
- Met Van IJzeren.
- O, dag meneer Van IJzeren!

- Met Saskia Willems.
- Hoi, Saskia. Met Wim. Is Remco thuis?
- Ja.
- Mag ik hem even?

- Met De Vries.
- Dag meneer De Vries. Met Esther van Dam. Is uw vrouw thuis?
- Ja. Wacht u even?

- Met Van Dam.
- Dag Jacques. Is Joke er ook?

- Met Anke.
- Dag. Mag ik je moeder even?

- Goedemorgen, de ELW, met Oscar.
- Met Saskia Willems. Mag ik u iets vragen?
- Jazeker. Zegt u het maar.

19 ●

Hoort u een vraag?

Excursies inbegrepen	De cursussen zijn vol	Eind september
Apart betalen	Deze week bespreken	Snel reserveren
Taalcursussen	In een studentenhotel	Naar Rotterdam
Deze week bespreken	In een hotel	Excursies inbegrepen

SPREKEN

20 ●

Vraag en antwoord. Werk in tweetallen.

1 Reist u zelf wel eens met het vliegtuig?
  Zo ja, waarnaartoe en waarom? Zo nee, hoe reist u dan?
2 Hoe reist u het liefst? Met de auto, de trein, het vliegtuig, ________ ?
  Waarom?

21 ●

Werk in tweetallen of groepjes van drie of vier personen.
U gaat samen op vakantie: Sommige spullen neemt u voor uzelf mee, maar andere spullen kunt u samen gebruiken. Spreek met elkaar af wat u meeneemt.
U kunt de lijst van oefening 3 gebruiken.
Gebruik zinnen als:

- Ik neem wel ________ mee. Kun jij dan ________ meenemen?
- Als jullie ________ meenemen, dan nemen wij ________ mee.
- Kun jij voor ________ zorgen? Dan zorg ik voor ________ .

22 ●●

Vraag en antwoord. Werk in tweetallen. U krijgt een kaart van de docent.
cursist A: klant gaat naar een reisbureau en wil informatie over boten naar Engeland.
cursist B: medewerker van het reisbureau.

1 Kijk eerst een paar minuten naar de vragen en antwoorden op uw kaart.
2 Dan begint A het gesprek.
3 Let op: Voor het begin van het gesprek (binnenkomen, begroeten, vragen wat de klant wil, zeggen wat de klant wil e.d.) staan geen vragen en antwoorden op de kaart, die moet u zelf bedenken.
4 A en B stellen elkaar om beurten vragen, geef alleen antwoord op de vragen, geef niet al uw informatie in één keer.

SCHRIJVEN

23 ●

Maak de tekst op de kaart af.

24 ●●

Schrijf een verhaal over reizen.

- Waar wilt u graag naartoe/ Waar gaat u naartoe?
- Waarom?
- Hoe lang?
- Wat wilt u daar doen?

LEZEN

Anne Frankhuis

In het pand Prinsengracht 263 is het Anne Frankhuis gevestigd. Twee jaar lang woonde Anne met haar vader, moeder en haar zus Margot en vier anderen in het achterhuis. Het Achterhuis is ook de titel van haar dagboek, dat achterbleef toen zij en de overigen op 4 augustus 1944 door de Duitsers werden weggevoerd. Diverse kamers zijn in de oude staat bewaard gebleven en te bezichtigen. Zoals Annes kamer, met de foto's van onder andere haar favoriete Amerikaanse filmsterren, en de woonkamer. In het voorhuis is een permanente tentoonstelling over de jodenvervolging tijdens de Tweede Wereldoorlog en hedendaags antisemitisme en racisme ingericht. Daarnaast worden wisselende tentoonstellingen gehouden.

Uit: ANWB-reisgids Amsterdam

25

Vul in: *welk* of *welke*.
Beantwoord de vragen.

1 Over ________ museum gaat dit artikel?
2 Aan ________ gracht staat het Anne Frankhuis?
3 Op ________ nummer is het museum gevestigd?
4 ________ titel heeft het dagboek van Anne Frank?
5 Op ________ dag bleef het dagboek van Anne Frank achter?
6 Van ________ filmsterren heeft Anne Frank gehouden?
7 In ________ deel van het huis is een permanente tentoonstelling?
8 Over ________ onderwerpen gaat deze tentoonstelling?
9 Uit ________ gids komt dit artikel?
10 In ________ stad staat het Anne Frankhuis?

26

Zoekopdracht bij tabel **Veerverbindingen naar Zweden**

Veerverbindingen naar Zweden

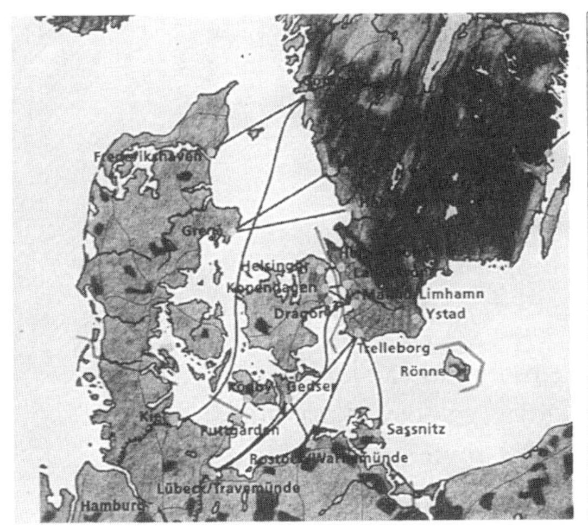

Van	Naar	Rederij	Vaartijd
Duitsland	**Zweden**		
Kiel	Göteborg	Stena Line	14 uur
Travemünde	Trelleborg	TT-Line	8-9 uur
Rostock	Trelleborg	TT-Line	5-8 uur
Rostock	Trelleborg	TT-line/Catamaran	2 uur 45
Rostock	Trelleborg	DFO	5 uur 30
Sassnitz	Trelleborg	DFO	3 uur 30
Travemünde	Malmö	Nordö-Link	9 uur
Duitsland	**Denemarken**		
Puttgarden	Rödby	DFO	1 uur
Rostock	Gedser	DFO	1-2 uur
Denemarken	**Zweden**		
Frederikshavn	Göteborg	Stena Line	3 uur 15
Frederikshavn	Göteborg	Stena HSS	2 uur
Grenå	Varberg	Lion Ferry	4 uur
Grenå	Halmstad	Lion Ferry	4 uur 30
Helsingör	Helsingborg	Scandlines	25 min.
Dragör	Limhamn	Scandlines	25 min.
Kopenhagen	Malmö	Flygbåtarna	45 min.
Zweden	**Zweden**		
Oskarshamn	Visby	Gotlandslinjen	5 uur 30
Nynäshamn	Visby	Gotlandslinjen	5 uur

1 U gaat op vakantie naar Zweden, via Duitsland. U neemt de trein naar Rostock en wilt met de boot oversteken naar Trelleborg. U wilt niet lang varen, want u wordt snel zeeziek.
- Met welke rederij kunt u dan het best gaan?

2 Terug naar Nederland wilt u via Denemarken reizen. U gaat naar Göteborg en steekt vandaar over naar Denemarken.
- In welke stad in Denemarken komt u aan?
- Met welke rederijen kunt u dan gaan?
- Welke rederij kiest u en waarom?

27 ●

De tekst komt uit een brochure van de ANWB. In deze brochure staan fietsarrangementen: korte fietsvakanties met verblijf in hotels en de mogelijkheid om een fiets te huren.

MAASTRICHT OP DE FIETS DOOR DRIE LANDEN

Beleef een onvergetelijke vakantie-ervaring in het 'Groene Hart' van Europa en ontdek er de veelzijdigheid op het gebied van natuur en cultuur. Vanuit Maastricht fietst u in 7 dagen door 3 landen. De totale afstand bedraagt ca. 350 km, waarbij de gedetailleerde routebeschrijving u leidt langs rivieren, beekjes en meren. Veelal over paden en weggetjes, waar de fietser het rijk alleen heeft. Een schilderachtig, maar ook pittig parcours, voor de enthousiaste fietser met een goede conditie die het (deels) heuvelachtige landschap als een gratis extra attractie beleeft!

ROUTE:
Wij adviseren u voor deze tocht een fiets te gebruiken met minimaal 7 versnellingen en banden met een dikte van minimaal 13/8, met een redelijk profiel. Uitgangspunt van de Drielanden-fietsreis is Maastricht. Na het welkom met koffie en vlaai in Hotel Novotel gaat u 'en route' voor deze internationale fietstocht. De dagelijks te fietsen afstanden zijn resp. 50 km, 60 km, 50 km, 45 km, 50 of 75 km en ten slotte nog ca. 50 km terug naar Maastricht.

ACCOMMODATIE:
FACILITEITEN: uitstekende middenklasse hotels. Achtereenvolgens in het 4-sterren Ambassador Hotel Bosten te Eupen (België), het 3-sterren Hotel Tal Café te Erkensruhr (Duitsland), het 4-sterren Hotel Kaiserhof Jülich (Duitsland), het 4-sterren Boshotel te Vlodrop, het 4-sterren Hotel De Roosterhoeve te Roosteren en het 4-sterren Hotel Atlantis te Genk (België).

KAMERS: bad/douche en toilet.

ARRANGEMENT:
INBEGREPEN: 7 dagen/6 overnachtingen op basis van logies/ontbijt . 6 driegangen-diners . koffie met vlaai . informatiepakket . bagage-nabrengservice . boottocht op de Obersee (Duitsland) . toeristenbelasting.
PERIODE: te boeken in de periode 14/6-23/8. Aankomst: zondag vóór 11.00 uur.
BIJZONDERHEDEN: geen kinderkorting.

Prijs per persoon van het arrangement: € 349.50.
Bijkomende kosten:
Toeslag 1-persoonskamer € 112,50.
Toeslag extra overnachting in Hotel Novotel te Maastricht (logies/ontbijt) op basis van 2-pers.kamer € 38,50 p.p.p.n..
Toeslag 1-pers.kamer € 38,50 p.p.p.n..
Toeslag 7 dagen fietshuur (hybridefiets standaard Giant Avant met 7-21 versnellingen en fietstas) € 55,-.
AV-LI 5

VRAGEN bij de tekst

1 Door welke drie landen fietst u?
2 Hoe lang bent u onderweg voor de hele route van 350 km?
3 Hoeveel kilometer fietst u minimaal per dag, en hoeveel maximaal?
4 Welk soort landschappen ziet u op deze fietsroute?
5 Waar eindigt de route?
6 In hoeveel verschillende hotels overnacht u?
7 Moet u voor de volgende zaken nog extra geld betalen?

a	toeristenbelasting	ja ❑	nee ❑
b	1-persoonskamer	ja ❑	nee ❑
c	driegangen-diners	ja ❑	nee ❑
d	boottocht in Duitsland	ja ❑	nee ❑
e	fietshuur	ja ❑	nee ❑

8 Waarom hebt u een fiets met minimaal 7 versnellingen nodig voor de route?

28 ●●

Hieronder ziet u een enquête over reizen en vakantie. De enquête is gemaakt door studenten van de opleiding toerisme. Lees de introductietekst en de vragen. Vul daarna de enquête in.

Enquête

Wij zijn studenten aan de opleiding toerisme. Eén van de opdrachten voor onze studie is het verzamelen van informatie over reizen en vakanties. Daarom hebben we de volgende enquête opgesteld. De opleiding toerisme gebruikt deze informatie om meer inzicht te krijgen in de interesse in reizen en populaire vakantiebestemmingen.
Wilt u alstublieft deze enquête invullen en naar ons opsturen?
Hartelijk bedankt voor uw medewerking.

1 Wat is uw leeftijd?
❑ jonger dan 20 jaar ❑ 20-35 jaar ❑ 36-50 jaar ❑ ouder dan 50 jaar

2 Met hoeveel personen gaat u meestal op reis?
❑ ______ volwassenen ❑ ______ kinderen

3 Hoeveel geld geeft u gemiddeld uit aan een vakantie?
❑ minder dan € 500,– ❑ € 500,– /1000,– ❑ € 1000,– /1500,– ❑ meer dan € 1500,–

4 Welk type accommodatie gebruikt u?
❑ pension/bed & breakfast ❑ hotel/motel ❑ camping
❑ jeugdherberg ❑ eigen huisje ❑ gehuurd huisje
❑ huis van vrienden/familie ❑ anders, nl: ____________________

5 A. Bent u dit jaar al op reis geweest?
❑ nee *(ga naar vraag 6)* ❑ ja
B. Zo ja, waar bent u naartoe geweest? ____________________
C. Wat was het doel van uw reis?
❑ vakantie ❑ zakenreis ❑ andere reden, nl: ______________

6 Als u op reis gaat, hoe reist u dan?
❑ vliegtuig ❑ auto ❑ bus ❑ trein
❑ boot ❑ motor ❑ anders, nl: ____________________

7 A. Als u dit jaar nog op reis gaat, met welk doel gaat u dan?
❑ vakantie ❑ bezoek familie/vrienden ❑ zakenreis
B. Waar gaat u naartoe? ____________________

8 Als u van actieve vakanties houdt, wat doet u dan graag?
❑ wandelen ❑ fietsen ❑ kanoën ❑ skiën
❑ culturele activiteiten/bezienswaardigheden ❑ anders, nl: ____________________

9 Bent u van plan om volgend jaar op vakantie te gaan?
❑ ja ❑ waarschijnlijk ❑ nee ❑ weet nog niet

10 Op welke manier krijgt u meestal informatie over uw reisbestemming?
❑ toeristische beurs ❑ reisbrochures ❑ reisbureau
❑ Internet ❑ door werk/studie ❑ vrienden of familie
❑ anders, nl: ____________________

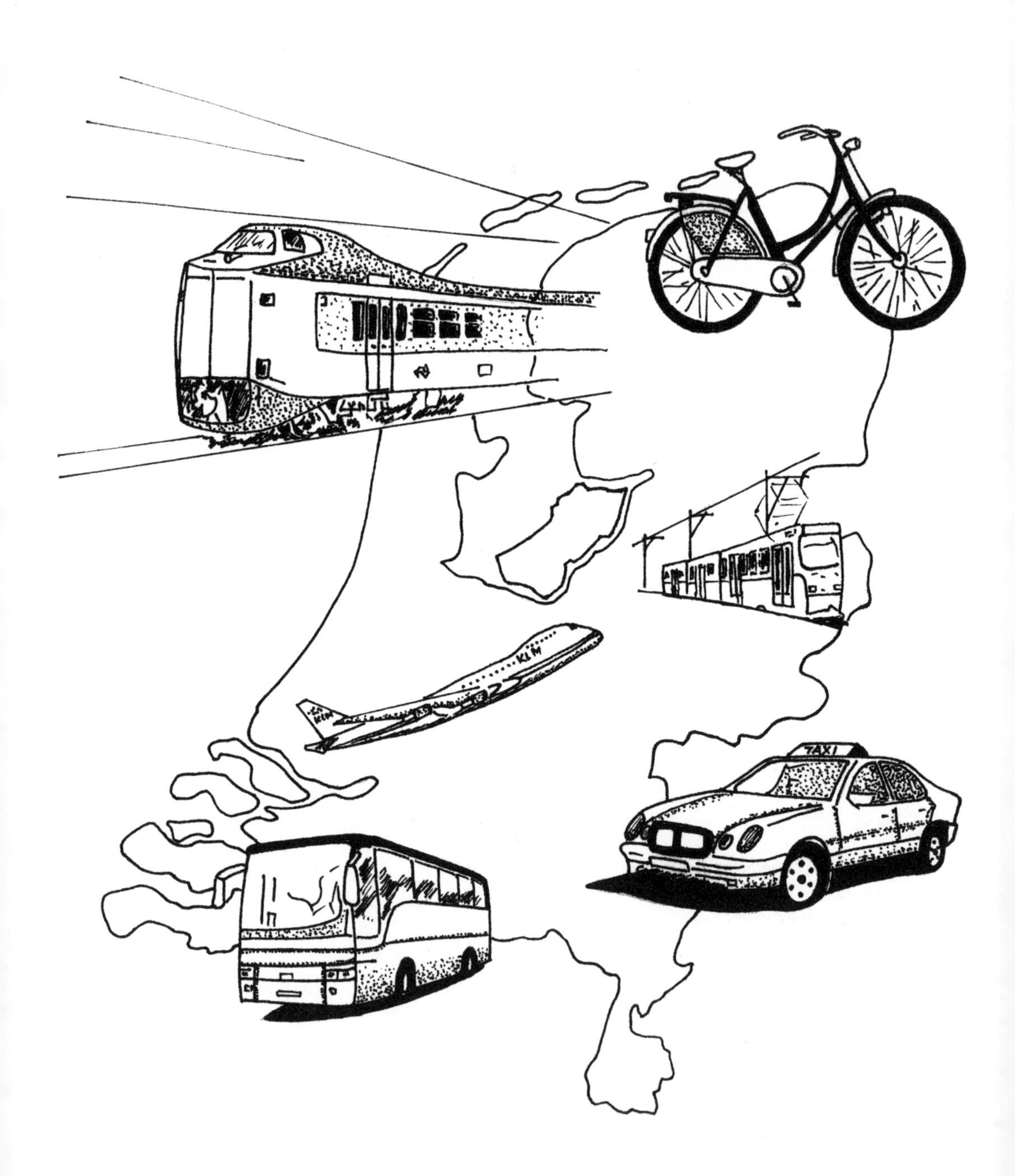
KLM
TAXI

Basis

B

1 TEKST

1a Lees de introductie.

Johan en Myra Willems zijn vier dagen naar Londen geweest. Gisteren zijn ze teruggekomen. Vandaag heeft meneer Willems nog een dagje vrij en hij gaat in zijn tuin werken. Als hij buiten komt, is zijn buurman Piet ook in de tuin bezig.

1b Luister naar de tekst. Kijk **niet** in het boek! 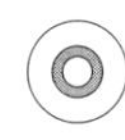

Johan	Dag, Piet. Zo, hard aan het werk?
Piet	Ha, Johan. Ja, het is weer tijd om lekker in de tuin te werken. Zeg... je bent toch een paar dagen naar Londen geweest?
Johan	Ja, dat klopt. We zijn gisteravond teruggekomen.
Piet	En... hoe was het?
Johan	Oh, het was heel leuk. We hebben heel veel gezien. Alleen het weer hè? Het heeft veel geregend. Maar ja, dat is Engeland.
Piet	Wat hebben jullie allemaal gedaan?
Johan	Oh, heel veel. We hebben een 'sightseeing-tour' gedaan, je weet wel, zo'n rondrit door de stad met een dubbeldekker. We hebben bovenin gezeten, op de eerste rij. Dat is leuk want je ziet veel en mijn vrouw heeft op die manier een goede indruk van de stad gekregen.
Piet	Ja, dat is inderdaad een goede manier om zo'n stad te zien.
Johan	Verder zijn we in een paar kerken geweest en naar het British Museum. Daar kun je uren rondkijken en dan heb je nog maar een klein deel gezien.
Piet	Is dat een mooi museum?
Johan	Ja, wel indrukwekkend. Ik houd niet zo van musea, maar het British Museum is wel bijzonder.

Piet	Dus jullie hebben een culturele vakantie gehad?
Johan	Ja, maar we zijn 's avonds ook gezellig uitgegaan. Eén avond naar het theater, naar een musical. We hebben genoten! En we zijn ook in een paar Engelse pubs geweest. Erg gezellig! De mensen zijn heel aardig en ze beginnen snel een gesprek met je. We hebben veel Engels gesproken.
Piet	Dus jullie hebben een paar leuke dagen gehad. En morgen begint het harde leven weer.
Johan	Ja, helaas wel.

1c Vragen bij de tekst

1 Wat doet de buurman van Johan Willems in de tuin?

____.

2 Moet Johan Willems vandaag weer naar zijn werk?

____.

3 Hebben Johan en Myra Willems goed weer gehad?

____.

4 Wat hebben ze overdag in Londen gedaan?

____.

5 Wat hebben ze 's avonds in Londen gedaan?

____.

6 Is Johan Willems enthousiast over het museum?

____.

2 TEKST

2a Lees de tekst.

Vandaag is het eindelijk zover. Saskia gaat verhuizen. Ze heeft heel lang naar een kamer in Utrecht gezocht. Ze heeft vorige week maandag een advertentie in de krant gelezen. Dezelfde avond heeft ze opgebeld. Ze heeft voor dinsdag een afspraak gemaakt. Na het college is ze ernaartoe gegaan. Ze heeft toen de kamer gezien en meteen gehuurd. De kamer ziet er prima uit. De huisbaas heeft hem de vorige maand helemaal opgeknapt. Hij heeft de kamer niet alleen geverfd, maar ook heeft hij nieuwe vloerbedekking gelegd. Dus kan ze haar meubels er meteen in zetten. Nu is het zaterdag en gaat ze verhuizen. Ze heeft Karel om hulp gevraagd en gelukkig heeft hij ja gezegd.

2b Opdracht bij de tekst.
Wat is goed?

1 a Saskia heeft vorige week een advertentie over een kamer gelezen.
b Saskia heeft dinsdag gebeld om een afspraak te maken.
c De huisbaas heeft een afspraak voor maandag gemaakt.

2 a De huisbaas heeft de kamer helemaal alleen geverfd.
b De huisbaas heeft bij het verven hulp gehad.
c De huisbaas heeft de kamer geverfd en vloerbedekking gelegd.

3 a Saskia hoeft haar meubels niet zelf in haar nieuwe kamer te zetten.
b Saskia gaat samen met Karel haar meubels verhuizen.
c Karel verhuist de meubels van Saskia.

3 TAALHULP

Spreken over het verleden

VRAGEN OVER ACTIVITEITEN IN VERLEDEN	VERTELLEN OVER ACTIVITEITEN IN VERLEDEN
Waar ben je gisteren/vorige week ______ geweest? Wat heb je gezien/gedaan?	Ik ben gisteren/vorig jaar ______ naar/in ______ geweest. We hebben daar ______ gezien. We hebben daar ______ gekampeerd /gefietst/ ______ .

INFORMEREN NAAR ERVARINGEN	POSITIEF COMMENTAAR GEVEN
Heb je het leuk gehad? Hoe was het?	Het was heel leuk/gezellig. We hebben het leuk gehad. We hebben genoten.
	NEGATIEF COMMENTAAR GEVEN
	Het was niet zo leuk/niet zo gezellig.
	POSITIEF/NEGATIEF: LET OP INTONATIE!
	Het was wel aardig.

4 GRAMMATICA

Perfectum: Regelmatige verba

Karel heeft niets *gezegd*.
Saskia heeft altijd in Houten *gewoond*.
Ze heeft een afspraak *gemaakt*.

Analyse: het participium = ge + stam + 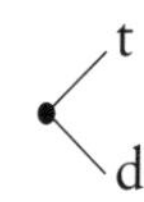

Vul in.

infinitief	stam	participium
zeggen	________	________
wonen	________	________
maken	________	________

Perfectum: Onregelmatige verba

Ze heeft lang naar een kamer *gezocht*.
Ze heeft een advertentie *gelezen*.
Ze heeft geluk *gehad*.

Analyse: het participium = ge + ________

Vul in.

infinitief	participium
zoeken	________
lezen	________
hebben	________

Perfectum: Separabele verba

Saskia heeft de huisbaas *opgebeld*.
We zijn gisteren *teruggekomen*.
We zijn 's avonds gezellig *uitgegaan*.

Analyse: het participium = prefix + ge + ________

Vul in.

infinitief	participium
opbellen	________
terugkomen	________
uitgaan	________

VRAGEN

1 Welke zinnen in tekst 1 en 2 staan in het perfectum?
2 Zoek van alle participia de infinitief op.
3 Welke verba zijn regelmatig, onregelmatig, separabel? Zet ze in een schema.

NB: Aan de infinitief kunt u niet zien of een verbum regelmatig is of onregelmatig.
U moet van alle verba het participium leren.

auxiliair bij het perfectum

Kijk naar de volgende zinnen uit tekst 1.

A We hebben veel gezien.
We hebben veel Engels gesproken.
Jullie hebben een paar leuke dagen gehad.

B Ik ben al een paar keer in Londen geweest.
We zijn gisteren teruggekomen.

VRAGEN

1 Kijk naar het auxiliair. Wat is het verschil tussen de zinnen van groep A en groep B?
2 De meeste verba combineer je in het perfectum
met een vorm van ________ (groep A).
3. Een kleine groep verba combineer je in het perfectum
met een vorm van ________ (groep B).

Een paar veel gebruikte verba uit groep B zijn:

zijn	Ik	*ben*	al een paar keer in Londen geweest.
gaan	We	*zijn*	naar een Engelse pub gegaan.
komen	We	*zijn*	gisteren laat thuis gekomen.
blijven	Hij	*is*	de hele avond op het feest gebleven.
beginnen	Ze	*zijn*	met een rondrit door de stad begonnen.
worden	Saskia	*is*	vorige week 22 jaar geworden.

om te + infinitief

BESPREKEN / RESERVEREN	OPBELLEN (seperabel verbum)
Ik ga naar het reisbureau	Ik neem de telefoon
• om te reserveren.	• om *op* te *bellen*
• om een reis te bespreken.	• om een vriendin van mij *op* te *bellen*.
• om een reis naar Spanje te bespreken.	

Oefeningen

TAALHULP

1 ●

Wat hoort bij elkaar?

1 Gisteren ben ik naar mijn tante in Utrecht ________ .
2 Vorige week heb ik in het Rijksmuseum 'De Nachtwacht' ________ .
3 Morgen gaan we naar een reisbureau om onze reis naar Spanje te ________ .
4 Vanavond gaan mijn buurman en ik naar voetballen ________ .
5 Mijn ouders hebben twee maanden geleden een nieuw huis ________ .
6 Jullie moeten over twee maanden examen ________ .
7 Afgelopen zaterdag zijn mijn vrienden ________ .
8 Wanneer wilt u naar Engeland op vakantie ________ ?
9 Hoe laat is jullie vliegtuig uit Londen ________ ?
10 Hebben jullie een leuk weekend ________ ?

a	aangekomen	e	gehad	i	gezien
b	bespreken	f	gekocht	j	kijken
c	doen	g	getrouwd		
d	gaan	h	geweest		

2 ●●

Geef kort antwoord op de vraag: 'Wat vindt u van ________ ?' Zeg ook waarom.

Voorbeeld 1: Wat vindt u van Amsterdam?
- Heel gezellig. De stad is mooi en er zijn veel gezellige cafés.
- Niet zo leuk. De stad is erg druk en ik voel me daar niet veilig.
- Dat weet ik niet, daar ben ik nog nooit geweest.

Voorbeeld 2: Wat vindt u van fietsen?
- Leuk. Als je fietst, zie je veel en het is heel gezond.
- Heel vervelend. Ik word snel moe en meestal regent het, als ik met de fiets wil gaan.
- Dat weet ik niet. Dat heb ik nog nooit gedaan.

Wat vindt u van:

- New York/ Parijs/ Londen/ Rome
- auto rijden/ met de trein reizen/ met het vliegtuig reizen
- naar een museum gaan
- naar het theater gaan
- popmuziek/ jazzmuziek/ klassieke muziek
- een kamer verven
- het huis schoonmaken
- in de tuin werken
- de auto wassen
- huiswerk maken
- Nederlands leren
- boodschappen doen

VOCABULAIRE

3 ●

Vul in.

Kies uit: *altijd, meteen, net, nu, pas, straks, toen, vandaag, vorige maand, zo*

1 a Wil je me ________ (later deze dag) helpen dit formulier in te vullen?
b Ik heb daar ________ (op dit moment) wel even tijd voor.
Hier moet je het nummer van je paspoort invullen.
a Hier is het, ik heb mijn paspoort ________ (100% van de tijd) bij me.

2 a Kun jij ________ (direct) voor me naar de brievenbus gaan?
Deze brief moet ________ (deze dag) nog de deur uit.

3 a Ken je het werk van John Sanders?
b Ja. Er was ________ (nu is het april, toen was het maart) een congres over zijn werk in Amsterdam.
Ik ben ________ (in die tijd) niet gegaan.

4 a Hé wat toevallig dat ik jou hier zie. Hoe is het met je?
b Goed, maar ik ben erg moe. Ik ben ________ (korte tijd geleden) met de trein aangekomen.
Ik ben ________ (korte tijd geleden) in Amerika geweest.
a Kan ik je een lift geven?
b Nee, dank je, mijn vrouw komt ________ (over een paar minuten).

4 ●●

Vul het goede woord in.

gekregen, genoten, geverfd, geweest, gezocht, leggen, opknappen, spreken, teruggekomen, uitgegaan, verhuizen, zetten, ziet uit

advertentie, dagen, krant, indruk, meubels, rondrit, theaters

aardige, leuk, nieuwe moeilijk

1 We zijn een paar ________ naar Parijs ________ en gisteren zijn we ________ .
2 We hebben een ________ door de stad gemaakt en zo hebben we een goede ________ van de stad ________ .
3 ’s Avonds zijn we gezellig ________ , naar een voorstelling in één van de ________ van Parijs.
4 De voorstelling was heel ________ ; we hebben van begin tot eind ________ .

5 Ons hotel was niet zo goed, maar gelukkig was de receptionist een heel _______ man.
6 Het was wel even _______ om weer Frans te _______ .
7 Binnenkort gaan we _______ naar een huis aan de rand van het centrum.
8 We hebben lang _______, maar gelukkig hebben we via een _______ in de _______ een geschikt huis gevonden.
9 De woonkamer _______ er redelijk _______; we hoeven daar alleen _______ vloerbedekking te _______ en dan kunnen we onze _______ erin .
10 De slaapkamers hebben we wit _______, maar de badkamer moeten we nog helemaal _______ .

GRAMMATICA

5 ●

Welke infinitief hoort bij het participium?
Voorbeeld:
Ik heb gisteravond een leuk boek gelezen.
Jij moet het ook eens *lezen*.

1 Ik heb net twee oefeningen gemaakt en nu moet ik er nog een _______ .
2 Koos en Sylvia hebben net hun huis gerenoveerd.
Wanneer zullen wij ons huis eens _______ ?
3 Ik kan helaas niet met je mee.
Ik heb net met Jan afgesproken.
Misschien kunnen wij voor morgen _______ .
4 Ik heb mijn naam op het bord geschreven.
Zal ik jouw naam ook op het bord _______ ?
5 Ik heb Saskia gebeld, want zij is morgen jarig.
Ga jij haar ook nog _______ ?
6 Wij hebben helaas nooit succes gehad bij het zoeken naar een huis, maar ik hoop dat we toch een keer succes zullen _______ .
7 Ik heb gisteren het nieuws niet gezien want mijn vrouw wou een film _______ .
8 Jan is vorige week met vakantie gegaan.
Wij moeten nog met vakantie _______ .
9 Ik heb een retour genomen, maar moet jij niet een enkele reis _______ ?
10 De trein uit Utrecht is net aangekomen, maar de trein uit Rotterdam moet nog _______ .

6 ●

Als de vorige oefening.

1 Ik heb gisteren een goed woordenboek gekocht.
Ga jij ook een woordenboek ______ ?
2 Zondag heeft Piet bij mij gegeten.
Jij moet ook eens komen ______ .
3 Ik heb een brief van mijn zus gekregen.
Ik vind het zo gezellig brieven van haar te ______ .
4 Ik heb gisteren heel lang met mevrouw De Vries gepraat.
Zij wil ook eens met jou ______ .
5 Ik heb de brief van Saskia gelezen.
Jij moet hem ook eens ______ .
6 Ik heb eerst drie maanden in Frankrijk gewerkt en nu ga ik
in Duitsland ______ .
7 Wie heeft er hier gerookt?
Je weet dat je hier niet mag ______ .
8 Jan heeft mij met mijn huiswerk geholpen.
Hij wil mij nog wel eens ______ .
9 Ik heb met Maria Nederlands gesproken.
Zij kan al goed Nederlands ______ .
10 Ik hoor dat jij gisteren bij de dokter bent geweest.
Ik moet morgen bij hem ______ .

7 ●

Vul het participium perfectum in, zoek het zo nodig op.

Saskia en de huisbaas

1 opbellen	Saskia heeft gisteren de huisbaas ______ .
2 afspreken	Ze hebben voor vanmorgen ______ .
3 aanbieden	Hij heeft haar een kopje thee met een koekje ______ .
4 opdrinken	Ze heeft het meteen ______ .
5 opeten	en het koekje ______ .
6 inschrijven	Hij vraagt: “Hebt u zich ook bij een kamerbureau ______ ?”
7 aandoen	In de kamer heeft hij het licht ______ .
8 openzetten	Het is koud in de kamer. “Wie heeft hier het raam ______ ?”, vraagt hij.

8 ●●

Zet de volgende vragen in het perfectum (zoek het participium op).
Geef daarna antwoord op de vraag. Voorbeeld:
In welke grote stad ben je?
In welke grote stad ben je *geweest*? *Ik ben in Amsterdam geweest.*

1 Wat doe je zaterdagavond?
2 Hoeveel jaar zit je op school?
3 Wat schrijft de leraar op het bord?
4 Hoeveel kost dit cursusboek?
5 Waarom ga je zo laat naar huis?
6 Kijk je dit weekend naar de televisie? (Waarom wel/niet?)
7 Lees je zaterdag de krant? (Waarom wel/niet?)
8 Ga je op de fiets naar de cursus? (Waarom wel/niet?)

9 ●

Beantwoord de vraag. Gebruik de gegeven woorden en maak een zin met *om* ______ *te*
Voorbeeld:
Waarvoor ga je naar een reisbureau? informatie over reizen vragen
Om informatie over reizen *te* vragen.

Waarvoor ga je naar ______ ?

• de bank	geld voor een huis lenen
• het postkantoor	postzegels kopen
• het museum	naar schilderijen kijken
• het strand	in de zon liggen
• het ziekenhuis	een patiënt bezoeken
• het station	een kaartje voor de trein kopen
• de supermarkt	boodschappen doen
• een kamerbureau	informatie over kamers vragen
• een taleninstituut	een taal leren
• het theater	naar een toneelstuk kijken
• de bioscoop	naar een film kijken
• de sporthal	sporten

10 ●●

Vul een combinatie met '*om* ______ *te* ______' in.

Wat heb je zaterdag gedaan?

Fragment 1

Kies uit:

boodschappen voor de rest van de week doen
krant doorlezen
dingen doen
rustig ontbijten

Gisteren was het zaterdag. Dan hoef ik niet naar mijn werk.
Op zaterdag heb ik tijd om dingen te doen die ik door de week niet kan doen.
Ik ben opgestaan en heb de tijd genomen ______[1].
Daarna ben ik naar de supermarkt gegaan ______[2].
Toen ik weer thuis was, heb ik koffie gezet en de krant uit de brievenbus gehaald.
Daarna ben ik een uurtje gaan zitten ______[3].

Fragment 2

Kies uit:

deze zomer een rondreis door Egypte maken
een paar reisbrochures over Egypte ophalen
een paar mooie schoenen uitzoeken
een glas rode wijn drinken
een nieuwe broek kopen

's Middags ben ik naar het centrum van de stad gegaan.
Eerst ben ik naar een kledingzaak gegaan ______[4].
Naast de kledingzaak is een leuke schoenenzaak. Daar ben ik ook geweest ______[5].
Daarna heb ik op een terrasje gezeten ______[6].
Vervolgens ben ik nog even naar een reisbureau gegaan ______[7].
Ik ben namelijk van plan ______[8].

Fragment 3

Kies uit:

de nieuwe James Bond-film zien
over de film napraten
tot diep in de nacht dansen
opstaan
pizza eten

's Avonds had ik een afspraak in de stad met een vriendin.
We zijn naar een Italiaans restaurant gegaan ______[9].
Na het eten zijn we naar de bioscoop gegaan ______[10].
Daarna hebben we nog een tijdje in een café gezeten ______[11].

Ten slotte zijn we nog naar de disco geweest __________12.
En nu is het zondagmorgen. Ik ben net wakker, maar ik ben te moe __________13.
Ik draai me om en blijf nog een uurtje in bed liggen.

LUISTEREN

11

Luister naar de band en vul het schema in. (U hoeft niet alles in te vullen)

Personen en situatie

Het is maandagmorgen. Remco en zijn vriend Peter hebben net twee uur les gehad en ze hebben nu pauze. Ze zitten in de kantine en praten over het afgelopen weekend.

TIJD/DAG	ACTIVITEIT	COMMENTAAR *positief/niet enthousiast/negatief*
vrijdagavond	Remco: *naar de disco* Peter: __________ .	*niet enthousiast ('het was wel aardig')* __________ .
zaterdagochtend	Remco: __________ . Peter: __________ .	__________ . __________ .
zaterdagmiddag	Remco: __________ . Peter: __________ .	__________ . __________ .
zaterdagavond	Remco: __________ . Peter: __________ .	__________ . __________ .
zondagochtend	Remco: __________ . Peter: __________ .	__________ . __________ .
zondagmiddag	Remco: __________ . Peter: __________ .	__________ . __________ .
zondagavond	Remco: __________ . Peter: *een beetje gestudeerd*	__________ . *negatief ('dat viel niet mee')*

PROSODIE

12

Luister naar de docent en zet een ● in de goede kolom.

Voorbeeld:

1 Utrecht 3 Saskia

2 Mevrouw 4 zomercursus

Vul in.

	A	B	C	D
	— •	• —	— ••	— •••
1	●			
2		●		
3			●	
4				●

13 

Luister en zeg na. Let vooral op de intonatie!

- • Waar ben je gisteren geweest?
- \- In Den Haag. Bij mijn zusje.

- • Wat heb je daar gedaan?
- \- Gewerkt. Ik heb haar huis opgeknapt.

- • Waar ben jij geweest?
- \- In Amsterdam.

- • Heb je ook gewerkt?
- \- Nee joh, ik ben naar een concert geweest.
- • Hoe was het?
- \- Prachtig. Het was prachtig. Ik heb genoten.
- • En jij? Ben je ook naar een concert geweest?
- \- Ja.
- • Heb je ook genoten?
- \- Mwah. 't Was wel aardig.
- • Het was niks dus.
- \- Nee, niks.

14 ●

Boos of niet boos. Kies ☺ (vriendelijk) of ☹ (boos)

		☺	☹
1	Jan, waar ben je geweest?	❑	❑
2	Jan, wat heb je gedaan?	❑	❑
3	Hoe ben je hier dan gekomen ?	❑	❑
4	Met wie heb je gepraat?	❑	❑
5	Wie heeft dat nou gezegd?	❑	❑
6	Is je vader ook thuis?	❑	❑
7	Wie is daar?	❑	❑
8	Waar ben je toch geweest?	❑	❑
9	Wat heb je daar nou gedaan?	❑	❑
10	Hoe ben je daar dan gekomen?	❑	❑
11	Met wie heb je daar gepraat?	❑	❑
12	Wie heeft dat gezegd?	❑	❑
13	Is je vader thuis?	❑	❑
14	Wie is daar?	❑	❑

SPREKEN

15 ●

1 Bent u zelf wel eens in Londen geweest?
Zo ja, wat hebt u daar gezien en gedaan?
Bent u van plan om (nog) een keer naar Londen te gaan?

2 In welke andere grote stad/grote steden bent u wel eens geweest?
Wat hebt u daar gezien en gedaan?

3 Houdt u van grote steden?
Waarom wel, waarom niet?

16 ●●

Vraag en antwoord. Werk in tweetallen.

A Wat vindt u van ____________ ? (New York, The Rolling Stones, voetballen, het Rijksmuseum, muziek van Mozart, deze cursus, etc. etc.)

B ______________________ .

17

Werk in tweetallen. Vraag en vertel aan elkaar wat u het afgelopen weekend gedaan hebt.
Gebruik het schema om notities te maken over het weekend van de andere cursist.
Herhaal de informatie en vraag de ander of alles klopt.

TIJD/DAG	ACTIVITEIT	HOE WAS HET? *positief/niet enthousiast/negatief*
vrijdagavond	______ .	______ .
zaterdagochtend	______ .	______ .
zaterdagmiddag	______ .	______ .
zaterdagavond	______ .	______ .
zondagochtend	______ .	______ .
zondagmiddag	______ .	______ .
zondagavond	______ .	______ .

SCHRIJVEN

18

Maak vragen in het perfectum. Bedenk zelf de vraagwoorden.
Voorbeeld:
Jan en Annie zijn drie weken met vakantie geweest.
Wie zijn drie weken met vakantie geweest?
Hoe lang zijn Jan en Annie met vakantie geweest?

1 De advertentie over de kamer heeft gisteravond in de krant gestaan.
2 Ik heb een nieuwe auto gekocht.
3 De cursus heeft een half jaar geduurd.
4 Saskia heeft Karel opgebeld.
5 We hebben om acht uur afgesproken.
6 Wim heeft het formulier ingevuld.
7 De leraar heeft de grammatica aan de studenten uitgelegd.

20 ●●

Maak de zinnen af.

1 Gisterenavond heb ik ______________________________.

2 Vorige week hebben we ______________________________.

3 Ik ga volgende maand ______________, omdat ik ______________.

4 We zijn ______________________ geweest, maar het was niet zo leuk.

5 Je bent gisteren teruggekomen van vakantie. Hoe heb je het gehad?
Oh, het was fantastisch. Ik heb twee weken ______________________
en daarna ben ik nog een week ______________________________.

21 ●●

U schrijft een korte brief aan vrienden. U hebt ze uitgenodigd om binnenkort een weekend te komen logeren. In de brief doet u een voorstel over wat u dat weekend gaat doen. U wilt ook weten hoe laat ze aankomen. Maak de brief af.

```
______________ (stad of dorp), ______________ (datum)

Beste ____________________,

Hoe gaat het met jullie? We hebben elkaar zo lang niet meer gezien!
Leuk dat jullie over twee weken komen logeren. We gaan er een leuk weekend
van maken. We kunnen bijvoorbeeld ______________________________.
Het is ook leuk om ______________________________________________.

Een paar weken geleden zijn we naar ______________________________.
Wij hebben ervan genoten, dus misschien ook wel leuk voor jullie.

Maar als jullie zelf ______________________________, dan kan dat
natuurlijk ook.
In ieder geval gaan we zaterdagavond ______________________________.
Dat moet je een keer meemaken!
Kunnen jullie ons nog even laten weten ______________________, dan kunnen
we jullie van het station ophalen.

We zien uit naar jullie bezoek.

Groetjes,

____________________________ (uw naam)
```

LEZEN

22

Krantenartikelen

Op welke pagina kunt u meer informatie vinden over:

1. De VSB Poëzieprijs.
2. De prijzen op het Internationale Filmfestival.
3. De groei van de economie.
4. De uitslagen van het wereldkampioenschap hockey.
5. De situatie op de wegen in Frankrijk.

Grootste groei sinds 1990

DEN HAAG, 3 JUNI. De economie is in het eerste kwartaal van 1998 met 4,2 procent gegroeid ten opzichte van dezelfde periode vorig jaar. Dat is de grootste groei sinds eind 1990. *Pagina 17*

Rutger Kopland krijgt poëzieprijs

AMSTERDAM, 26 MEI. Rutger Kopland heeft voor zijn bundel *Tot het ons loslaat* de VSB Poëzieprijs 1998 gekregen. *Pagina 11*

Blokkades op Franse snelwegen

PARIJS, 26 MEI. Vrachtwagenchauffeurs en kermishouders hebben vannacht wegversperringen aangebracht op strategische punten in Noord-, Oost- en Zuid-Frankrijk. Personenauto's worden veelal doorgelaten. *Pagina 17*

Gouden Palm voor Griekse film

CANNES, 25 MEI. De Gouden Palm van het Internationale Filmfestival van Cannes is gisteren uitgereikt aan de Griekse regisseur Theo Angelopoulos voor de film 'De eeuwigheid en een dag'. Acteerprijzen waren er voor Elodie Bouchez en Natacha Regnier in 'La vie rêvée des anges' en voor Peter Mullan in 'My Name is Joe'. *Pagina 11*

Hockeyvrouwen in halve finale

UTRECHT, 26 MEI. De Nederlandse vrouwenploeg heeft zich bij de WK hockey in Utrecht gekwalificeerd voor de halve finale. Gisteren won Nederland met 5-0 van India. *Pagina 12*

23

VRAGEN

1. Is de Nederlandse componist Bruynèl bekend in de wereld?
2. Hoeveel mensen zaten er in het vliegtuigje dat neerstortte?
3. Waar kwam het vliegtuig vandaan?
4. Wanneer was de explosie in de Grote Beer?

Vliegtuigje stort neer; vier doden

Monaco – Vier Oostenrijkers zijn gisteren om het leven gekomen toen hun vliegtuigje voor de kust van Monaco in de Middellandse Zee stortte. Hun stoffelijke resten zijn nog niet geborgen. Vier andere inzittenden overleefden de crash. Zij zijn met verwondingen in een Monegaskisch ziekenhuis opgenomen. De oorzaak van het ongeluk is niet bekend. Volgens de Franse luchtverkeersleiding kwam het toestel een kleine twee kilometer uit de kust neer tijdens de voorbereidingen voor de landing in Nice. Het Duitse privévliegtuig, een Cessna 421, was opgestegen van het vliegveld Voslau in Oostenrijk.

Componist Ton Bruynèl overleden

Amsterdam – In zijn woonplaats Mailly in Frankrijk is dinsdag de Nederlandse componist Ton Bruynèl overleden. Hij is 64 jaar geworden. De in Utrecht geboren Bruynèl componeerde experimentele muziek waarbij hij akoestisch klinkende instrumenten liet versmelten met elektronische klanksporen.

Op pagina 23:
Elektronische experimenten Ton Bruynèl wereldwijd gewaardeerd.

Grootste explosie na oerknal in Grote Beer

Washington – Astronomen hebben in het sterrenbeeld Grote Beer de grootste explosie tot nu toe waargenomen. Het is volgens hen de grootste op de oerknal na. De gammastraling-ontploffing heeft zich twaalf miljard jaar geleden voorgedaan en werd op 14 december gezien door Amerikaanse en Europese astronomen, onder wie Nederlandse wetenschappers. Eén of twee seconden gaf de ontploffing van gammastralen bijna net zoveel energie af als alle andere sterren van het heelal samen. De oorzaak is onbekend.

24

Wie kent 'Anky'?

De dochter van een Engelse veteraan is op zoek naar het verleden van haar vader, Harry Lawes. Hier zit hij middenonder op de foto, met een jongetje op schoot dat volgens hem 'Anky' heette, waarschijnlijk 'Henk'. Harry heeft van 29 november 1944 tot 9 april 1945 in Nijmegen, in het toenmalige Neerbosch, bij een familie gewoond. Hij was toen 42 jaar oud en had de rang van 'warrant officer I' bij de Polar Bears. Hij was niet groot, ongeveer 1.67 meter lang en had donker krullend haar. Hij heeft er veel met de kinderen gespeeld en in de tuin gewerkt. Thuis in Engeland had hij twee kinderen, een dochter en een zoontje. Hij is in 1940 in Duinkerken geweest en daarna in Noord-Afrika en Perzië. "Hij heeft die jaren op verschillende plaatsen in Nederland gewerkt en gewoond, maar op één locatie heeft hij de meeste foto's gemaakt. Omdat hij het langst in Nijmegen was, denk ik dat de foto's hier gemaakt zijn." De moeder van Harry heeft de Nederlandse familie later nog wol gestuurd om kleren te breien. Omdat Harry vaak over 'Anky' heeft verteld, wil zijn dochter, Miss Lawes, nu graag in contact komen met de Nederlandse familie. Harry zelf is inmiddels overleden.

naar: 'Wie kent dit gezelschap? 'Anky' was oogappeltje van Britse Harry.' Zondagkrant Nijmegen.

		waar	niet waar
1	Harry Lawes zoekt de Nederlandse familie bij wie hij heeft gewoond.	❑	❑
2	Harry Lawes heeft ongeveer 5 maanden in Neerbosch gewoond.	❑	❑
3	Harry Lawes was groot.	❑	❑
4	Harry Lawes heeft veel met zijn kinderen gespeeld.	❑	❑
5	Het zoontje van Harry Lawes heet Anky.	❑	❑
6	Harry Lawes heeft niet uitsluitend in Nijmegen gewoond.	❑	❑
7	De dochter van Harry Lawes weet zeker dat de foto in Nijmegen is gemaakt.	❑	❑

Basis

1 TEKST

1a Lees de introductie.

Maria Borsato heeft vorige week bij een reisbureau een formulier voor een reisverzekering opgehaald. Nu wil ze het reisbureau opbellen, want ze weet niet precies hoe ze het moet invullen. Ze heeft echter alleen het adres, en geen telefoonnummer van het reisbureau. Daarom belt ze eerst de inlichtingendienst van KPN op.

1b Luister naar de tekst. Kijk **niet** in het boek! 

band	U bent verbonden met KPN-telecom inlichtingen binnenland. Een ogenblikje alstublieft, u wordt zo snel mogelijk geholpen. Er zijn nog enkele wachtenden voor u.
telefonist	Inlichtingen. Goedemiddag.
Maria	Goedemiddag, mag ik van u een telefoonnummer in Utrecht: het reisbureau 'Goede reis'?
telefonist	Wat is het adres?
Maria	Laan van Indonesië 307.
telefonist	Een ogenblikje alstublieft. Weet u zeker dat het adres klopt?
Maria	Jazeker, Laan van Indonesië 307.
telefonist	Neemt u mij niet kwalijk, ik had 309 verstaan. Mevrouw, het nummer is 030-2 13 45 67.
Maria	Kunt u dat even herhalen?
telefonist	Jazeker, 030 - 2 13 45 67.
Maria	030-2 13 45 67, dank u wel. Goedemiddag.
telefonist	Tot uw dienst. Goedemiddag.

José	Reisbureau ‘Goede reis’, met José.
Maria	Hallo, je spreekt met Maria Borsato. Ik heb even een vraagje. Ik heb vorige week een formulier voor een reisverzekering bij jullie bureau opgehaald. Maar het is me niet helemaal duidelijk wat ik met dat formulier moet doen.
José	Kijk eerst goed welke vragen je moet invullen. Voor een reis binnen Europa hoef je namelijk niet alles in te vullen. Vul alleen in wat nodig is. Schrijf zo duidelijk mogelijk, het liefst in blokletters. Vergeet niet het formulier te ondertekenen en stuur het dan naar ons op. Faxen kan natuurlijk ook. Als we dan nog een vraag hebben, bellen we je wel terug.
Maria	En er is nog iets. Is het eigenlijk wel nodig dat ik een reisverzekering via jullie neem? Ik heb namelijk al een doorlopende reisverzekering.
José	Tja, dat hangt af van de voorwaarden van die verzekering. Bel eerst even je verzekeringsmaatschappij om dat uit te zoeken.
Maria	Goed (zucht), dat moet dan maar. Als ik meer weet, bel ik nog wel even terug.

1c Oefening bij de tekst

1 Het adres en telefoonnummer van reisbureau ‘Goede reis’ is:
Laan van Indonesië ________, telefoonnummer: ________

Waar of niet waar?	**waar**	**niet waar**
2 Het reisbureau heeft Maria een formulier voor een reisverzekering gestuurd.	❑	❑
3 Voor een reis binnen Europa hoeft ze het formulier niet in te vullen.	❑	❑
4 Ze moet het formulier ondertekenen en dan naar het reisbureau opsturen.	❑	❑
5 Omdat Maria al een doorlopende reisverzekering heeft, hoeft ze misschien geen reisverzekering via het reisbureau te nemen.	❑	❑
6 José zal dat even voor Maria uitzoeken en haar daarover terugbellen.	❑	❑

2 TEKST

2a Lees de introductie.

Telefoongesprek. Maria Borsato belt haar verzekeringsmaatschappij.

2b Luister naar de tekst. Kijk **niet** in het boek! 

Telefoniste 1	Zilveren Kruis Verzekeringen.
Maria	Met Maria Borsato. Mag ik de afdeling studentenverzekeringen van u?
Telefoniste 1	Ik verbind u door.
Telefoniste 2	Studentenverzekeringen.
Maria	Met Maria Borsato. Mag ik Kees van Dam?
Telefoniste 2	Het spijt me mevrouw, die is even weg.
Maria	Och, jammer. Weet u hoe laat hij er weer is?
Telefoniste 2	Nee, het spijt me. Dat heeft hij niet gezegd. Kan ik misschien een boodschap doorgeven?
Maria	Ja graag. Kunt u hem vragen of hij me kan terugbellen?
Telefoniste 2	Ik zal het doorgeven. Weet hij uw telefoonnummer?
Maria	Nee, maar dat is 0123 - 45 23 90
Telefoniste 2	Goed, ik heb het opgeschreven.
Maria	Dank u wel, dag mevrouw.
Telefoniste 2	Graag gedaan.

3 TEKST

3a Introductie

Beschrijving van activiteiten in en om het gemeentelijk informatiecentrum

Het Open Huis is zes dagen per week geopend. U kunt altijd vrij naar binnen lopen en op uw gemak rondkijken. En kunt u zelf het antwoord op uw vraag niet vinden, dan helpt één van de publieksvoorlichters u verder. U bent van harte welkom!

Open Huis

gemeentelijk informatiecentrum Open Huis
stadhuispassage, Korte Nieuwstraat 6
6511 PP Nijmegen
tel. (024) 3292408
fax. (024) 3292409

geopend van maandag t/m vrijdag
van 09.00 - 17.00 uur
en zaterdag van 10.00 - 17.00 uur

Nijmegen 'n rijk aan informatie

3b Lees de tekst.

Het is erg druk op het stadhuis. In de hal staan sommige mensen met elkaar te praten, andere mensen zitten te wachten en de krant te lezen. Een paar mensen zitten koffie te drinken terwijl er voor veel loketten een lange rij staat. Bij de informatiebalie staan een paar mensen folders in te kijken en de informatrice is iets aan het opzoeken in een computer. Er is ook iemand aan het internetten, dat kan namelijk ook in het informatiecentrum. Een loket is afgesloten. Daar zijn een paar mannen een gebroken ruit aan het repareren.

3c Oefening bij de tekst

Maak complete zinnen, gebruik informatie uit de tekst.

Voorbeeld:

In de hal ______________________ .

In de hal *staan sommige mensen te praten.*

1 ______________________ de krant ______________________ .
2 ______________________ een paar mensen ______________________ .
3 ______________________ wachten.
4 Bij de informatiebalie ______________________ .
5 ______________________ internetten.
6 ______________________ een gebroken ruit ______________________ .

4 TAALHULP

ADVIES VRAGEN

Wat moet ik doen?
Hoe moet ik ________ (dit formulier invullen)?
Het is me niet helemaal duidelijk.
Kunt u me zeggen ________ ?

INSTRUCTIE GEVEN	
Eerst moet je de vragen goed lezen. Dan moet je invullen wat nodig is. Daarna moet je het formulier ondertekenen. Ten slotte moet je het opsturen.	Lees eerst de vragen goed. Vul dan in wat nodig is. Onderteken daarna het formulier. Stuur het ten slotte op.

UITNODIGEN / TOESTEMMING GEVEN	
Kom *maar even* binnen. Ga *maar* zitten. Ga je gang.	Mag ik een formulier meenemen? Ja hoor, ga je gang.

TELEFONEREN

Ik verbind u door.
Een ogenblikje alstublieft.
Kunt u een boodschap doorgeven?
Kunt u (Kun je) vragen of ________ terugbelt?

VERONTSCHULDIGEN

Het spijt me.
Neemt u mij niet kwalijk.

REACTIE OP BEDANKEN

Tot uw dienst.
Graag gedaan.

ACTIVITEITEN OF SITUATIES BESCHRIJVEN

zijn ______ *aan het* ______

De informatrice *is* iets in de computer *aan het opzoeken*.
De mannen *zijn* een ruit *aan het repareren*.

staan ______ *te* ______ / *zitten* ______ *te* ______ / *liggen* ______ *te* ______

Veel mensen *staan* in de rij *te wachten*.
Andere mensen *zitten* de krant *te lezen*.

5 GRAMMATICA

perfectum	
*be*ginnen	Wij zijn met de les *be*gonnen.
*be*zoeken	Wij hebben het British Museum *be*zocht.
*ge*beuren	Wat is er *ge*beurd?
*her*halen	De telefonist heeft het telefoonnummer *her*haald.
*ont*moeten	Maria heeft haar vriend tijdens een vakantie *ont*moet.
*ver*staan	Ik heb het niet goed *ver*staan.
*ver*tellen	Waarom heb je me dat niet *ver*teld?

VRAAG
Vergelijk deze participia met de participia die u in les 12 hebt geleerd.
Wat is anders?

imperatief	
Je moet de oefening maken.	Maak de oefening.
Je moet de brief maar even lezen.	Lees de brief maar even.
Je moet eens even komen.	Kom eens even.
U moet de brief maar even lezen.	Leest *u* de brief maar even.
separabele verba	
Je moet binnenkomen.	Kom binnen.
Je moet het adres even opschrijven.	Schrijf het adres even op.
U moet binnenkomen.	Komt *u* binnen.

VRAGEN

Vergelijk de zinnen in de rechterkolom met die in de linker.

a Wat gebeurt er met het subject van de zinnen in de linkerkolom?

b Welke vorm heeft het verbum in de zinnen in de rechterkolom?

NB: Let op het verschil: informeel, formeel.

Er + indefiniet subject

Er is nog *iets*.
Er is *iemand* aan het internetten.
Er staat *een lange rij* voor het loket.
Er is *niemand* aanwezig.

Er staat *koffie* op tafel.

VERGELIJK

Er is *een* reisbureau in de Kerkstraat	*Het* reisbureau heet 'Goede Reis'.
Er is *iemand* voor je aan de telefoon.	*Jan* is aan de telefoon.
Er is *niemand* aanwezig.	*Kees van Dam* is niet aanwezig.
Er staan *kopjes koffie* op tafel.	*Het blauwe kopje* is voor jou.

VRAGEN

Vergelijk de zinnen links en rechts.

Wat kunt u zeggen over het subject in de zinnen links? En rechts?

Wat is de regel voor het gebruik van *er*, denkt u?

TAALHULP

1

Personen en situatie

U wilt Eelco Snel opbellen. Hij is directeur van reclamebureau Punt Komma. In plaats van de heer Snel, krijgt u een telefoniste aan de lijn. Kies de beste reactie.

Telefoniste	Bedrijvencentrum 'Waterstaete' goedemiddag.
U	a Hebt u een ogenblikje? b Kunt u een boodschap doorgeven? c Met wie zegt u?
Telefoniste	Met het Bedrijvencentrum 'Waterstaete'.
U	a Oh, neemt u me niet kwalijk. Dan heb ik zeker een verkeerd nummer. b Dat hindert niet hoor. Dan heb ik een verkeerd nummer. c Oh, dank u wel.
Telefoniste	Voor welk bedrijf belt u?
U	Reclamebureau 'Punt Komma'.
Telefoniste	Ja, dat klopt. Dat zit hier in het bedrijvencentrum. Met wie wilt u spreken?
U	Met Eelco Snel.
Telefoniste	a Momentje, ik verbind u door. b Ja hoor, ik zal hem even roepen. c Wilt u wachten of belt u terug?
Eelco Snel	Met Eelco Snel ....

2 ●

Kijk naar de tekening. In de stationshal zijn veel mensen. Beschrijf hun activiteiten.

Voorbeeld: A Sommige mensen praten met elkaar.
B Sommige mensen *staan* met elkaar te *praten*.

1 A Andere mensen lezen de krant.
B Andere mensen ________ de krant te ________.

2 A Groepjes mensen drinken koffie of eten iets.
B Groepjes mensen ________ koffie te ________ of iets te ________.

3 A Voor veel loketten wacht een lange rij.
B Voor veel loketten ________ een lange rij te ________.

4 A Veel mensen kijken op de borden.
B Veel mensen ________ op de borden te ________.

5 A Op een bankje slaapt een zwerver.
B Op een bankje ________ een zwerver te ________.

VOCABULAIRE

3 ●

Zet de zinnen in de goede volgorde. Zo vul je het formulier in:

1 Probeer duidelijk te schrijven.
2 Schrijf in blokletters.
3 Gooi de envelop in de brievenbus.
4 Doe het formulier in een envelop.
5 Zet onderaan je handtekening.
6 Vul eerst je naam in.
7 Plak een postzegel op de envelop.
8 Lees goed wat je moet invullen.

4

Zoek de synoniemen bij elkaar.
De woorden die u niet kent, kunt u in het woordenboek opzoeken.
Voorbeeld:
opbellen = telefoneren

1	opbellen	a	chauffeur
2	opschrijven	b	correct
3	toestemming	c	exporteren
4	juist	d	invitatie
5	bestuurder	e	noteren
6	herhalen	f	permissie
7	uitvoeren	g	repeteren
8	uitnodiging	h	telefoneren

5

Zoek de tegenstelling van het cursieve woord en vul het in.
Voorbeeld:
Ik heb een *grote* kamer, maar de kamer van mijn broertje is *klein.*
Kies uit: *buiten, donker, eind, goedkoop, lang, moeilijk, niemand, onaardig, onbeleefd, onvoldoende, oud, winnen.*

1 Remco is een heel *beleefde* jongen, maar Leon is vaak heel erg ________ .
2 Zij vindt Nederlands erg *gemakkelijk*, maar ik vind het erg ________ .
3 Vandaag is het *begin* van de lente en het ________ van de winter.
4 Normaal gesproken is hij heel erg *aardig*. Vandaag reageerde hij echter heel ________ .
5 Dat boek is niet *duur* maar ________ !
6 Op de cursus zit *jong* en ________ door elkaar.
7 *Iedereen* heeft gezien dat de jongen in het water is gevallen, maar ________ heeft de jongen geholpen.
8 Ik heb een *voldoende* voor wiskunde, maar een ________ voor scheikunde.
9 Hij woont pas *kort* in Nederland. Hiervoor heeft hij heel ________ in Amerika gewoond.
10 Sommige sporters houden niet van *verliezen*: ze willen alleen maar ________ .
11 In de zomer is het tot 's avonds laat *licht* in Nederland.
In de winter is het al vroeg ________ .
12 Spelen de kinderen in de winter alleen maar *binnen*?
Nee, ze spelen ook vaak ________ .

GRAMMATICA

6 ●

Laat in onderstaande zinnen *moet* en *kunt* weg. Hoe verandert het andere werkwoord?
Voorbeeld: U moet morgen *opbellen*.
Belt u morgen *op*.

1. U moet het formulier invullen.
2. U moet het formulier weer bij ons inleveren.
3. U kunt het formulier opsturen.
4. U moet een kopie van uw legitimatiebewijs meezenden.
5. U moet uw telefoonnummer opschrijven.

7a ●

Zet in het perfectum.
Voorbeeld: *hebben/begrijpen*
Meneer, kunt u dat nog een keer uitleggen? Ik *heb* het niet *begrepen*.

1. *zijn/verhuizen*
   Goedemiddag. Ik ______ vorige week ______ en nu wil ik vragen of u mijn post kunt doorsturen.
2. *hebben/vertellen*
   ______ niemand u ______ dat u dat één maand van tevoren moet doen?
3. *hebben/ontmoeten*
   Gisteren ______ we onze nieuwe buren ______. Ze zijn heel aardig.
4. *zijn/gebeuren*
   Wat ______ er met jou ______? Je ziet er zo bleek uit!
5. *hebben/herhalen*
   Kennen jullie dat woord nu nog niet? Ik ______ het al tien keer ______!
6. *hebben/vergeten*
   Mag ik jouw woordenboek even lenen. Ik ______ het mijne ______.
7. *hebben/ontvangen*
   Ik heb je vorige week een brief gestuurd. ______ je die nog niet ______?
8. *heb/verstaan*
   Kunt u wat harder praten? We ______ u niet goed ______.
9. *zijn/beginnen*
   Ik volg een cursus Nederlands. De cursus ______ vorige week ______.
10. *hebben/bezoeken*
    Mijn vader ligt in het ziekenhuis. Gisteravond ______ mijn moeder en ik hem daar ______.

7b ●●

Kijk naar de participia in oefening 7.

1 Welke zijn regelmatig ?
2 Welke zijn onregelmatig ?
3 In welke zinnen zijn participium en infinitief hetzelfde?

8 ●●

Zet de zinnen in perfectum.

1 We ______ gisteren op een feest ______ (zijn).
We ______ steeds tegen elkaar ______ (zeggen): "We blijven heel even".
Maar het was zo gezellig. We ______ de hele avond ______ (blijven).
2 Gisteravond ______ Saskia haar moeder ______ (opbellen).
Ze ______ haar veel over haar nieuwe kamer ______ (vertellen).
Daarna ______ ze voor aanstaande zaterdag ______ (afspreken).
Haar moeder komt dan bij haar op bezoek, en Saskia gaat voor haar koken.
3 Afgelopen zaterdag ______ ik bij mijn buren ______ (eten).
Het was gezellig, die avond zal ik niet snel vergeten.
Ze ______ een heel speciale maaltijd ______ (klaarmaken),
en ik moet zeggen, het ______ me heerlijk ______ (smaken).
4 Maria heeft een nieuwe jurk nodig.
Ze ______ de hele middag winkel in, winkel uit ______ (gaan).
Ze ______ wel twintig keer voor de spiegel ______ (staan).
Ze ______ urenlang naar een leuke jurk ______ (zoeken).
En uiteindelijk ______ ze nog steeds geen jurk ______ (kopen).
5 We gaan deze zomer met ons gezin op vakantie naar Griekenland.
Een paar weken geleden ______ mijn vader de reis al ______ (betalen),
en gisteren ______ hij de reisdocumenten ______ (ophalen).
We ______ samen ook nog in de reisbrochures over Griekenland ______
(kijken). Nu is het bijna zover. We vertrekken over twee weken.

9 ●

Vul in: de, het, een. Let op: soms kunt u niets invullen!

Voorbeeld:

Er is ______ restaurant op het station.

______ restaurant heeft lekker eten.

Er is een restaurant op het station.

Het restaurant is niet duur.

1 ______ huis van Jan en Annie staat te koop.
Er staat nog ______ huis te koop in hun straat.

2 Er staat ________ meisje achter het loket.
________ meisje verkoopt kaartjes.
3 Er belt ________ meneer voor u op.
________ meneer wil een afspraak met u maken.
4 ________ boeken op de tafel zijn van onze leraar.
Er liggen ________ boeken voor de studenten in de kast.
5 Er loopt ________ man om het huis.
________ man kijkt naar binnen.
6 Er zijn ________ kopers voor het huis.
________ kopers willen het huis graag hebben.
7 ________ douches van de studentenflat zijn altijd vies.
Er zijn ook ________ douches in het sportcentrum. Die zijn schoon.
8 Er rijdt ________ bus naar het station, maar ________ bus gaat maar twee keer per dag.
9 Er zit ________ thee in de pot. ________ thee is koud.
10 ________ geld dat op tafel ligt is van Piet.
Er ligt ook ________ geld op het kastje. Ik weet niet van wie het is.
11 Er staat ________ telefoontoestel op de kast.
________ telefoontoestel is kapot.

10 ●●

Voorbeeld:
A Piet B een aardig meisje
A Piet werkt bij de verzekeringsmaatschappij.
B *Er werkt een aardig meisje bij de verzekeringsmaatschappij.*

1 A Meneer Willems B een vrouw
A Meneer Willems loopt op straat.
B ________ .
2 A De moeder van Saskia B een vrouw
A De moeder van Saskia staat bij een loket te wachten.
B ________ .
3 A Karel B een jongen uit onze klas
A Karel woont in de Van Goghstraat.
B ________ .
4 A Maria B iemand
A Maria belt op om iets te vragen.
B ________ .
5 A Het formulier van de verzekering B een of ander formulier
A Het formulier van de verzekering ligt op tafel.
B ________ .

LUISTEREN

11

Noteer en herhaal het telefoonnummer.

DIT IS DE STEM OP DE CD	DIT ZEGT U
Voorbeeld:	
• Is Marjan thuis?	- Nee, kan ik een boodschap doorgeven?
• Nou, misschien kan ze me terugbellen?	- Wat is uw telefoonnummer?
• 3 55 01 99 *(schrijf het nummer op)*	- 3 55 01 99, klopt dat? *(herhaal het nummer)*
• Ja, dat klopt.	
1 ______________________	3 ______________________
2 ______________________	4 ______________________

12

Luister naar de tekst op het antwoordapparaat en beantwoord de vragen.
Noteer de telefoonnummers van
a persoonlijke adviseurs b schadeclaims c fax

13

Personen en situatie

U hoort een gesprek tussen een man en een medewerker van een bank.
De man komt aan de balie en wil informatie over een creditcard.

VRAGEN BIJ DE TEKST

Creditcards
U betaalt
met uw handtekening.
En u rekent pas later af.

1 Of de man een creditcard kan krijgen hangt af van:
   a één vraag, namelijk of de man een rekening heeft bij die bank.
   b twee vragen, namelijk met betrekking tot het salaris van de man en met betrekking tot zijn banksaldo.
   c drie vragen, namelijk of de man een rekening heeft bij die bank, en vragen met betrekking tot zijn salaris en zijn banksaldo.
2 Wat moet de man opsturen, als hij een creditcard wil krijgen?
   a een aanvraagformulier en een folder.
   b een aanvraagformulier en een kopie van de laatste salarisstrook.
   c een aanvraagformulier, een kopie van de laatste salarisstrook en een folder.

PROSODIE

14 ●

Luister naar de band. Zet het ritmeschema achter de woorden. Voorbeeld:

Vandaag ● —

1 bushalte	____	5 gereserveerd	____	9 secretaresse	____
2 automaten	____	6 salade	____	10 introduceren	____
3 pincode	____	7 directeur	____		
4 motivatie	____	8 financiën	____		

15 ●●

Lees de zinnen hardop.

Weet u zeker dat het adres klopt?
Kunt u dat nog een keer herhalen?
Kijk goed welke vragen je moet invullen.
Goed, dat moet dan maar.
Het is me niet helemaal duidelijk.
Ga maar zitten.
Ga je gang.

16 ●

U hoort een vraag. Kruis het goede antwoord aan.

1 Hangt mijn jas in de gang?
- ❑ Nee, die van Saskia.
- ❑ Nee, je trui.
- ❑ Nee, in de kast.

2 Ga je morgen om negen uur tennissen?
- ❑ Nee, hard lopen.
- ❑ Nee, overmorgen.
- ❑ Nee, om half tien.

3 Is je vrouw op zakenreis naar Berlijn?
- ❑ Nee, mijn zus.
- ❑ Nee, op vakantie.
- ❑ Nee, naar Rome.

4 Maakt Mieke in het weekend tomatensoep?
- ❑ Nee, kippensoep.
- ❑ Nee, Peter.
- ❑ Nee, volgende week.

17 ●

Luister en zeg na. Let goed op de intonatie!

1 Zit er te veel of te weinig suiker in je koffie?
2 Ik houd meer van pannenkoeken dan van zuurkool.
3 In de zomer ga ik zwemmen en in de winter ga ik schaatsen.
4 Hij gaat eerst naar Amsterdam, en daarna naar Utrecht.

SPREKEN

18

Vraag en antwoord. Werk in tweetallen.

PERSOON A	PERSOON B
bel op en vraag: *'Ga je mee iets drinken?'* of *'Gaan jullie mee iets drinken?'*	
	zeg dat u bezig bent en nu geen tijd of zin hebt.
vraag dan: *'Wat ben je aan het doen?'* of *'Wat zijn jullie aan het doen?'*	
	antwoord. Kies *Ik ben* ______ *aan het* ______ . *Wij zijn* ______ *aan het* ______ . *Ik zit* ______ *te* ______ . *Wij zitten* ______ *te* ______ .
Voorbeeld: Ga je mee iets drinken?	
	Nee, ik heb geen zin. Ik ben bezig.
Wat ben je aan het doen?	
	(krant lezen) Ik ben de krant aan het lezen. Ik zit de krant te lezen.

Wat zijn jullie aan het doen?

1 tv kijken
2 brief schrijven
3 kamer schilderen
4 eten koken
5 auto wassen
6 eten
7 fiets repareren
8 huiswerk maken
9 keuken opknappen
10 muziek luisteren

19

Leg uit: met de imperatief of met 'Je moet ______________.'
Gebruik ook woorden als: eerst, daarna, dan, ten slotte.

situaties:

- telefoneren vanuit telefooncel
- drankje uit automaat halen
- geld uit pinautomaat halen

20 ●●

U krijgt van de docent een foto. Beschrijf wat u ziet.

- Waar zijn de mensen? Beschrijf de plaats of de omgeving.
- Wat zijn de mensen aan het doen? Beschrijf hun activiteiten of hun situatie.

21 ●●

Telefoongesprekken. Werk in tweetallen.

1 U belt naar: Anneke
U spreekt met: Petra (huisgenoot)
- Anneke is niet thuis
- boodschap: morgen vrij / samen koffie drinken

2 U belt naar: Karel
U spreekt met: meneer De Vries (huisbaas)
- Karel is niet thuis
- boodschap: woensdag / voetballen Ajax- Juventus / samen kijken

3 U belt naar het gemeentelijk informatiecentrum
U spreekt met: Ina Karsemeijer
- rijexamen gehaald / hoe krijg ik nu een rijbewijs
- langs komen bij afdeling bevolking, loket 10, 2 pasfoto's meenemen en examenformulier

4 U belt naar: de bank
U spreekt met: Marcel Woudringa, afdeling voorlichting
- nieuwe rekening openen/ informatie over verschillende mogelijkheden / afspraak maken voor wanneer? / hoe laat?

5 Kies nu zelf de persoon en de situatie.

SCHRIJVEN

22 ●

U schrijft en kopieert een brief voor al uw vrienden. Gebruik de volgende woorden.

1 nieuw huis / vrijdag en zaterdag verhuizen / een dag komen helpen / na afloop pannenkoeken eten
2 volgende week zaterdag / jarig / feestje vanaf 21.00 uur

23 ●●

U hebt van een vriendin een recept gekregen.

Paprikaschotel

(4 personen), eenpansgerecht, gemakkelijk, lekker en niet duur

Ingrediënten

2 paprika's , 2 tomaten, 2 ons champignons of een blikje champignons, 3 à 4 ons runder- of varkensgehakt, 2 kopjes rijst, ruim 4 kopjes water.

Bereiding

Maak de paprika's schoon en snijd ze in kleine stukjes. Leg de tomaten even in heet water, schil ze en snijd ze in kleine stukjes. Maak balletjes van het gehakt. Doe de paprika's, de tomaten, de champignons, het gehakt, de rijst en het water in één pan. Voeg zout naar smaak toe. Kook het geheel plusminus 30 minuten op een laag vuur. Zorg dat het aan de kook blijft. Roer het iedere vijf minuten door. Voeg zo nodig wat water toe.

Opdracht

1 Schrijf zelf een gemakkelijk recept. Gebruik de imperatief.

LEZEN

24 ●

VRAGEN

1 Welke nummer moet u bellen als u informatie over trouwen wilt hebben?
2 Naar welk adres moet u een brief sturen?
3 Kunt u op woensdag tot negen uur 's avonds bij burgerzaken terecht?
4 U haalt uw paspoort op. Naar welk adres moet u?

U gaat naar burgerzaken:

5 Kunt u informatie krijgen over huurhuizen in de gemeente Utrecht?
6 Kunt u uw naam laten veranderen?
7 Kunt u een openbaarvervoerkaart krijgen?
8 Kunt u een rijbewijs krijgen?
9 Kunt u klagen over uw buren?

Burgerzaken Utrecht

POSTADRES Postbus 5000, 3502 JA Utrecht.

TELEFOON

2862080	informatielijn: paspoorten, rijbewijzen, uittreksel bevolkingsregister, verhuizing
2862155	informatielijn: geboorten, uittreksel en afschrift register burgerlijke stand, afspraken ondertrouw/huwelijk
2862000	overige afdelingen

FAXNUMMER 2862053

BEZOEKADRES Arthur van Schendelstraat 500 (voormalig AZU-terrein).

Openingstijden Maandag, dinsdag, woensdag en vrijdag van 09.00-17.00 uur.
Donderdag van 09.00-21.00 uur.

ACTIVITEITEN

- adoptie
- adreswijziging (aangifte van)
- afschrift uit de Gemeentelijke Basisadministratie Personen
- bejaardenpas (Pas 65)
- bewijs van Nederlanderschap
- echtscheiding
- eigen verklaring (rijbewijs)
- erkenning
- Europese Identiteitskaart
- geboorte
- legalisatie handtekening
- naamsverandering
- nationaliteitszaken
- naturalisatie
- oproepkaarten (verkiezingen)
- overlijden
- paspoort
- rijbewijs
- stembureaus
- trouwen en partnerschapsregistratie
- uittreksel uit het geboorteregister
- verklaring omtrent het gedrag
- verklaring omtrent inkomen en vermogen
- vertrek (uit Nederland)
- vestiging (uit het buitenland)

Binnenkort al onze producten op internet !

EXTRA VRAGEN

1 Bent u al eens in een gemeentehuis in Nederland geweest?
2 Wat heeft u daar gedaan?
3 Hoe is dat in uw land? Zijn er gemeentehuizen?
Voor welke zaken moet u naar een gemeentehuis?
4 Voor welke zaken moet u naar een andere instelling? Welke?

25

Elk jaar publiceert de gemeente Utrecht de STADSGIDS UTRECHT.
In deze brochure vindt u allerlei informatie over de stad en de gemeente Utrecht.
Hieronder ziet u zes titels uit deze brochure en zes stukjes tekst.
Welke titel past bij welk tekstfragment?

Titels

1 KLAGEN BIJ DE GEMEENTE
2 HET GEMEENTELIJK INFORMATIECENTRUM
3 CONTACT LEGGEN MET DE GEMEENTE
4 OPENBAAR VERVOER
5 TOEKOMST
6 HOGESCHOOL VAN UTRECHT

tekstfragmenten

A ... ruim 60 opleidingen, verdeeld over zes faculteiten. Het opleidingsaanbod bestrijkt een zeer breed spectrum bestaande uit communicatie, economie, gezondheidszorg, onderwijs, techniek en sociaal agogische opleidingen.
Veel opleidingen zijn zowel in voltijd als in deeltijd te volgen.

B ... eerst moet u schriftelijk een klacht indienen bij de ambtenaar of dienst waar u ontevreden over bent. Als er niet binnen zes weken naar uw zin op uw klacht is gereageerd, kunt u schrijven naar de ombudsman. Deze heeft de taak de klachten van de burgers te onderzoeken.

C ... Dat zou de bereikbaarheid van de regio verbeteren. Het hoofdkantoor van de Nederlandse Spoorwegen is in Utrecht gevestigd.
Het verkeers- en milieubeleid is erop gericht het woon-werkverkeer per trein en bus sterk te stimuleren.

D ... is een onderdeel van de afdeling Communicatie. U kunt er geïnformeerd worden over gemeentelijke onderwerpen. Bij de leestafel liggen alle stukken die in de raadscommissies worden behandeld. Ook is er een informatiebalie waar u terecht kunt met vragen over gemeentelijke zaken.

E ... gaat meestal het beste via een telefoontje. Maar als u een belangrijke zaak aan de orde wilt stellen, en wanneer u een officieel antwoord wilt hebben, kunt u beter een brief schrijven. Deze brief kunt u richten aan het College van Burgemeester en Wethouders, of aan de gemeenteraad van Utrecht.

F ... Niet alleen dienstverlenende bedrijven, maar ook industriële bedrijven zullen in Utrecht voldoende ruimte moeten krijgen. Daarom staan er voor de komende jaren veel grootschalige projecten op het programma, o.a. de ontwikkeling van een aantal kantoorprojecten en bedrijfsterreinen.

26 ●

U werkt op een kantoor, op kamer 0.10. Er is brand in de prullenbak naast uw bureau. Lees eerst de instructies 'Wat te doen bij brand?' en beantwoord de vragen.

Wat te doen bij brand?

1 Meld de aard en plaats van de brand via het interne alarmnummer en aan je leidinggevende.

2 Probeer de brand te blussen met een branddeken of met een brandblusser.

3 Houd een brandwond onder zacht stromend, lauw water.

4 Voorkom uitbreiding van het vuur en van rookontwikkeling door ramen en deuren te sluiten.

5 Als het nodig is om het gebouw te verlaten, doe dat dan rustig. Maak geen gebruik van de liften.

VRAGEN

1 U belt het alarmnummer. Wat zegt u?
2 U weet niet waar de brandblusser is. U roept een collega te hulp. Wat zegt u?
3 De collega helpt u en brandt haar hand. Wat zegt u?
4 Het lukt niet goed om de brand te blussen. Wat doet u?

Basis

1 TEKST

1a Lees de introductie.

Natasja voelt zich ziek
en wil een afspraak maken
met de dokter.
Zij belt de praktijk van
dokter Zeldenrust en spreekt
met zijn assistente (FRAGMENT 1).
Zij maakt een afspraak en
komt even later bij de dokter
op bezoek (FRAGMENT 2).

1b Luister naar de tekst. Kijk **niet** in het boek!

FRAGMENT 1

doktersassistente — Goedemorgen. Met gezondheidscentrum Kanaalweg.
Natasja — Goedemorgen. U spreekt met Natasja Smorenburg. Ik wilde graag voor vandaag nog een afspraak maken met dokter Zeldenrust.
doktersassistente — Dat kan ... vanmiddag om kwart voor vier.
Natasja — Kan het ook vroeger? Ik voel me echt niet lekker.
doktersassistente — Waar heb je last van?
Natasja — Ik ben heel erg verkouden en heb ook hoofdpijn, maar ik heb nog meer last van keelpijn.
doktersassistente — Hoe lang heb je dat al?
Natasja — Het is gisteren begonnen, maar vandaag voel ik me veel zieker dan gisteren.
doktersassistente — Ja, dan moet de dokter er even naar kijken. Kom maar om kwart over elf. Wat is je adres?
Natasja — Balistraat 7 bis.
doktersassistente — Goed, het staat genoteerd. Vanochtend om kwart over elf.
Natasja — Bedankt !

FRAGMENT 2

dokter Zeldenrust — Goedemorgen, Natasja.
Natasja — Dag, dokter.
dokter Zeldenrust — Zeg het eens. Wat is het probleem?

Natasja	Ik heb verschrikkelijke keelpijn. Ik ben ook nog flink verkouden en volgens mij zit het erg vast. Verder heb ik ook een beetje hoofdpijn, maar mijn keel doet het meest pijn.
dokter Zeldenrust	Heb je koorts?
Natasja	Nee, ik geloof het niet.
dokter Zeldenrust	Nou, we zullen eens kijken. Zeg eens aaaaaaa....
Natasja	aaaaaaa...
dokter Zeldenrust	Zucht eens diep...... Doet dit pijn?
Natasja	Niet echt pijn, maar ik voel het wel.
dokter Zeldenrust	Je hebt een flinke griep opgelopen en daardoor ook een keelontsteking. Je hebt ook een beetje verhoging, denk ik, maar dat valt wel mee. Ik zal je een recept meegeven, een middel tegen de hoest, dan krijgt je keel wat rust om te genezen. Als je nou voelt dat de koorts hoger wordt, kun je beter binnen blijven.
Natasja	En hoe lang kan het nog duren?
dokter Zeldenrust	Meestal drie tot vier dagen. Als het dan nog niet over is, moet je maar weer even bellen.

1c Oefening bij tekst 1.
Kies het goede antwoord.

1 Hoe laat heeft Natasja een afspraak?
a 11.15 b 15.45 c 16.15

2 Natasja heeft erg veel last van
a hoofdpijn b koorts c keelpijn

3 Op de vraag van de dokter: "Doet dit pijn?" antwoordt Natasja:
a nee b een beetje c ja

4 Volgens de dokter heeft Natasja
a griep b een keelontsteking c griep en een keelontsteking

5 De dokter schrijft een recept voor
a in verband met de keelpijn b in verband met de koorts c in verband met de hoofdpijn

2 TEKST

2a Introductie

In de volgende tekst krijgt u algemene informatie over een paar aspecten van de gezondheidszorg in Nederland.

2b Tekst

Naar de huisarts
Als u ziek bent of lichamelijke klachten hebt, kunt u in Nederland naar de huisarts gaan. U maakt een afspraak en de huisarts ontvangt u dan tijdens het spreekuur en onderzoekt u. In het algemeen stelt de huisarts u dan een paar vragen, over hoe u zich voelt, welke medicijnen u gebruikt, hoe lang u al klachten hebt, enzovoort. Als u niet naar de huisarts toe kunt, kan hij of zij u ook thuis bezoeken.
Medicijnen
Als het nodig is, schrijft de huisarts u een medicijn voor. U krijgt dan een recept, en met zo'n recept kunt u naar de apotheek gaan om de medicijnen af te halen. Voor een paar simpele medicijnen (bv. aspirines, keeltabletten) hebt u geen recept nodig. U kunt deze medicijnen direct bij de apotheek of bij de drogist kopen.
Naar de specialist
De huisarts kan u niet altijd helpen. Hij of zij kan u dan doorverwijzen naar een specialist in het ziekenhuis (bv. een oogarts, een cardioloog) of naar een fysiotherapeut, een logopedist, etc. Sommige specialisten hebben lange wachtlijsten, dus het kan lang duren voordat u uw eerste afspraak hebt.
Het gezondheidscentrum
Steeds meer huisartsen in Nederland willen niet meer alleen in hun praktijk werken. Ze gaan met andere huisartsen samenwerken in een gezondheidscentrum. In zo'n centrum werken ook vaak anderen, zoals fysiotherapeuten, logopedisten, psychologen en maatschappelijk werkers. De huisarts kan u dan ook gemakkelijker doorverwijzen naar een collega binnen hetzelfde centrum.
Ziektekostenverzekering
De kosten van veel medicijnen kunt u terugkrijgen via uw ziektekostenverzekering. Bij sommige apotheken moet u eerst betalen en kunt u de kosten bij uw verzekering declareren. Bij andere apotheken hoeft u niet te betalen; dan stuurt de apotheek de rekening direct naar uw verzekeraar. De apotheek bij u in de buurt kan u daarover meer informatie geven.
Uw verzekering betaalt meestal ook de kosten van het bezoek aan uw huisarts. Het geld voor een behandeling door een specialist krijgt u ook vaak terug, maar dat kan per verzekering verschillend zijn. Meestal is de regel: als u meer premie betaalt, krijgt u ook meer terug.

2c Oefening bij tekst 2.
Vul woorden uit de tekst in. Kies ook de goede vorm van het woord.

1 De huisarts ontvangt u tijdens het ______ en zal u dan ______ en een paar vragen ______ .
2 De huisarts kan u ook thuis ______ als dat nodig is.
3 Als de huisarts u medicijnen ______ , krijgt u een ______ .
4 Met dat ______ kunt u uw medicijnen afhalen bij de ______ .
5 Veel medicijnen krijgt u betaald via uw ______ .
6 Sommige medicijnen kunt u direct kopen bij een ______ of een ______ .
7 Als de huisarts u niet kan helpen, kan hij of zij u ______ naar een ______ in het ziekenhuis.
8 Een aantal huisartsen werkt tegenwoordig samen in een ______ .

3 TAALHULP

AFSPRAAK MAKEN
Ik wilde graag voor ______ nog een afspraak maken met ______ .

LIEVER OP EEN ANDERE TIJD
Kan het ook ______ ?

VRAGEN NAAR LICHAMELIJKE KLACHTEN	VERTELLEN OVER LICHAMELIJKE KLACHTEN
Hoe voel je je? Waar heb je last van? Hoe lang hebt u dat al? Voelt u zich al wat beter?	Ik voel me ziek. Ik voel me niet lekker. Ik ben verkouden / moe / ziek. Ik heb pijn in mijn buik / rug / been. Ik heb keelpijn / hoofdpijn / kiespijn / koorts. Mijn ______ doet pijn. Ik heb last van mijn ogen / oren.

ADVIES GEVEN
U kunt beter ______ (een paar dagen thuisblijven). U kunt het beste ______ (in bed blijven). Geen ______ (alcohol)! Niet ______ (roken)! U moet dit geneesmiddel twee maal per dag innemen. Als het volgende week nog niet over is, ______ (bel ons dan / moet u weer langskomen).

B

MET BETREKKING TOT EEN VERWACHTING REAGEREN

Dat valt mee = beter dan verwacht, men is opgelucht.
Je hebt een beetje verhoging, 38°. Dat valt mee.
Dat valt tegen= slechter dan verwacht, men is teleurgesteld
Ik voel me nog steeds erg ziek. Dat valt tegen.

4 GRAMMATICA

comparatief/superlatief

Vandaag is het niet zo *druk* bij de dokter.
Gisteren was het veel *drukker*, en eergisteren was het het *drukst*.

Sommige artsen zijn *duurder* dan andere..
Specialisten en chirurgen zijn meestal het *duurst*.

Ik heb veel last van hoofdpijn, maar nog *meer* last van keelpijn.
Mijn keel doet *het meest* pijn.

Gaat het goed met je? Vandaag gaat het al iets *beter* dan gisteren.
Dit geneesmiddel werkt het *best*.

Ik wil graag zo snel mogelijk komen, *liever* vanochtend dan vanmiddag.
Het liefst wil ik nu meteen komen.

Heb je koorts? Nou, weinig. In ieder geval *minder* dan gisteren.
Vrijdag was de koorts *het minst*.

Vul in.

OVERZICHT

basiswoord	*comparatief*	*superlatief*
druk	______	______
vroeg	______	______
duur	______	______
basiswoord	basiswoord + ______	basiswoord + ______

ONREGELMATIGE COMPARATIEVEN EN SUPERLATIEVEN

basiswoord	*comparatief*	*superlatief*
veel	______	______
goed	______	______
graag	______	______
weinig	______	______

pronomen reflexivum

Hoe voel je *je*?
Ik voel *me* ziek.
De dokter vraagt hoe u *zich* voelt.

Ik voel	*me*	ziek.
Jij voelt	*je*	ziek.
U voelt	*zich*	ziek.
Hij voelt	*zich*	ziek.
Zij voelt	*zich*	ziek.
Wij voelen	*ons*	ziek.
Jullie voelen	*je*	ziek.
Zij voelen	*zich*	ziek.

VRAGEN

1 Zoek op in een woordenboek: haasten, herinneren, vergissen, wassen.
2 Hoe geeft men in uw woordenboek aan of u een reflexief pronomen bij een verbum *moet* gebruiken?

Oefeningen

TAALHULP

1 ●

Voor zin 1 - 5: Welke reactie kan de patiënt hier geven?
Voor zin 6 - 10: Welke vraag kan de dokter hier stellen?
Voor zin 11 - 15: Welk advies kan de dokter hier geven?

DOKTER	PATIËNT
1 Hoe voelt u zich vandaag?	______________________.
2 Waar hebt u last van?	______________________.
3 Hoe lang hebt u dat al?	______________________.
4 Voelt u zich al wat beter?	______________________.
5 Waar hebt u pijn?	______________________.

DOKTER	PATIËNT
6 ______________________?	Een beetje.
7 ______________________?	Gisteravond is het begonnen.

8 ______________________________ ? Ik heb het meest last van hoofdpijn.
9 ______________________________ ? Ik weet het niet precies.
10 ______________________________ ? Ja, heel erg!

PATIËNT	DOKTER
11 En als het morgen nog niet over is?	______________.
12 Hoe vaak moet ik deze tabletten innemen?	______________.
13 Misschien heb ik wel griep.	______________.
14 Ik heb al twee weken last van mijn rug.	______________.
15 Ik ben de laatste tijd zo moe.	______________.

VOCABULAIRE

2 ●

Vul in.
Kies uit: *apotheek, cardioloog, drogist, fysiotherapeut, huisarts, logopedist, psycholoog, oogarts, opticiën, tandarts, verzekering.*

1 Als u hartklachten hebt, moet u naar de ________ .
2 Als u niet meer goed kunt zien, moet u naar de ________ of de ________ .
3 Als u aspirines wilt kopen, kunt u dat doen bij de ________ of de ________ .
4 Als u zich ziek voelt, gaat u eerst naar de ________ .
5 Als u pijn hebt in bijvoorbeeld uw rug of uw nek, moet u naar de ________ .
6 Als u voor medicijnen moet betalen, kunt u dat declareren bij uw ________ .
7 Als u veel last hebt van kiespijn, moet u naar de ________ .
8 Als u problemen hebt met duidelijk spreken, moet u naar de ________ .
9 Als u zich vaak depressief voelt, moet u misschien eens naar een ________ .
10 Als u een medicijn op recept krijgt, moet u dat afhalen bij de ________ .

3 ●

Wat hoort bij elkaar?

1 griep	a te hoge lichaamstemperatuur die ontstaat als je ziek bent.
2 kiespijn	b virusziekte waarbij je verkouden bent en koorts hebt.
3 koorts	c gezegd van iemand die kou gevat heeft, waardoor zijn neus verstopt is en hij hoest of keelpijn heeft.
4 medicijn	d je naar voelend, omdat er iets met je lichaam niet in orde is.
5 pijn	e pijn aan een van je achterste, grote tanden.
6 verkouden	f sterk onaangenaam gevoel op een bepaalde plaats in je lichaam, o.a. als je gewond bent.
7 ziek	g geneesmiddel.

GRAMMATICA

4 ●

Vul een comparatief in.

1 Waarom neem je bus 173 en niet bus 8?
- haltes: veel
- uitstaphalte: ver
- bus: vol

In de eerste plaats stopt bus 8 bij ________ haltes,
in de tweede plaats is de uitstaphalte van bus 8 ________ van mijn werk
en bovendien is bus 8 altijd veel ________ dan bus 173.

2 Waarom ga je naar het winkelcentrum en niet naar de supermarkt op de hoek?
- alles: duur
- artikelen : weinig
- personeel: vriendelijk

In de eerste plaats is alles in de supermarkt ________ ,
in de tweede plaats hebben ze daar ________ artikelen
en in de derde plaats is het personeel in het winkelcentrum veel ________ dan in de supermarkt.

3 Waarom gaan jullie altijd naar het zwembad in de stad en niet naar het zwembad in jullie dorp?
- zwembad: groot
- speeltuin: leuk
- kaartje: goedkoop

In de eerste plaats is het zwembad in de stad ________ ,
in de tweede plaats is de speeltuin daar ________
en bovendien zijn de kaartjes veel ________ dan de kaartjes van het zwembad bij ons in het dorp.

5 ●

Vul de superlatief in van één van de volgende woorden.
Kies uit: *boven, druk, goed, goedkoop, graag, groot, jong, klein, koel, licht, nieuw, oud, prettig, rustig, veel, warm, weinig.*

We hebben kort geleden een leuk huis gekocht via een makelaar.
Als je een huis wilt kopen, kun je het beste naar zo'n makelaar gaan, want dan is de kans groter dat je een geschikt huis vindt. Wij hebben nu iets in het oude centrum gevonden. Helaas zijn de huizen daar niet het ________ , maar we wilden er toch heel graag wonen.

Ik heb in veel huizen gewoond, maar dit vind ik het ________ huis, want het is zo ruim en het krijgt zoveel zon.
De ________ kamer is de zitkamer, die is 5 bij 7 meter.
Behalve de zitkamer en de keuken hebben we beneden ook nog een eetkamer.
Daar hebben we de ________ kastruimte, er staan drie grote kasten. Het is ook de ________ kamer in huis, want er zitten twee grote radiatoren.
Op de eerste verdieping zijn een badkamer, een slaapkamer en de kinderkamer.
De kinderkamer heeft twee grote ramen. Het is de ________ kamer van het huis, want er komt veel zonlicht binnen. Ons ________ zoontje, twee jaar oud, slaapt daar, want die kamer is dicht bij onze slaapkamer.
Op de ________ verdieping hebben we ook nog twee kamers. In één van die kamers slaapt onze ________ zoon van zes jaar. De andere kamer is mijn studeerkamer. Het is de ________ kamer in het huis, maar dat vind ik geen probleem. Ik heb niet veel ruimte nodig.
Er is wel een ander probleem: het verkeer in onze straat. 's Middags tussen vijf en zes is het altijd het ________ en dan kunnen we de ramen aan de voorkant niet open zetten, zo'n lawaai is het dan.
De ________ kamer is mijn studeerkamer, die ligt aan de achterkant van het huis, dus daar heb je de ________ last van het verkeer.
Ook heeft het huis een kelder. Dat is de ________ plaats van het huis, dus daar kunnen we etenswaren bewaren.

6 ●●

Als u moet kiezen, wat kiest u dan, en waarom?
Gebruik een superlatiefvorm van het woord tussen haakjes.
Voorbeeld:
Van de grote steden in Nederland vind ik ________ (leuk), omdat ________ .
Van de grote steden in Nederland vind ik **Amsterdam** *het leukst*, omdat *er in Amsterdam zoveel te zien en te doen is.*

1 Als ik op vakantie ga, ga ik (graag) naar ________ , omdat ________ .
2 Als ik tv kijk, kijk ik (veel) ________ naar ________ , omdat ________ .
3 Van de Nederlandse taal vind ik ________ (moeilijk), omdat ________ .
4 In de Nederlandse cultuur vind ik ________ (gek), omdat ________ .
5 Als ik vrije tijd heb, ga ik (vaak) ________ omdat ________ .
6 Artikelen in de krant over het onderwerp ________ vind ik (interessant), omdat ________ .
7 Van alle transportmiddelen in Nederland vind ik ________ (slecht), omdat ________ .
8 Als u mijn land wilt bezoeken, kunt u (goed) naar ________ gaan, omdat ________ .

7 ●

Vul in.
Kies uit: *me, je, zich, ons*
Voorbeeld:
Dag, meneer Pieters. Hoe voelt u *zich* vandaag?

1 Ik voel ________ al een paar dagen niet zo lekker.
2 De huisarts wil weten hoe jullie ________ voelen.
3 Saskia voelt ________ vandaag al wat beter.
4 Hoe heet je? Ik herinner ________ je naam niet meer.
5 Herinner jij ________ nog hoe het vroeger was op school?
6 Karel kan ________ niet herinneren hoe laat hij thuis is gekomen.
7 Wij willen ________ inschrijven voor een cursus Nederlands.
8 Weet u dat u ________ voor het eind van de maand moet inschrijven?

8 ●●

Zet de zinnen in perfectum.
Kies zelf een vorm van *hebben* of *zijn*. (Kijk eventueel in een woordenboek.)
Voorbeeld:
(wonen) Voor mijn huwelijk ik in Parijs.
Voor mijn huwelijk *heb* ik in Parijs *gewoond*.

1 (worden) Maria vandaag tijdens de cursus ziek.
(fietsen) Daarom zij snel haar huis.
(opbellen) Thuis zij meteen de huisarts.
(spreken) Zij met de assistente en
(maken) zij voor vanmiddag een afspraak.
(gaan) Om vier uur zij naar het gezondheidscentrum.
(krijgen) Van de dokter zij een pijnstiller.

2 (zijn) Wij vandaag een dagje in Amsterdam.
(lopen) Wij vooral heel erg veel.
(tegenkomen) Heel toevallig wij een paar vrienden.
(drinken) Samen wij toen iets in een café. Heel gezellig!
(zoeken) Daarna ik in mijn eentje nog naar een boekwinkel.
(kopen) Daar ik de laatste roman van Mulisch.

3 (blijven) Ik gisteravond tot heel laat op.
(gaan) Ik pas om twee uur ’s nachts naar bed.
(wachten) omdat ik heel lang op jou.
(gebeuren) Wat er toch?

(zeggen)	Waarom je mij niet dat je een afspraak met een ander had?
(doen)	Je me heel veel pijn!

4
(vertellen)	Juan gistermorgen een lang verhaal.
(verhuizen)	Hij vertelde dat hij vorige maand.
(huren)	Hij een huis in Houten.
(opknappen)	Eerst hij alles.
(brengen)	Daarna hij al zijn meubels naar Houten.
(uitnodigen)	Gisteren hij ons allemaal voor een feest in zijn nieuwe huis.

LUISTEREN

9 ● en ●●

Personen en situatie

U bent aanwezig op een informatieavond van het gezondheidscentrum.

FRAGMENT 1

Huisarts Verbeek vertelt de aanwezigen eerst iets over de griepinjectie.
Luister naar de tekst. Geef antwoord op de vragen.

1 Wat bedoelt dokter Verbeek met het woord 'griepgolf'?

____.

2 Wanneer is de kans niet zo groot dat u griep krijgt?

a ____.

b ____.

3 Voor welke groepen mensen is de griepinjectie echt nodig?

____.

4 Wat moet u doen, als u denkt tot de risicogroep te behoren?

____.

5 Hoe kunt u nog meer informatie krijgen?

____.

FRAGMENT 2

Na zijn korte toespraak geeft Verbeek het woord aan Hanneke de Jong.
Zij volgt de opleiding tot huisarts en stelt zichzelf voor aan het publiek.

1 Hoe lang moet Hanneke de Jong nog studeren voor huisarts?

____.

2 Wat gaat ze doen in de eerste twee maanden van haar stage?

____.

3 Wat gaat ze doen in de laatste maand van haar stage?

____.

4 Op welke dagen/dagdelen is ze op de praktijk aanwezig?

____.

5 Op welke dag is ze niet aanwezig? Waarom niet?

____.

PROSODIE

10 ●

Luister naar de docent. Zet een ● in de goede kolom

Voorbeeld:

1 dokter   3 specialist

2 praktijk   4 verkouden

Vul in.

	A	B	C	D
	— •	• —	• • —	• — •
1	●			
2		●		
3			●	
4				●

11 ●● 

Luister naar de cassette.

Hoeveel accenten telt u? Zet een streep onder de woorddelen met accent.

Voorbeeld:

Na<u>tasj</u>a <u>Smo</u>renburg (2)

1 Gezondheidscentrum.

2 Met de assistente van dokter Zeldenrust.

3 ’k Voel me zieker dan gisteren.

4 Goed. ’t Staat genoteerd.

5 Vanmiddag om kwart voor vier.

6 Verschrikkelijke keelpijn.

7 Ik geloof het niet.

8 Ik weet het niet.

9 Ik denk het wel.

10 Je kunt beter binnen blijven.

12 ●● 

Luister naar het ritme. Welke zinnen zijn anders?

a Waar heb je last van?

b Kom op mijn spreekuur.

c ’k Ga naar de dokter.

d Kan het ook vroeger?

e Erg verkouden.

f Hoe lang heb je dat al?

g Kwart over twaalf.

h Wat is het probleem?

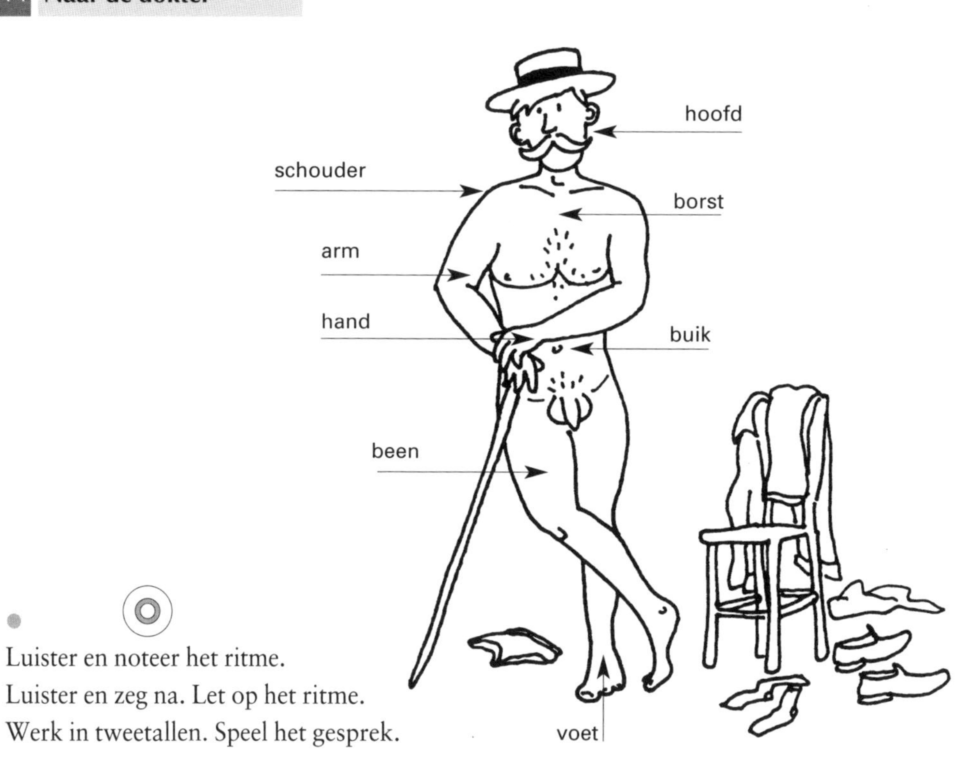

13

a Luister en noteer het ritme.

b Luister en zeg na. Let op het ritme.

c Werk in tweetallen. Speel het gesprek.

DOKTER	PATIËNT
Hoe voelt u zich?	'k Voel me ziek.
Waar hebt u last van?	'k Ben zo moe.
	Zo verschrikkelijk moe.
	En vreselijk verkouden.
Hebt u koorts?	'k Heb ook koorts
Zeg eens a.	
Zucht eens diep.	
Doet het pijn?	Niet echt pijn.
Voelt u 't wel?	't Valt wel mee.
U hebt griep.	Duurt het lang?
Een dag of vier.	
Blijf maar in bed.	In bed?? Nee hoor, dat kan niet!
	'k Heb helemaal geen tijd!

14

Klinkt deze persoon positief ☺ of negatief ☹ ?

A ❑ ❑ B ❑ ❑

SPREKEN

15 ●

Geef instructie. Gebruik de imperatief.

1 BRUISTABLET

Hoe moet ik dit geneesmiddel innemen?
(glas water + nemen)
(tablet + in glas doen)
(roeren tot het opgelost is)
(water + opdrinken)

2 ASPIRIENTJE

Hoe moet ik dit geneesmiddel innemen?
(glas water + nemen)
(aspirientje + in de mond doen)
(doorslikken met water)

16 ●

Vraag en antwoord. Werk in kleine groepjes.

1 Bent u wel eens ziek?
2 Wanneer bent u voor het laatst bij de dokter geweest?
3 Bent u wel eens bij een Nederlandse arts geweest?
4 Gaat dat op dezelfde manier als u gewend bent in uw eigen land?
5 Vertel iets over de gezondheidszorg in uw eigen land.
6 Vertel iets over een veel voorkomende ziekte in uw land.

17 ●●

Vraag en antwoord, werk in tweetallen.
Situatie: A en B hebben voor vanavond een afspraak om uit te gaan.
Helaas is A ziek geworden. A belt B op om de afspraak af te zeggen.

PERSOON A	PERSOON B
	Neem de telefoon aan.
Zeg wie u bent en dat u vanavond niet kunt komen.	
	Vraag wat er aan de hand is.
Zeg dat u zich niet zo lekker voelt.	
	Vraag of A bij de dokter geweest is.
Zeg dat u vanmorgen bij de dokter geweest bent. Vertel ook wat de dokter gezegd heeft.	
	Zeg dat u kort geleden hetzelfde had. Vertel ook wat u toen gedaan hebt. Vraag of u iets kunt doen voor A.
Vraag of B een paar boodschappen voor u kan doen. Vertel ook wat u nodig hebt.	
	Zeg dat u de boodschappen vandaag nog zult doen. Vraag ook wanneer u de boodschappen langs kunt brengen.
Zeg dat u eerst een paar uur gaat slapen. Zeg wanneer B bij u langs kan komen.	
	Wens A beterschap en geef nog een goed advies.
Bedank voor het advies en de hulp.	

DE GRIEP-OF-VERKOUDHEID-TEST

SYMPTOMEN	VERKOUDHEID	GRIEP	JIJ
koorts	zelden	meestal (tot 40°) gedurende 3-4 dagen	
hoofdpijn	zelden	vaak	
spier- en gewrichtspijnen	een beetje	meestal	
moeheid, slapte	matig	kan wel 3 weken duren	
uitputting	nooit	soms	
verstopte neus	meestal	soms	
niezen	meestal	soms	
keelpijn	meestal	meestal	
hoesten, pijn op de borst	mild, droge kuchhoest	meestal, kan heel ernstig worden	

18 ●●

Spreekwoorden

In Nederland zeggen we:

Beter te hard geblazen dan de mond gebrand.

We bedoelen dan:

Je kunt beter té voorzichtig zijn, dan risico's lopen.

Wat denkt u dat men bedoelt met de volgende spreekwoorden? Bedenk een situatie.

1 Beter laat dan nooit.
2 Beter een half ei dan een lege dop.
3 Beter één vogel in de hand dan tien in de lucht.

Vertaal een spreekwoord dat u kent in het Nederlands en gebruik: 'beter dan'.
Leg ook uit wat men ermee bedoelt.
Voorbeeld:

In Italië zeggen we:
Beter een ei vandaag *dan* een kuiken morgen.

SCHRIJVEN

19 ●
Maak de zinnen compleet.

onderwerp: gezondheid

1 Ik ga naar de huisarts als ______________________________.
2 Saskia is naar de apotheek gegaan om ______________________________.
3 Nederlanders kopen graag drop omdat ______________________________.
4 Ik koop papieren zakdoekjes omdat ______________________________.
5 Als u hoge koorts heeft, ______________________________.
6 Ik weet niet hoe ik dit geneesmiddel ______________________________.
7 Ik zwem elke week omdat ______________________________.
8 Ik heb last van hoofdpijn, daarom ______________________________.

20 ●●

Brief

U schrijft een korte brief aan de heer De Wolf, coördinator van de cursussen Nederlands op het taleninstituut WIJ HELPEN! U hebt daar een cursus Nederlands gevolgd. Het was een cursus van drie maanden, maar door ziekte hebt u de laatste maand van de cursus gemist.
U wilt weten of u een deel van het cursusgeld kunt terugkrijgen.
Maak de brief compleet.

____
____

(uw naam en adres)

Aan de heer De Wolf
Taleninstituut WIJ HELPEN
____
____

(adres taleninstituut)

____________________ (plaats), ______________ (datum)

Geachte heer De Wolf,

De afgelopen drie maanden was ik als cursist ingeschreven bij de cursus voor ______________ op uw instituut. Helaas heb ik alleen de eerste twee maanden van de cursus gevolgd, omdat ik
in de laatste maand ____ .
Ik heb veel last gehad van _______________________ en mijn huisarts heeft me geadviseerd om _________________________________ .
Hij heeft me hiervan ook een verklaring gegeven. Hierbij stuur ik u ________________________ .

Het was dus niet mijn eigen fout dat ik __________________________ .

Daarom wil ik u vragen of het mogelijk is dat ik _____________________ .

Ik hoop binnenkort iets van u te horen.

Met vriendelijke groeten,

____
____

(uw naam en handtekening)

LEZEN

21

Zoek in de tekst het goede antwoord.

1 Op welke dagen kunt u na vier uur 's middags geen afspraak maken?
   a op woensdag en donderdag
   b op woensdag en vrijdag
   c op donderdag en vrijdag

2 Kunt u uw huisarts zelf aan de telefoon krijgen?
   a Nee, dat kan niet.
   b Ja, dat kan altijd, als het een spoedgeval is.
   c Ja, dat kan, maar niet tijdens het spreekuur.

3 Waarom moet de assistente u soms wat vragen stellen?
   a omdat ze u niet kan zien.
   b omdat ze nog veel moet leren.
   c omdat ze goed wil weten hoe uw situatie is.

4 Als u iets wil weten over de uitslag van een onderzoek, kunt u
   a telefonisch informatie krijgen tussen 11.00 en 12.00 uur.
   b telefonisch informatie krijgen tussen 08.00 en 10.30 uur.
   c even langskomen tussen 11.00 en 12.00 uur.

5 U hebt op maandagmorgen een beetje last van keelpijn.
   Voordat u naar uw werk gaat, belt u naar de huisartsenpraktijk.
   Welk nummer moet u dan niet bellen?
   a 030 - 278 54 33
   b 030 - 232 60 61
   c 030 - 278 53 31

Wegwijzer

Huisartsenpraktijk en Gezondheidscentrum Tuindorp

HUISARTSEN	ASSISTENTES
A. van Dam	Anja Hovers
T. Verbeek	Karin van Doorn

Telefoon praktijk dokter Van Dam: 030 - 278 54 33
Telefoon praktijk dokter Verbeek: 030 - 278 53 31

De huisartsen houden spreekuur volgens afspraak. Voor spoedgevallen kunt u ALTIJD terecht.

SPREEKUUR HUISARTSEN

	Dr. van Dam	Dr. Verbeek
maandag	08.45 - 12.00 14.00 - 17.00	08.00 - 11.00 14.00 - 16.00
dinsdag	08.45 - 12.00 14.00 - 17.00	08.00 - 11.00
woensdag	08.15 - 12.00 14.00 - 15.30	
donderdag	08.45 - 12.00 14.00 - 15.30	08.00 - 11.00 14.00 - 17.00
vrijdag	14.00 - 16.00	08.00 - 11.00

Wilt u uw huisarts telefonisch zelf spreken, geef dit dan door aan de assistentes. U wordt zo snel mogelijk - na het spreekuur - teruggebeld.
De praktijk is gesloten van 12.00 tot 14.00 uur. Uw huisarts is dan wel telefonisch te bereiken voor dringende gevallen.

Afspraken, aanvragen van visites bij u thuis, herhalingsrecepten
Wilt u voor het maken van afspraken, aanvragen van visites en voor herhalingsrecepten - zo mogelijk - bellen tussen 08.00 en 10.30 uur. U wordt dan te woord gestaan door de assistente. Zij moet u soms enkele vragen stellen.
Die vragen zijn bedoeld om de ernst van de situatie goed in te schatten. Het is dus geen nieuwsgierigheid!

Bellen voor uitslagen van onderzoek
via de assistentes: tussen 11.00 en 12.00 uur.

Medicijnen ophalen
Bij uw apotheek de volgende ochtend tenzij anders afgesproken.
Op vrijdagmiddag na 16.30 uur.

VOOR DRINGENDE GEVALLEN BUITEN WERKTIJDEN KUNT U ALTIJD BELLEN:
het alarmnummer is: 030 - 232 60 61

Bron: Informatie huisartsenpraktijk Overvecht (namen en telefoonnummers e.d. veranderd).

22 ●

Zoek in de teksten een antwoord op de volgende vragen:

1. Wanneer mag u 20-30 druppels Nisyleen ineens innemen?
2. Mag een kind van 11 jaar maximaal 6 tabletten paracetamol per dag innemen?
3. Hoeveel tabletten Trachitol mag u als volwassene maximaal per 24 uur gebruiken?
4. Welk(e) middel(en) kunt u gebruiken:
   a. als u last van uw verstandskies hebt?
   b. als u hoofdpijn hebt?
   c. als u koorts hebt?
   d. als u beginnende griep hebt?
   e. als u rillerig bent?
   f. als u last van uw keel hebt?

Nisyleen druppels

Samenstelling:
Per 100 g: Aconitum D4, Bryonia D3, Eucalyptus D2 (4%), Eupatorium perfoliatum D2 (50%), Gelsemium D4, Ipecacuanha D4, Phosphorus D6, ethanol/aqua; alcoholgehalte 44% (v/v).

Toepassing:
Bij griep en verkoudheid.

Dosering en gebruiksaanwijzing:
Tenzij anders is voorgeschreven, bij de eerste verschijnselen van griep of verkoudheid (zoals rillerigheid en spierpijn) elk uur 10 druppels innemen, tenminste een half uur voor of na het eten. Eventueel voor het slapen gaan 20-30 druppels ineens innemen. Bij vermindering van de klachten elke 2-3 uur 10 druppels innemen, daarna nog enkele dagen 3x daags 10 druppels innemen. Voor kinderdosering: zie bijsluiter.

Buiten invloed van direct zonlicht, rechtopstaand en bij kamertemperatuur bewaren.

Bewaar geneesmiddelen altijd buiten bereik van kinderen.

Lees ook de bijsluiter!

Bij beginnende keelpijn

Trachitol® zuigtabletten

Samenstelling per tablet: Lidocaïnehydrochloride · 1 H_2O 1,0 mg, kaliumaluminiumsulfaat · 12 H_2O 1,0 mg, propylhydroxybenzoaat 1,8 mg per zuigtablet.
Hulpstoffen: Magnesiumstearaat, paraffine, pepermuntolie, sorbitol.

suikervrij

Wijze van gebruik: Volwassenen: tot 8 zuigtabletten per etmaal. Kinderen: tot 6 zuigtabletten per etmaal. U kunt steeds om de twee uur een zuigtablet gebruiken.
Lees voor gebruik de bijsluiter. Bij kamertemperatuur (15-25° C) bewaren op een droge plek.
Buiten bereik van kinderen bewaren.

Toepassing
Pijn en koorts bij griep en verkoudheid.
Hoofdpijn, kiespijn, menstruatiepijn, spierpijn, spit, zenuwpijn.
Pijn en koorts na inenting.

Paracetamol 500 mg

Gebruiksaanwijzing

leeftijd	per keer	max. per 24 uur
6-9 jaar	½ tablet	2-3 tabletten
9-12 jaar	1 tablet	3-4 tabletten
12-15 jaar	1 tablet	4-6 tabletten
vanaf 15 jaar	1-2 tabletten	6 tabletten

Innemen met een glas water.

Niet te gebruiken: Bij overgevoeligheid voor paracetamol of één van de andere bestanddelen.
Hulpstoffen: Zie ingesloten bijsluiter.
Lees voor het gebruik de bijsluiter.
Houd geneesmiddelen altijd buiten het bereik van kinderen.
Bij kamertemperatuur (15-25 °C) bewaren.

Basis

1 TEKST

1a Lees de introductie.

Remco Willems is op bezoek bij zijn oma. Zij is de moeder van zijn moeder.
Zij praten over vroeger, toen oma nog jong was.

1b Luister naar de tekst. Kijk **niet** in het boek! 

oma	Vertel eens, Remco, ben je nu klaar met school?
Remco	Ja, vorige week heb ik het laatste examen gehad. Het ging wel redelijk. Alleen wiskunde was erg moeilijk, maar dat wist ik al voor het examen. Ik hoop dat ik slaag.
oma	Wanneer hoor je of je geslaagd bent?
Remco	Over een paar weken. Ik zal blij zijn als ik niet meer op school zit!
oma	Och jongen, dat zeg je nu, maar je zult er nog vaak met plezier aan terugdenken.
Remco	Hoe was het vroeger, oma? Herinnert u zich nog uw schooltijd?
oma	Oh, dat is al zo lang geleden. Ik ben nu 72, dus dat is ongeveer zestig jaar geleden.
Remco	En wanneer hebt u eindexamen gedaan?
oma	Ach, joh, zover ben ik niet gekomen. Toen ik klein was, was er niet eens een kleuterschool*, alleen een lagere school. Daarna wilde ik

* groep 1 en 2 van de basisschool, voor 4 - tot 6 - jarigen.

	wel verder leren, maar mijn vader vond dat niet nodig. Wij hadden vroeger thuis een boerderij. Er was elke dag veel werk en ik moest meehelpen.
Remco	Dus u hebt nooit op de middelbare school gezeten?
oma	Nee, in die tijd was dat nog niet zo normaal, zeker niet voor meisjes. Als meisje hoefde je niet zoveel te leren, want je ging toch jong trouwen en dan werd je moeder. Toen hadden de gezinnen meestal veel kinderen, dus als moeder had je thuis je handen vol. Kinderen verzorgen en part-time werken kon een vrouw niet combineren. Dat is tegenwoordig heel anders.
Remco	Hoe oud was u toen u trouwde?
oma	19. Ik ontmoette je opa toen ik 17 was, en twee jaar later trouwden we. Ja, ik was nog jong, maar dat was toch een mooie tijd! En toen ik twintig was, werd ik al moeder.
Remco	Vond u het niet vervelend dat u zo jong al een gezin had?
oma	Nee hoor, dat was geen probleem voor mij. Zoals je weet, heb ik vijf kinderen gekregen, en Myra, jouw moeder, was de derde ... eh, hoe oud is ze nu?
Remco	Even denken. Ma is nu ... 48 jaar.
oma	Juist. Toen ik haar kreeg, was ik zelf 24. Goh, dat is ook al zo lang geleden. Waar blijft de tijd!

1c Vragen bij de tekst.

Waar of niet waar?	**waar**	**niet waar?**
1 Remco is niet geslaagd voor het examen, want hij heeft wiskunde niet goed gemaakt.	❑	❑
2 Oma's schooltijd is ruim 70 jaar geleden.	❑	❑
3 Oma wilde wel naar de middelbare school, maar haar vader vond dat niet nodig.	❑	❑
4 Oma moest meehelpen op de boerderij. Daarom kon ze niet naar de lagere school.	❑	❑
5 Vroeger gingen veel meisjes na de lagere school niet verder leren.	❑	❑
6 Kinderen verzorgen kon een vrouw vroeger alleen combineren met part-time werken.	❑	❑
7 Oma was nog jong toen ze moeder werd, maar dat vond ze niet vervelend.	❑	❑
8 De moeder van Remco is het jongste kind van oma.	❑	❑

2 TEKST

2a Introductie

Lianne is een oude studievriendin van Saskia. Een jaar geleden ontmoette Lianne op vakantie in Spanje een leuke Spanjaard, Juan. Het was liefde op het eerste gezicht. Een paar maanden geleden stopte Lianne met haar studie Spaans en verhuisde zij naar Madrid. Daar woont zij nu samen met Juan. Saskia schrijft haar een brief: over het weer in Nederland, over Karels nieuwe huis, en over haar vakantieplannen.

2b Lees de tekst.

Lieve Lianne,

Hoe gaat het met je in Madrid? Ik hoop goed. En gaat het goed tussen jou en Juan? Je spreekt waarschijnlijk al veel beter Spaans dan ik.

Het weer bij jullie is vast beter dan hier. Wij hebben de laatste tijd zulk vreselijk weer gehad.

Het kon niet slechter. Het regende van s morgens vroeg tot s avonds laat. Toen ik vanmorgen opstond, scheen gelukkig de zon, maar dat duurde niet lang. Vanmiddag begon het alweer te regenen, bah!

Heb je het al gehoord? Karel heeft een huis gekocht! Ja, je leest het goed, geen kamer gehuurd, maar een huis gekocht. Karel was al lang op zoek naar een woning, maar er was nergens een geschikte kamer te vinden. Er stonden wel overal huizen te koop. Dus is hij samen met zijn vader naar een makelaar gegaan. Binnen een maand had hij een huis!

Eigenlijk heeft zijn vader het gekocht, en Karel huurt het van zijn vader.

Theo, een vriend van hem, zocht ook een kamer. Karel heeft hem een kamer in zijn nieuwe huis aangeboden, omdat hij nu toch genoeg ruimte heeft.

Vorige week dinsdag zijn Karel en Theo verhuisd. Ik heb ze geholpen met de verhuizing en gisteren ben ik er weer even geweest. Ik heb ze geholpen met dozen uitpakken.

Het huisje is mooi, met een leuk tuintje. Het is wel klein, maar groot genoeg voor twee personen. Als je weer eens in Nederland bent, gaan we samen een keer langs bij Karel.

Ik wil je nog iets vragen. Eind augustus ga ik met een vriendin van me naar Salamanca voor een cursus Spaans. Misschien kan ik het combineren met een bezoek aan jou in Madrid? Ik wil graag een week v r de cursus naar Madrid komen, als dat kan. Dan blijf ik een paar dagen bij jullie logeren, voordat ik naar Salamanca ga.

Schrijf je gauw terug? Ik wil graag weten hoe het met je gaat.

Veel liefs,

Saskia

2c Vragen bij de tekst.

Waar of niet waar?	waar	niet waar
1 Lianne is naar Madrid verhuisd om daar Spaans te studeren.	❑	❑
2 Saskia denkt dat Lianne beter Spaans spreekt dan zij.	❑	❑
3 Saskia denkt dat het weer slecht is in Madrid.	❑	❑
4 Karel kon nergens een goede kamer vinden.	❑	❑
5 Karel heeft een huis gekocht van zijn vader.	❑	❑
6 Theo heeft Karel aangeboden in zijn nieuwe huis te komen wonen.	❑	❑
7 Vorige week dinsdag heeft Saskia geholpen met dozen uitpakken.	❑	❑
8 Het huis is niet groot, maar er is genoeg ruimte voor twee personen.	❑	❑
9 Saskia wil in Madrid Lianne opzoeken en in Salamanca een cursus Spaans doen.	❑	❑
10 Saskia gaat eerst naar Salamanca en daarna naar Madrid.	❑	❑

3 TAALHULP

Het verleden

VRAGEN NAAR VROEGER	PRATEN OVER VROEGER
Hoe was dat vroeger?	Toen ik ______ (klein/jong/etc.) was, ______ .
Herinnert u zich ______ nog?	Toen ik nog in ______ woonde, ______ .
Weet je nog hoe ______ ?	
	Dat was een ______ (leuke/mooie/etc.) tijd.

TIJDINDICATIES VAN VROEGER

______ **geleden**
twee/drie/een paar weken/maanden geleden.
Drie jaar geleden zijn wij verhuisd.

vorig(e) ______ .
Vorige week heb ik hem nog gezien.
Vorig jaar zijn wij naar Tsjechië geweest.

TIJDINDICATIES VAN VROEGER (vervolg)

afgelopen ______ .

Afgelopen zomer heb ik in een hotel gewerkt.

vroeger

Vroeger woonde ik in een klein dorp.

lang geleden

Dat is al lang geleden.
Lang geleden leefde er een koning in een ver land.

in het jaar ______ .

In het jaar 1648 eindigde de Tachtigjarige Oorlog.

in de jaren ______ .

In de jaren 60 waren de Beatles heel beroemd.

in de ______ eeuw

In de 17e eeuw leefden beroemde schilders als Rembrandt en Frans Hals.

in de periode van ______ tot ______ .

In de periode van 1568 tot 1648 waren 'de Nederlanders' in opstand tegen de Spanjaarden.

De toekomst

HOOP UITDRUKKEN

Ik hoop dat ______ .

Ik hoop dat ik slaag.

PRATEN OVER TOEKOMST

Ik ga ______ .

Ik ga na mijn eindexamen naar de toneelschool.
Ik ga eerst een grote reis maken.

Ik zal / Je zult ______ .

Ik zal blij zijn als ik slaag.
Je zult er nog vaak met plezier aan denken.

4 GRAMMATICA

Imperfectum: Regelmatige verba

Lianne en Juan ontmoet*ten* elkaar op vakantie in Spanje.
Een paar maanden geleden stop*te* Lianne met haar studie.

Vroeger woon*de* ik in een klein dorp.
Dat gesprek duur*de* niet lang.

Analyse: het imperfectum = stam + te(n) / de(n)

Vul in.

Infinitief	stam	Imperfectum singularis	Imperfectum pluralis
ontmoeten	ontmoet	ontmoet*te*	ontmoet*ten*
stoppen	________	________________	________________
wonen	________	________________	________________
duren	________	________________	________________

Imperfectum: Onregelmatige verba

Er *stonden* overal huizen te koop
Theo *zocht* ook een kamer.

NB: Aan de infinitief kunt u niet zien of een verbum regelmatig is of onregelmatig.

Imperfectum: Separabele verba

Karel *belde* mij vorige week *op*.
Hij *nodigde* mij voor het eten *uit*.
Toen ik vanmorgen *opstond*, scheen de zon.

VRAAG

Welke zinnen in tekst 1 en tekst 2 staan in het imperfectum?
Zoek van alle verba de infinitief op.
Welke verba zijn regelmatig, onregelmatig, separabel? Zet ze in een schema.

Separabele verba in bijzinnen

Vergelijk:
Ik *sta* 's morgens om half acht *op*, en dan ga ik eerst onder de douche.
Als ik 's morgens om half acht *opsta*, ga ik eerst onder de douche.

Ik *stond* vanmorgen om half acht *op*. De zon scheen.
Toen ik vanmorgen om half acht *opstond*, scheen de zon.

VRAAG
Wat is de regel, denkt u?

Pronomen demonstrativum

Dat is in *deze* tijd wel anders!
Dat was in *die* tijd heel anders!

Deze school is leuk, maar *die* (school) niet.

In *dit* dorp wonen mijn ouders.
Mijn opa en oma wonen in *dat* andere dorp.

Dit gezin is groot, maar *dat* (gezin) is klein.

Vul in: *deze, die, dit, dat*

	het-woorden	*de*-woorden	pluralis
hier	________	________	________
daar	________	________	________

Welke demonstrativa moeten gebruikt worden voor de pluralis, denkt u?
Kijk eerst goed naar het volgende schema.
De regels voor pluralis zijn steeds dezelfde als de regels voor ________ -woorden

	het-woorden	*de*-woorden	pluralis
ons/onze	ons	onze	onze
welk/welke	welk	welke	welke

Oefeningen

TAALHULP

1 •

Geef kort antwoord op de vragen.

Voorbeeld: Wanneer hebt u de test gedaan?
Twee weken geleden.

Uw jeugd en schooltijd
- Wanneer bent u geboren? Hoeveel jaar is dat geleden?
- Hoe lang geleden zat u op de basisschool?
- In welke jaren zat u op de middelbare school?

Nederlands leren
- Wanneer bent u begonnen Nederlands te leren?
- Wanneer bent u met deze cursus begonnen?
- Wanneer was de vorige les?
- Wanneer hebt u voor het laatst Nederlands gesproken buiten de les?

2 •

Wat hoort bij elkaar?

VRAGEN
1 Ging u wel eens op vakantie, oma? Hoe was dat vroeger?
2 Herinnert u zich uw eerste schooldag nog?
3 Weet u nog hoe uw dorp er vroeger uitzag?
4 Je hebt toch gisteren examen gedaan? Hoe ging het?
5 Wat ga je doen als je geslaagd bent?

ANTWOORDEN
a Toen ik jong was, gingen we nooit met vakantie.
We gingen in de zomer één dagje naar zee en één dagje naar de grote stad.
Dat was alles.
b Ja, ik weet het niet, ik heb er niet zoveel vertrouwen in, maar ik hoop toch wel dat ik slaag.
c Dat was een leuke dag. Ik had nieuwe kleren aan en nieuwe schoenen.
Ik was heel nerveus. Mijn oudere zusje ging met me mee.
d Ik weet het nog niet precies. In ieder geval ga ik eerst met vakantie. En dan ga ik, denk ik, een baan zoeken, via een uitzendbureau of zo. Ik zal wel zien.
e Toen ik nog in Julianadorp woonde, waren er nog niet zoveel huizen, en er was geen winkelcentrum, geen postkantoor, geen bibliotheek. Aan het dorpsplein stonden de kerk en een paar winkeltjes. Er waren een paar straten met een stuk of 20 huizen, en verder waren er alleen boerderijen.

VOCABULAIRE

3 ●

Maak goede combinaties met woorden uit kolom 1 en een verbum uit kolom 2.
Kijk ook naar tekst 1 en tekst 2.

KOLOM 1	KOLOM 2
op de boerderij	doen
een brief aan iemand	huren
een brief van iemand	kopen
dozen	krijgen
eindexamen	verzorgen
een huis	schrijven
een kamer	uitpakken
kinderen	verhuizen
moeder	werken
part-time	worden
naar Amsterdam	zitten
op school	zoeken

Maak zinnen met de gevonden combinaties.

4 ●

Vul de goede prepositie in.

Saskia schrijft een brief ________ [1] Lianne. Lianne woont tegenwoordig ________ [2] Madrid.
Daar woont ze samen ________ [3] Juan. Saskia schrijft iets ________ [4] het huis ________ [5] Karel.
Karel was al heel lang ________ [6] zoek naar een huis. Vroeger woonde hij ________ [7] kamers, maar dat beviel niet erg. Nu heeft zijn vader een huis ________ [8] hem gekocht.
Een goede vriend ________ [9] Karel, Theo, woont ook ________ [10] het huis.
Saskia heeft vorige week ________ [11] de verhuizing geholpen.
________ [12] het einde ________ [13] de brief vraagt Saskia iets.
Ze wil weten of ze ________ [14] augustus een paar dagen ________ [15] Lianne en Juan kan komen logeren.

GRAMMATICA

5 ●

Vul in.

Voorbeeld:

Karel had problemen met zijn huisbaas.
Veel mensen *hebben* problemen met hun huisbaas.

1 Ik schreef jullie al over de verhuizing van Karel en Theo.
Ze zullen jullie binnenkort zelf wel ________ .
2 Ik vond hun huis erg leuk.
Ik ________ oude huisjes meestal leuk.
3 Ze brachten alles naar binnen.
Alleen het fornuis moeten ze nog naar binnen ________ .
4 De vader van Karel hielp ook bij het uitpakken.
Hij ________ ook om de muren en plafonds te schilderen.
5 Karel gaf alle instructies.
Het is goed dat één persoon de instructies ________ .
6 Hij zag er wel moe uit, hij ________ er de laatste tijd erg vaak moe uit.
7 Karel wist precies waar alles moest staan.
Het is makkelijk dat hij dat zo precies ________ .
8 Saskia deed ook erg veel.
Er is natuurlijk ook erg veel te ________ bij zo'n verhuizing.
9 Er lag vorige week nog geen vloerbedekking op de grond,
maar die ________ er nu wel.
10 Er hingen ook nog geen schilderijen aan de muur, maar die zullen er nu misschien ook wel ________ .

6 ●●

Vul in.

Voorbeeld:

(zijn,wonen) Toen ik klein ________ , ________ ik met mijn ouders in een dorp.
Toen ik klein *was*, *woonde* ik met mijn ouders in een dorp.

(wonen) We ________ in een klein huis en
(slapen) daarom ________ ik samen met mijn zusje op een kamer.
(vinden) Dat ________ ik wel eens vervelend, want
(moeten) als ik mijn huiswerk ________ maken,
(komen) ________ ze altijd net binnen en
(willen) dan ________ ze met me praten.
(maken) Bovendien ________ ze altijd veel rommel.

(kunnen)	Vaak ______ ik mijn boeken niet meer vinden.
(zijn)	Toch ______ het best gezellig.
(spelen)	We ______ vaak samen, 's zomers buiten en 's winters op zolder.
(gaan)	We ______ altijd om 8 uur naar bed.
(denken)	Mijn moeder ______ dan
(gaan)	dat we meteen ______ slapen, maar
(slapen)	meestal ______ we niet direct,
(liggen)	we ______ altijd nog een tijdje te lezen.
(durven)	We ______ niet veel lawaai te maken want
(zijn)	we ______ bang
(zullen)	dat moeder ons ______ horen.
(weten)	Mijn vader ______ het wel, maar
(zeggen)	hij ______ altijd
(vinden)	dat hij het niet erg ______
(zijn)	als we maar stil ______ .

7 ●●

Gebruik het subject tussen haakjes. Moet u *er* gebruiken?
Voorbeeld: Piet werkt bij de bank. (een aardig meisje)
Er werkt een aardig meisje bij de bank.

1 Het huis van onze buren staat te koop.
(een ander huis in onze straat)
2 Er wonen veel mensen in Utrecht.
(Karel en Theo)
3 Er staat een advertentie over een wereldreis in de krant.
(niet veel advertenties over kamers)
4 Lidy zit op een computercursus.
(Peter)
5 Er lopen veel mensen in de stad.
(een mevrouw)
6 De brief van de gemeente ligt op tafel.
(een krant)
7 De fiets van Remco staat voor het huis.
(de fiets van Saskia)
8 Het boek van Maria ligt op de grond.
(veel papieren)
9 Er staat een auto in onze straat te koop.
(geen auto's)
10 Er woont een Franse familie in dit huis.
(de familie Bourbon)

8 ●●

Vul in. Kies uit: *deze, die, dit of dat*

1 Kijk, op ________ foto hier zie je hoe mijn dorp er vroeger uitzag.
2 ________ kerk hier staat er nu nog, kijk, dat zie je op ________ andere foto daar.
3 Maar hij is wel helemaal gerenoveerd, kijk maar eens goed naar ________ ramen en ________ klok.
4 En kijk, in ________ winkeltje daar links, daar gingen mijn broertje en ik altijd snoep kopen.
5 ________ mooie grote eik daar in het midden is er niet meer, zie je wel? ________ is een jaar of tien geleden bij een grote storm omgewaaid.
6 In ________ jaar zijn ze ook begonnen met het bouwen van ________ gigantische winkelcentrum rechts achter de kerk. Dat kun je zien op ________ foto hier.
7 Op de plaats van ________ boom staat nu een monument.
8 Mijn oom is kunstenaar. Hij heeft ________ monument gemaakt.

9 ●

Vul in. Kies uit: *deze, die, dit of dat*

1 ________ week heb ik nog vakantie maar volgende week is de vakantie afgelopen.
In ________ week beginnen de lessen weer.

2 Kijk eens hier. Ik heb ________ woordenboek gisteren gekocht.
Het is veel beter dan ________ oude woordenboek van jou.
3 Ga je mee iets drinken in ________ café hier?
Het is gezelliger dan ________ café verderop in de straat.
4 De meeste toeristen gaan naar ________ grote kerk aan de overkant van de rivier, maar soms komen er ook toeristen in ________ kleine kerk hier in de straat.
5 Onze kantine heeft twee zalen. In ________ zaal, waar we nu zijn, is het verboden te roken. Als u toch wilt roken, moet u dus naar ________ andere zaal gaan.
6 Kijk, hier is een goed restaurant. We kunnen in ________ restaurant gaan eten, of wil je liever in ________ restaurant naast de grote kerk gaan eten?
7 Er zitten vandaag veel studenten in de computerzaal. ________ studenten hier bij de ingang zitten alleen te werken, maar ________ studenten daar achter in de zaal moeten met twee personen aan één computer werken.
8 Ik zoek een ander huis. Ik wil graag in één van ________ mooie huizen daar langs de gracht wonen, maar dat is te duur voor mij. Maar ik zie hier in de krant een advertentie over nieuwbouwhuizen. Even kijken. Ja, ________ huizen zijn wel betaalbaar voor mij.

LUISTEREN

10 ● en ●●

U hoort drie personen praten over hun schooltijd. Luister naar de fragmenten en kies het goede antwoord.

FRAGMENT 1 (Mark)

1 Mark vond het niet leuk op school
- ❑ a omdat de lessen te moeilijk waren.
- ❑ b omdat hij zijn huiswerk niet kon maken.
- ❑ c omdat hij niet van leren hield.

2 De leraren waren vaak kwaad op Mark
- ❑ a omdat hij de lessen saai vond.
- ❑ b omdat hij te veel praatte.
- ❑ c omdat hij hun grappen niet leuk vond.

3 Hoe lang heeft Mark op deze school gezeten?
- ❑ a Vier jaar.
- ❑ b Vijf jaar.
- ❑ c Zes jaar.

FRAGMENT 2 (Hans)

4 De kinderen op de lagere school noemden Hans vaak de 'professor'
- ❑ a omdat hij beter kon leren dan de andere kinderen.
- ❑ b omdat hij dat fijn vond.
- ❑ c omdat de meester hem ook zo noemde.

5 Hans vond de middelbare school leuker dan de lagere school
- ❑ a omdat hij daar meer contact kreeg met andere leerlingen.
- ❑ b omdat de andere leerlingen het normaal vonden dat hij de beste was.
- ❑ c maar daardoor was hij niet meer de beste van de klas.

FRAGMENT 3 (Marjon)

6 Marjon heeft goede herinneringen aan de middelbare school
- ❑ a omdat ze goed kon leren.
- ❑ b omdat ze daar veel kon doen aan creatieve vakken.
- ❑ c omdat ze daar twee keer per jaar een toneelstuk kon zien.

7 Aan welk vak deed Marjon het meest?
- ❑ a muziek
- ❑ b tekenen
- ❑ c drama

8 Waarom is de middelbare school voor Marjon zo belangrijk geweest?
- ❑ a Omdat haar ervaring met toneel haar nu veel helpt.
- ❑ b Omdat ze door haar goede resultaten op school nu een goede opleiding kan volgen.
- ❑ c Omdat ze daar een diploma heeft gehaald.

11 ●

Liedje uit de tv -musical *Ja zuster, nee zuster*, van Annie M. G. Schmidt.

Elke zondagmiddag bracht hij toffees voor me mee.
Ik weet nog de spelletjes, die opa met me deed.
Restaurantje spelen en mijn opa was de kok.
Bokkenwagen spelen en mijn opa was de bok.

Mijn opa, mijn opa, mijn opa,
in heel Europa was er niemand zoals hij.
Mijn opa, mijn opa, mijn opa,
en niemand was zo aardig voor mij.

In heel Europa, mijn oude opa,
nergens zo iemand als hij.
In heel Europa, mijn eigen opa,
niemand zo aardig voor mij.
Mijn oude opa.

Als ik me verveelde ging ik altijd naar hem toe.
Hij verzon de spelletjes, en nooit was hij te moe.
Van de dijk af rollen en mijn opa was de dijk.
Detectiefie spelen en mijn opa was het lijk.

Mijn opa, mijn opa, mijn opa,
...

Samen naar de aapjes kijken, samen naar het strand,
en als je geluk had ging je samen naar de brand.
Samen op het ijs en met een sleetje in de sneeuw.
Leeuwentemmer spelen en mijn opa was de leeuw.

Altijd als we samen waren hadden we plezier.
Stierenvechter spelen en mijn opa was de stier.

Mijn opa, mijn opa, mijn opa,
...

Kunt u vertellen over (uw herinneringen aan) uw opa?

PROSODIE

12

Luister. Wat is de goede reactie?

Voorbeeld:

1 Houdt Maria niet van vis?
- ❑ A Nee, Piet houdt niet van vis. ☒ B Nee, niet van vlees.

2 Gaat hij met de auto naar zijn werk?
- ☒ A Nee, met de fiets. ❑ B Nee, zij.

1 Heeft Anneke twee fietsen gekocht?
- ❑ A Nee, twee fietstassen. ❑ B Nee, één.

2 Ga je met het vliegtuig naar Parijs?
- ❑ A Nee, met de trein. ❑ B Nee, naar Rome.

3 Is Brussel de hoofdstad van Nederland?
- ❑ A Nee, Amsterdam. ❑ B Nee, van België.

4 Wilt u koffie of thee met taart?
- ❑ A Koffie graag. ❑ B Nee, zonder taart, alstublieft.

5 Staat de fax op het bureau?
- ❑ A Nee, de computer. ❑ B Nee, op de tafel.

6 Ga je in augustus naar Duitsland?
❑ A Nee, in juli. ❑ B Nee, naar Frankrijk.
7 Ben je tot elf uur in het hotel?
❑ A Nee, tot tien uur. ❑ B Nee, op kantoor.

13 ●●

- Luister naar de melodie van de zin.
- Zet een streep onder de woorden met accent.
- Vul tussen de haakjes een alternatief in.

Voorbeelden:

A Hij heeft *twee* auto's. (Niet *een*.)
B *Hij* heeft twee auto's. (Niet *zij*.)
C Hij heeft twee *auto's*. (Niet *twee fietsen*.)

1 Ik ga morgen met de taxi. (Niet ________.)
2 Ik ga morgen met de taxi. (Niet ________.)
3 Ik heb rode wijn. (Geen ________.)
4 Ik heb rode wijn. (Geen ________.)
5 Mijn docent gaat vandaag naar Utrecht. (Niet ________.)
6 Mijn docent gaat vandaag naar Utrecht. (Niet ________.)
7 John komt uit Amerika. (Niet ________.)
8 John komt uit Amerika. (Niet ________.)

14 ●●

Luister.
Klinkt het antwoord zeker (!) of onzeker (?)?
Voorbeelden:

A Wilt u koffie?
Ja, graag ! ______
B Hebt u zin om Den Bosch te gaan bekijken?
Ja, leuk ? ______

1 Vindt u dat schilderij mooi?
Ja ______
2 Houdt u van vis?
Ja ______
3 Houdt u van Schotse whisky?
Ja ______

4 Vindt u het erg als ik het raam open zet?
Nee ______

5 Mag ik hier zitten?
Ja, hoor ______

15

Luister en zeg na. Let vooral op de intonatie!

- • Wat heb je in je vakantie gedaan?
- \- Ik? Ik ben naar Engeland geweest. En jij?
- • Ik ben nog niet weg geweest. Ik ga pas in september.
  Ik hoop dat het mooi weer is.
- \- In september is het meestal mooi weer.
  Je zult zien dat het mooi weer is!

- • Hoe heb je je examen gemaakt?
- \- Ik? Ik ben geslaagd! En jij?
- • Ik heb het nog niet gedaan. Ik doe het pas in januari.
  Ik hoop dat het goed gaat. Ik zal blij zijn als ik slaag!
- \- O ja, je zult zien dat je slaagt!

SPREKEN

16

Wat zegt u?

1 U volgt een cursus Nederlands. U hebt de afgelopen twee weken van de cursus gemist. De docent vraagt: "Waarom was u niet op de cursus?"
Wat zegt u tegen de docent? ______________________.

2 Een medecursist belt u op. Hij was op de vorige les niet aanwezig en vraagt: "Wat hebben jullie in de vorige les gedaan?"
Wat zegt u tegen hem? ______________________.

3 U hebt een test Nederlands gemaakt. Na de test praat u met een medecursist. Uw medecursist vraagt: "Hoe vond je de test?"
Wat zegt u tegen uw medecursist? ______________________.

4 U bent net terug van vakantie. Een collega belt u op en vraagt: "Heb je een leuke vakantie gehad?"
Wat zegt u tegen uw collega? ______________________.

5 U hebt vorige week een nieuwe televisie gekocht. U hebt nu al een probleem met de televisie. Het geluid werkt niet goed. Misschien kan iemand van de winkel langskomen om de televisie te repareren. U belt de winkel op. Wat zegt u tegen de medewerker van de winkel? ______________________.

6 Vorige week hebt u een afspraak gemaakt met een vriendin om bij haar te gaan eten. De afspraak is voor vanavond, maar u weet niet meer hoe laat u hebt afgesproken. U belt uw vriendin op. Wat zegt u tegen haar? ______________________.

7 Afgelopen zaterdag was er een feest bij een vriend van u. U bent niet geweest, omdat u zich niet lekker voelde. Vandaag hebt u uw vriend aan de telefoon. Uw vriend zegt: "Jammer dat je afgelopen zaterdag niet op mijn feest was. Kon je niet komen?" Wat zegt u tegen uw vriend? ______________________.

8 Een maand geleden hebt u bij een boekwinkel een woordenboek besteld. U hebt het woordenboek nog steeds niet ontvangen. U wilt weten wanneer het boek er is. U belt de boekwinkel op. Wat zegt u tegen de medewerker van de boekwinkel? ______________.

17 ●

Vraag en antwoord. Werk in groepjes.
Kies zelf één of meer van de volgende onderwerpen.

school

VRAGEN	ANTWOORDEN
Waar zat u op school?	in ______ op de ______ school.
Wat vond u op school leuk/niet leuk?	gymnastiek, talen, wiskunde, huiswerk, ______________.
Waarom / Waarom niet?	______________.
Wat moet een kind op school leren, vindt u?	______________.
Waarom?	______________.

sport

VRAGEN	ANTWOORDEN
Deed u vroeger aan sport?	Ja/Nee
Zo ja: aan welke sport?	volleybal, atletiek, zwemmen, schaatsen, ______________.
Zo nee: waarom niet?	niet leuk, te vervelend, ________.
Eventueel: Waarom vroeger en nu niet meer?	te druk, geen tijd, geen zin, te oud, ______________.

wonen

VRAGEN	ANTWOORDEN
Waar woonde u vroeger?	in de stad, in een dorp, op het platteland, ________________ .
Wat voor woonruimte was dat?	kamer, huis, flat, ________________ .
Wat is het verschil met hoe u nu woont?	groter, kleiner, mooier, rustiger, ______________ / vroeger in een huis, flat, ________________ .

SCHRIJVEN

18 ●

Voorbeeld:

Toen ik gisteravond thuis kwam, (alle deuren staan open).

Toen ik gisteravond thuis kwam, *stonden alle deuren open.*

1 Toen Karel gisteren thuis kwam, (het eten staat al klaar).
2 Toen hij nog klein was, (hij woont bij zijn ouders).
3 Toen hij ging studeren, (hij verhuist naar Utrecht).
4 Toen hij gisteravond thuis kwam, (de buren maken zo'n lawaai).
5 Toen hij wilde gaan klagen, (de telefoon gaat).
6 Toen hij wilde gaan slapen, (de buren hebben de radio nog steeds hard aan).
7 Toen hij bij de buren aanbelde, (de andere buren komen net thuis).
8 Het is al één uur, toen hij eindelijk in bed lag.

19 ● ●

Zet het verbum op de goede plaats in de zin. Gebruik het imperfectum.

Voorbeeld:

(wonen) Vroeger ik in het oosten van Nederland.

Vroeger *woonde* ik in het oosten van Nederland.

1 (wonen) We met ons hele gezin in een mooi dorpje.
2 (zijn/hebben) Dat dorpje heel erg klein, en het geen school.
3 (gaan/moeten) Als we naar school, we op de fiets naar de grote stad.
4 (fietsen) Ik elke dag door weer en wind naar school.
5 (hebben) Op maandag ik vioolles op de muziekschool.
6 (spelen) Samen met mijn beste vriendin ik in een orkest.
7 (vinden) Sporten ik toen ook erg leuk.
8 (moeten) Twee keer in de week ik trainen voor het schoolteam.
9 (sporten) Toen ik dus veel meer dan nu.

20 ●●

Schrijf iets over vroeger, toen u nog klein was.
U kunt bijvoorbeeld iets schrijven over de volgende punten.

- Waar woonde u vroeger?
- Komt u uit een klein of een groot gezin?
- Hoe was uw schooltijd?
- Waar speelde u vroeger als kind, en wat deed u dan?
- Kunt u zich nog een speciale dag uit uw jeugd herinneren?

Als u over andere punten wilt schrijven, mag dat natuurlijk ook.

LEZEN

21 ●●

Amsterdam

Introductie
Nederland is een klein vlekje op de kaart. Dat het toch een belangrijke rol in de wereldgeschiedenis heeft gespeeld, dankt het aan zijn geografische ligging. Grote rivieren monden hier uit in de zee waardoor het land een knooppunt van handelsverkeer werd.
Amsterdam neemt binnen Nederland al vanaf vroeger een bijzondere positie in. Gelegen in de machtige provincie Holland, ontwikkelde de stad zich tot een knooppunt van handel en politiek.

Stadsrechten
De bisschop van Utrecht verleende in het jaar 1300 officiële stadsrechten aan Amsterdam. De stad bleef tot 1317 onder het gezag van de bisschop vallen. Daarna ging de stad over in de handen van de graaf van Holland.

Economie
De Amsterdamse economie dreef vroeger op bier en haring. De stad kreeg in 1323 het alleenrecht op de invoer van bier uit Hamburg. Amsterdam kreeg hierdoor een belangrijk handelsmonopolie.

Grootste stad
Door de goede economie in de vijftiende en zestiende eeuw groeide Amsterdam uit tot de grootste stad van Holland. Het aantal inwoners bedroeg toen ongeveer dertigduizend. Dankzij kaarten uit de zestiende eeuw kunnen we een beeld krijgen van de stad.

Gouden eeuw
Er woonden rijke en machtige kooplieden. Het was een bloeitijd van handel, kunst, cultuur en wetenschap voor Amsterdam. De zeventiende eeuw was dan

ook de Gouden Eeuw voor Amsterdam, en ook voor de reest van Holland.
In die tijd werden de beroemde grachten gegraven. Aan de grachten werden hoge huizen gebouwd, hoger dan in andere oude stadskernen in Nederland. De overheid stimuleerde deze hoogbouw sterk omdat dit het aanzien van de stad zou verhogen. Tegen 1700 woonden er zo'n tweehonderdduizend mensen in Amsterdam.
In die tijd was Amsterdam ook vol culturele activiteiten. Bekende dichters uit deze periode zijn Vondel, Bredero en Hooft, bekende filosofen Spinoza en Descartes. Die woonden allemaal in Amsterdam. En natuurlijk woonde onze beroemde schider Rembrandt er ook.

Cultuur

Amsterdam is nu nog steeds zonder twijfel het culturele middelpunt van Nederland met orkesten, ballet en toneel, musea en galerieën, met twee universiteiten en veel hogescholen. Ook voetbal speelt een grote rol in het leven van veel Amsterdammers. In de jaren zeventig werd de stad wereldwijd bekend als de stad van Johan Cruyff en Ajax. Overwinningen van Ajax of het Nederlands elftal worden in Amsterdam met volksfeesten gevierd. Het behalen van het Europees kampioenschap in 1988, na winst op de toenmalige USSR in de finale, veroorzaakte in Amsterdam een enorme, oranje feestvreugde.

Monumenten

De site 'Amsterdam Monumenten' geeft een idee van de geschiedenis en de groei van Amsterdam met veel illustraties.

VRAGEN

1 Deze tekst gaat vooral over
   a Amsterdam en Nederland.
   b De geschiedenis van Amsterdam.
   c De economie van Nederland.
2 In de dertiende eeuw hoorde Amsterdam bij de provincie Holland.
   a waar
   b niet waar
3 De stad Amsterdam had alleenrecht op
   a de invoer van bier uit Hamburg.
   b de invoer van bier en haring.
   c de invoer van bier en haring uit Hamburg.
4 In de zestiende eeuw had Amsterdam ruim 30.000 inwoners.
   a waar
   b niet waar

5 Waarom wordt de 17^{e} eeuw voor Amsterdam een Gouden Eeuw genoemd?
   a Omdat de grachten in die tijd werden aangelegd en omdat er mooie huizen werden gebouwd..
   b Omdat handel, kunst, cultuur en wetenschap in die tijd op een hoogtepunt stonden.
   c Omdat er veel bekende Nederlanders in Amsterdam woonden.
6 P.C. Hooft was een dichter.
   a waar
   b niet waar
7 Amsterdam heeft veel hogescholen en twee universiteiten.
   a waar
   b niet waar
8 De site Amsterdam Monumenten geeft ook informatie over de topografie van Nederland.
   a waar
   b niet waar

22 ●

VRAGEN bij de site **'Amsterdam Monumenten'**

Kijk naar de tekst.

Waarop moet u klikken als u de volgende vragen / opmerkingen hebt:

1 U hebt een opmerking die u de site wilt schrijven .
2 U wilt een fietstocht langs de grachten maken.
3 Wanneer is de nieuwste tentoonstelling?
4 Wat is een monument?
5 Waar kunt u testen hoeveel u weet van de Amsterdamse architectuur ?
6 Wat is het adres van Stichting Amsterdamse Grachtentuin?
7 Welke bruggen zijn monumenten ?
8 Waar staat de virtuele wandeling langs de belangrijkste monumenten?
9 Waar staat iets over de geschiedenis en topografische ontwikkeling van de binnenstad?
10 U wilt een wandeling maken door de oude binnenstad.

- Introductie
- Monumenten
- Organisaties
- Er op uit!
- Actueel
- Nieuw

- Quiz

- Links

[Bureau Monumentenzorg]

[This Page in English]

Welkom!

Amsterdam heeft één van de belangrijkste en gaafste historische stadskernen van de wereld. Karakteristiek voor het Amsterdamse stadsgezicht zijn de oorspronkelijk voornamelijk als woonhuizen gebouwde grachtenpanden, gekenmerkt door een smalle, relatief hoge gevel, met een vaak rijk geornamenteerde gevelbeëindiging. Behalve een introductie over de geschiedenis en topografische ontwikkeling van de Amsterdamse binnenstad bevat Amsterdam Monumenten een virtuele wandeling langs de belangrijkste Amsterdamse monumenten. Deze site geeft een beeld van de monumenten in het algemeen en de monumentenzorg in het bijzonder.

Test uw kennis: Wilt u weten hoeveel u afweet van de Amsterdamse architectuur? Probeer dan eens onze quiz.

Herengracht 174-150, een afbeelding uit het *Grachtenboek* van Caspar Philips (1732-1789), in 1768/71 uitgegeven door de boekverkoper Bernardus Mourik aan de Nes, diverse malen herdrukt (in 1922, 1930, 1936, 1962 en twee maal in 1979) en opgenomen in het Grachtenboek, SDU (1991). Op deze website zijn veel afbeeldingen van Caspar Philips opgenomen.

Welkom Introductie Monumenten Organisaties Er op uit! Actueel Nieuw Zoek Mail

Ontworpen door Walther Schoonenberg.
Gewijzigd: 2 mei 1998

Basis

1 TEKST

1a Lees de introductie.

Saskia Willems wil in augustus naar Spanje. Zij heeft niet veel geld dus wil zij eerst wat werken om wat extra geld te verdienen. Zij werkt elke vrijdag als telefoniste. Maar in juli en augustus wil zij een paar weken full-time werken. Daarom gaat zij naar een uitzendbureau om te kijken of ze een baantje voor haar hebben. Zij spreekt met een medewerkster van het uitzendbureau.

1b Luister naar de tekst. Kijk **niet** in het boek! 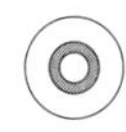

medewerkster — Hallo, wat kan ik voor je doen?
Saskia — Dag, ik zoek een baantje voor de periode juli/augustus.
medewerkster — Voor wanneer precies?
Saskia — De hele maand juli en de eerste twee weken van augustus. Daarna ga ik op vakantie.
medewerkster — Wat voor soort werk zoek je?
Saskia — Het liefst iets op een kantoor of zo.
medewerkster — Ben je student?
Saskia — Ja.
medewerkster — Wat is je studierichting?
Saskia — Ik studeer Spaans.
medewerkster — Spreek je nog andere talen?
Saskia — Ja, ik heb op school natuurlijk Frans, Duits en Engels geleerd. En mijn Spaans is nog niet zo erg goed, hoor!
medewerkster — Heb je werkervaring?
Saskia — Ja, ik heb een tijdje part-time in een supermarkt gewerkt. En momenteel werk ik één dag in de week als telefoniste.

medewerkster	Dus je zoekt nu iets voor de andere vier dagen van de week?
Saskia	Ja, eventueel voor de hele week. Een vriendin kan misschien dat telefonistebaantje tijdelijk nemen.
medewerkster	Oké ... heb ik genoteerd, even kijken, heb ik nu alles ... o, heb je nog andere diploma's of zo? Typediploma, tekstverwerken, rijbewijs ...
Saskia	Ja, ik kan wel met een tekstverwerker en verschillende computerprogramma's overweg.
medewerkster	Uitzendbureau ... goedemiddag, heeft u een momentje? Dank u wel ... Als jij even op dit formulier je naam, adres, telefoonnummer opschrijft, dan beantwoord ik ondertussen de telefoon ... Dank u wel voor het wachten, zegt u het maar ...
	Goed, dat is dat. Alles is ingevuld ... ik heb op dit moment geen vacature, maar ik denk dat we wel iets voor je vinden. Je hebt de goede kwaliteiten. Ik bel je zodra ik iets weet!
Saskia	Oké, bedankt alvast! Tot ziens!

1c Oefening bij tekst 1

Vul het formulier van het uitzendbureau voor Saskia in.

UITZENDBUREAU

Personalia

Naam: ______________________ ❑ m ❑ v

Roepnaam: ______________________

Adres: ______________________

Opleiding

Welke opleiding heeft u gevolgd/volgt u? ______________________

Overige cursussen/opleidingen: ______________________

Heeft u kennis van automatisering: ❑ ja ❑ nee

Zo ja: welke soft-ware pakketten beheerst u? ______________________

Talenkennis: ❑ Engels ❑ Frans ❑ Duits ❑ Overige

Aangeven per taal: ________ ________ ________ ________

++ vloeiend - nagenoeg geen

\+ goed -- onbekend

+- matig

Werk

Gewenste functie en branche-omschrijving: ______________________

Beschikbaar van ________ tot ________

Welke relevante werkervaring heeft u reeds opgedaan (betaald/onbetaald)

____

2 TEKST

2a Lees de introductie.

Maria heeft een advertentie gezien, waarin een avondportier gevraagd wordt voor een bejaardenhuis. Zij heeft opgebeld en nu is zij uitgenodigd voor een sollicitatiegesprek. Zij spreekt met de personeelschef.

2b Luister naar de tekst. Kijk **niet** in het boek! 

personeelschef	Goedemiddag, Dolf Janssen.
Maria	Dag, Maria Borsato.
personeelschef	U bent geen Nederlandse?
Maria	Nee, ik kom uit Italië. Is dat een bezwaar?
personeelschef	Nee nee, natuurlijk niet. Ik wil graag eerst uw persoonlijke gegevens. In ons telefoongesprek heb ik uw naam en adres genoteerd, maar niet uw leeftijd, opleiding, diploma's.
Maria	Ik ben 23, ik heb in Italië de middelbare school gedaan, vergelijkbaar met het VWO in Nederland, en nu studeer ik hier in Nederland biologie.
personeelschef	En u hebt geen problemen met de taal, zo te horen?
Maria	Nee, ik heb voor mijn studie een aantal cursussen Nederlands gevolgd en ook een examen Nederlands gedaan.
personeelschef	Hoe weet u van onze vacature?
Maria	Ik heb uw advertentie in de krant gelezen.
personeelschef	En waarom wilt u bij ons werken?
Maria	Het werk is goed te combineren met mijn studie. En ik vind het ook leuk om met mensen om te gaan.
personeelschef	Ja, het is hier natuurlijk erg rustig 's avonds. U moet bezoekers binnenlaten en eventueel de weg wijzen in het gebouw, maar de meesten weten waar ze moeten zijn. Soms komt een bewoner wel eens een praatje met de portier maken, maar over het algemeen is het saai werk hoor.
Maria	O, dat geeft niet. Misschien kan ik ondertussen wat studeren. In de advertentie vraagt u iemand met 'gevoel voor verantwoordelijkheid'. Wat bedoelt u daarmee?
personeelschef	De portier moet erop letten, dat er geen ongewenste bezoekers binnenkomen. Dus u moet goed in de gaten houden, wie er in en uit loopt.

	Verder neemt de avondportier ook de telefoon aan, en hij of zij moet helpen en hulp inroepen bij alarmsituaties, zoals brand.
Maria	Ik denk dat ik dat allemaal wel kan. Wat zijn de werktijden?
personeelschef	De avondportier komt om zes uur, en om middernacht neemt de nachtportier het werk over. Op welke dagen kunt u werken?
Maria	Ik kan beter zeggen wanneer ik niet kan: niet op woensdag en zaterdag. Verder ben ik erg flexibel.
personeelschef	Goed, ik verwacht vanmiddag nog een andere sollicitant. Zodra we een keuze gemaakt hebben, laten we u dat weten.

2c Oefening bij de tekst

Waar of niet waar?	waar	niet waar
1 De personeelschef heeft al over de telefoon met Maria gesproken.	❑	❑
2 Maria heeft het VWO gedaan.	❑	❑
3 De personeelschef vindt dat Maria goed Nederlands spreekt.	❑	❑
4 De personeelschef zegt dat Maria het te druk zal hebben om te studeren.	❑	❑
5 De personeelschef noemt als belangrijkste taak van de portier het wel of niet binnenlaten van bezoekers.	❑	❑
6 Maria kan op woensdag en zaterdag werken.	❑	❑
7 Maria krijgt de baan.	❑	❑

3 TAALHULP

Werk zoeken

Bij een arbeidsbureau of uitzendbureau

MEDEWERKER	WERKZOEKENDE
	Ik zoek een baan.
Wat voor werk zoekt u?	Ik wil graag werken als ________ / bij ________ .
Wat is uw beroep?	Ik ben ________________ .

Solliciteren

Informatie vragen

MEDEWERKER	WERKZOEKENDE
	Ik heb uw advertentie gelezen, en ik wilde nog wat vragen. Kunt u me meer vertellen over deze vacature? Welke opleiding heb ik nodig voor deze baan? Tot wanneer kan ik solliciteren? In de advertentie staat ______; wat bedoelt u daarmee?

Praten over opleiding

VRAGEN	ANTWOORDEN
Wat is uw opleiding? Welke diploma's hebt u?	Ik heb een *secretaresse*-opleiding gevolgd. Ik ben afgestudeerd als *econoom*. Ik heb een *type*-diploma.

Praten over werkervaring

VRAGEN	ANTWOORDEN
Heb je al eens gewerkt? Hebt u werkervaring?	Ik heb als *caissière* gewerkt. Ik heb *drie jaar* ervaring.
Bij welk bedrijf?	Ik heb bij de *HEMA* gewerkt.

4 GRAMMATICA *Overzicht verbum*

Heden: presens

singularis		VOORBEELDEN			
ik	stam	ik	werk		
jij	stam + t	jij	werkt		
u	stam + t	u	werkt		
hij	stam + t	hij	werkt		
zij	stam + t	zij	werkt		
het	stam + t	het	werkt		
pluralis					
wij	infinitief	wij	werken	• **let op spellingsregels!**	
jullie	infinitief	jullie	werken	lange vocalen	speel, spelen
u	stam + t	u	werkt	korte vocalen	stop, stoppen
zij	infinitief	zij	werken	f → v	lee*f*, le*v*en
				s → *z*	lee*s*, le*z*en
jij achter het verbum					
	stam	werk	jij		

Verleden: perfectum

	VOORBEELDEN
met een vorm van *hebben*	
ik heb + participium	ik heb ______ gewerkt
hij heeft + participium	hij heeft ______ gewerkt
wij hebben + participium	wij hebben ______ gewerkt
enzovoort	
met een vorm van *zijn*	
ik ben + participium	ik ben ______ gestopt
hij is + participium	hij is ______ gestopt
wij zijn + participium	wij zijn ______ gestopt
enzovoort	
participium regelmatig	
ge + stam + t	gewerkt
ge + stam + d	geleerd
participium onregelmatig	
ge + ______	geschreven gesproken
• vaak eindigend op -en	
• vaak verandering van vocaal	
participium met: *be-; er; ge-; her-; ont-; ver-*: géén *ge-*	begonnen, erkend, gebeurd, herinnerd, ontmoet, vergeten
participium separabele verba	
prefix + ge + ______	opgebeld, afgesproken
syntaxis perfectum	
• participium aan het einde van de zin.	Ik heb als telefoniste gewerkt.

Verleden: imperfectum

	singularis	*pluralis*	VOORBEELDEN
• regelmatig:	stam + te	stam + ten	werk*te*, werk*ten*, ontmoet*te*, ontmoet*ten*
	stam + de	stam + den	leer*de*, leer*den*, brand*de*, brand*den*
• onregelmatig:	______	______ + en	moest, moest*en*, dacht, dacht*en*
• vaak verandering van vocaal			
• **let op spellingsregels!**			
lange vocalen			d*ee*d, d*e*den
korte vocalen			h*ad*, h*add*en
f → v			schree*f*, schre*v*en
s → z			la*s*, la*z*en

Toekomst

- met een verbum in presens, in de zin staat (vaak) een tijdsindicatie
  Morgen *begin* ik in mijn nieuwe baan.
  Ik *hoop* dat ik snel een baan *vind*.

- met een vorm van *gaan* in presens + infinitief
  Ik *ga* in de vakantie als telefoniste *werken*.
  Na mijn examen *ga* ik een baan *zoeken*.

- met een vorm van *zullen* in presens + infinitief
  Je *zult* er (later) met plezier aan *terugdenken*.
  Ik *zal* het (morgen) *doen*.

NB: *zullen* heeft ook andere functies, bijvoorbeeld:
- voorstellen/uitnodigen: *Zullen* we naar de bioscoop *gaan*?
- beloven: Ik *zal* je boek meebrengen.

Oefeningen

TAALHULP

1 ●

U wilt zich inschrijven bij een uitzendbureau.
Op het inschrijfformulier staan de volgende vragen.
Geef kort antwoord op de vragen (mondeling of schriftelijk).

1 Bent u student? ❑ Ja ❑ nee
  Zo ja, wat is uw studierichting? ________
2 Hebt u een beroep? ❑ Ja ❑ nee
  Zo ja, wat is uw beroep? ________
3 Op welke school/scholen hebt u gezeten? ________
4 Welke (hogere) opleiding/opleidingen hebt u gevolgd? ________
5 Hebt u werkervaring? ❑ Ja ❑ nee
  Zo ja, wat voor soort werk hebt u gedaan? ________
6 Waar hebt u gewerkt? ________
  (In welk land/welke stad/ bij welk bedrijf/welke organisatie?) ________
7 Hoeveel jaar werkervaring hebt u? ________
8 Welk soort werk vindt u leuk/interessant? ________

2 ●

1 Er staat een advertentie in de krant: technicus gevraagd. Er staat verder weinig informatie in de advertentie, maar wel een telefoonnummer dat u kunt bellen. U belt op. Wat vraagt u?

____ ?

2 Er staat een advertentie in de krant: assistent kleuterleidster gevraagd. U hebt een opleiding gevolgd in uw eigen land, maar u weet niet of die geschikt is. U belt het informatienummer. Wat vraagt u?

____ ?

3 Bij een vriend leest u een advertentie in een krant van vorige week. U wilt graag reageren, maar u bent bang dat u te laat bent. U belt het informatienummer. Wat vraagt u?

____ ?

4 In een advertentie voor een secretariaatsmedewerker staat: “U werkt in opdracht van de afdeling communicatie”. Voordat u gaat solliciteren, wilt u precies weten wat u allemaal moet doen. U belt het informatienummer. Wat vraagt u?

____ ?

VOCABULAIRE

3 ●

Vul in. Kies uit: *taxichauffeur, secretaresse, huisvrouw, verpleegkundige, personeelschef, apotheker, telefoniste, portier, huisarts, leraar.*

Welk beroep?

1 Ik ben Kees Pieters. Ik geef les op een middelbare school. Mijn vak is wiskunde. Veel leerlingen vinden dat moeilijk, maar het is wel een belangrijk vak. Ik ben ______________ .

2 Ik ben Annette de Wit. In mijn zaak verkopen we medicijnen. De meeste medicijnen die ik verkoop, maak ik niet zelf. Ze komen uit de fabriek. Ik controleer de recepten van mijn cliënten en zorg dat ze goede informatie over de medicijnen krijgen. Ik ben ______________ .

3 Mijn naam is Hans Janssen. Ik rijd de hele dag in een auto. Ik breng mensen van de ene plaats naar de andere. Mijn beroep is ______________ .

4 Sonja Swart. Ik werk op kantoor. Voor mijn werk is een computer onmisbaar. Ik typ brieven voor mijn chef en ik houd zijn agenda bij. Hebt u mijn beroep geraden? Ik ben ______________ .

5 Ik ben Mario. Ik zit in een klein kamertje vlakbij de ingang van het gebouw waar ik werk. Door een raam houd ik in de gaten wie er in en uit lopen. Soms moet ik mensen de weg wijzen in het gebouw. Het is geen moeilijk werk maar ik vind het leuk om ______________ te zijn.

6 Mijn naam is Eshuis. Mensen komen bij mij als ze ziek zijn. Ik woon en werk in een klein dorp. Dat is handig, ik ken iedereen, ik ken de problemen en de klachten, zo kan ik iedereen zo goed mogelijk helpen. Ik ben ____________ .

7 Ik ben Jeanne Hoogland. Vroeger zei ik dat ik geen werk had. Ik was altijd thuis: om te zorgen voor de kinderen, het huis schoon te maken, de was te doen. Noem dat maar eens geen werk! Tegenwoordig is ____________ ook een echt beroep!

8 U kent mij al: Ik ben Myra Willems. Ik werk in een ziekenhuis, ik zorg voor de mensen die daar liggen na een operatie of een andere behandeling door doktoren. Ik ben ____________ .

9 Mijn naam is Dolf Janssen. In mijn werk heb ik heel veel taken. Ik spreek onder andere met sollicitanten; voor de mensen die hier werken moet ik eigenlijk nog meer doen. Ik verzorg de contracten, bepaal de hoogte van het salaris, maar ik moet ook problemen oplossen tussen mensen die hier werken. Ik ben namelijk ____________ .

10 Ik ben Brigit, ik werk op een advocatenkantoor. Ik zeg wel honderd keer per dag: "Kantoor meester Van der Sluis en Partners, met Brigit", en ook "een ogenblikje, ik verbind u door". Het klinkt misschien alsof ik het vervelend vind, maar dat is niet zo hoor. Ik vind het belangrijk om vriendelijk en beleefd te blijven, ik ben 'het visitekaartje' van ons kantoor. Ik ben de ____________ .

4 ●●

U ziet steeds drie zinnen.
Welk woord/welke woordcombinatie past in welke zin?
Voorbeeld:
arbeidsbureau/ uitzendbureau/ woningbureau

a Ik heb via het *woningbureau* eindelijk een geschikt huis gevonden.
b Ik ga bij het *uitzendbureau* vragen of ze een vakantiebaantje voor me hebben.
c Ik ben al een jaar werkloos; misschien moet ik maar een cursus doen via het *arbeidsbureau* om meer kans op werk te hebben.

1 *volgende week/ vorige week/ vroeger*
 a ________ hebben we in Amsterdam een mooi museum bezocht.
 b ________ waren de gezinnen in Nederland groter dan nu.
 c Ik denk dat ik ________ een dagje naar het strand ga.

2 *alles/ elke/ iets*
 a Ik volg een intensieve cursus Nederlands. Ik heb ________ dag les.
 b Mag ik u ________ vragen? Ik zoek het postkantoor.
 c Ik weet nu veel van Nederlandse grammatica, maar nog niet ________ .

3 *inschrijven/ opschrijven/ terugschrijven*
  a Ik zal het adres even ______, anders vergeet ik het misschien.
  b Als u werk zoekt, kunt u zich bij ons bureau ______ .
  c Ik hoop dat je mijn brief hebt gekregen. Kun je me even ______ ?

4 *apotheek/ drogist/ huisarts*
  a Ik ging gisteren naar de ______ om een slaapmiddel te halen.
  b Maar daar zeiden ze dat ik het alleen op recept bij de ______ kon krijgen.
  c Dus ben ik vanmorgen bij de ______ geweest. Hij heeft me een recept gegeven.

5 *bezoeken/ opzoeken/ zoeken*
  a Als we in het buitenland zijn, gaan we veel kerken en musea ______ .
  b Ik ben al een half uur aan het ______, maar ik kan mijn sleutels niet vinden.
  c U kunt ons adres en telefoonnummer in het telefoonboek ______ .

6 *duur/ hoog/ veel*
  a We zoeken een ander huis. Nu wonen we in een klein huis en de huur is erg ______ .
  b Ik koop een tweedehands auto, want een nieuwe vind ik te ______ .
  c We willen graag een reis naar Japan maken, maar dat kost ______ geld.

7 *doorgeven/ geven/ opgeven*
  a Kan ik me nog ______ voor de computercursus die volgende week begint?
  b Meneer Willems is er niet. Kan ik misschien een boodschap ______ ?
  c Bij het VVV-kantoor kunnen ze u informatie ______ over excursies in de stad.

8 *tegenwoordig/verleden/toekomst*
  a Ik heb in het ______ veel kleine baantjes gehad zoals schoonmaakhulp, kinderoppas en dergelijke.
  b Maar ______ werk ik part-time op een kantoor. Ik moet brieven typen en de telefoon aannemen.
  c In de ______ hoop ik werk te vinden dat aansluit bij mijn opleiding.

5 ●●

U ziet steeds drie zinnen en één woord of woordcombinatie.
U kunt dat woord of die woordcombinatie in *twee* van de drie zinnen invullen.
In welke twee zinnen? Welk woord kunt u invullen in de derde zin?

1 *lekker*
  a We hebben gisteren in een restaurant heel ______ gegeten.
  b Dokter, ik voel me al een paar dagen niet zo ______ .
  c Mijn ouders gaan vaak naar een museum, maar ik vind dat niet ______ .

2 *gekocht*
   a We hebben op de markt een kilo heerlijke bananen ______ .
   b Gisteren ben ik bij de buren gaan eten. Ze hadden heerlijk ______ .
   c De supermarkt is al gesloten en ik heb nog geen eten ______ . Dan moeten we maar naar een restaurant gaan.
3 *praten*
   a En nu is het stil! Willen jullie niet meer ______ !?
   b Het café zit vol. Iedereen zit gezellig met elkaar te ______ .
   c Kun je even tegen mijn collega ______ dat de vergadering vanmiddag niet doorgaat?
4 *afgelopen*
   a ______ zaterdag zijn we naar een goede film geweest.
   b Ik dacht dat het feest vanavond was, maar het is pas ______ week.
   c Ik wilde een leuk programma op de televisie zien, maar ik was te laat thuis. Het programma was al bijna ______ .
5 *verjaardag*
   a Omdat mijn moeder vandaag ______ is, zijn er veel mensen op bezoek.
   b Mijn moeder viert vandaag haar ______ , dus heeft ze veel mensen uitgenodigd.
   c Ik heb haar een mooie vaas gegeven voor haar ______ .
6 thuis
   a Is Jan misschien ______ ? Ik wil hem even iets vragen.
   b Ik denk dat ik vanavond om zeven uur ______ ben.
   c Als het werk klaar is, mogen jullie ______ gaan.

GRAMMATICA

6 ●

Kies het goede verbum. Vul een participium of imperfectum in.

Neil Barns komt uit Engeland. Hij werkt voor een internationaal bedrijf. Het bedrijf heeft hem voor een paar jaar naar Nederland gestuurd. Hij woont nu een half jaar in Den Haag en vertelt wat over zijn ervaringen in Nederland.

FRAGMENT 1

Kies uit: *hebben, komen, kunnen, vinden, zijn.*

1 Ik ben naar Nederland ______ om bij ons kantoor in Den Haag te gaan werken.
2 Ik ben vroeger al eens op vakantie in Nederland ______ ,
3 en ik heb toen een leuke tijd ______ .

4 Daarom ______ ik het leuk dat ik nu in Nederland woon.
5 dat ik hier ______ komen werken.

FRAGMENT 2

Kies uit: *begrijpen, beginnen, hoeven, volgen, willen.*

Ik werk voor een internationaal bedrijf en op ons kantoor in Den Haag spreekt iedereen Engels.

6 Voor mijn werk ______ ik dus geen Nederlands te leren,
7 maar ik ______ zelf graag Nederlands leren.
8 Dus ik ben al snel met een cursus Nederlands ______ .
9 De eerste lessen ______ ik niks van de taal,
10 maar nu ik een paar cursussen heb ______ , gaat het steeds beter.

FRAGMENT 3

Kies uit: *koken, praten, worden, zeggen, zijn.*

11 Afgelopen zaterdag ben ik bij mijn Nederlandse buren op bezoek ______ .
12 Ze hadden boerenkool met worst voor me ______ , typisch Nederlands, maar heel lekker.
13 Daarna hebben we de hele avond gezellig ______ , soms in het Engels, soms in het Nederlands.
14 Mijn buren ______
15 dat mijn Nederlands steeds beter ______ .

FRAGMENT 4

Kies uit: *bezoeken, gaan, hebben, maken, uitnodigen, vragen.*

Den Haag is wel een mooie stad, maar ook een beetje saai.

16 In het weekend heb ik al een paar cafés ______ , maar die zijn toch niet zo gezellig als de Engelse *pubs*.
17 Op zondag ben ik al vaak naar Scheveningen ______
18 en daar heb ik afgelopen zondag nog een lange strandwandeling ______ .
19 En gisteren ______ een collega me
20 of ik al plannen ______ voor volgende week zondag.
21 Hij heeft me ______ een dag met zijn familie te gaan zeilen.

FRAGMENT 5

Kies uit: *gebeuren, kopen, moeten, rijden.*

22 Vorige week heb ik een auto ______ .
23 In het begin ______ ik wel wennen, want hier rijdt het verkeer aan de rechterkant van de weg.
24 In Engeland ______ ik natuurlijk altijd links .
25 Gelukkig is er nog geen ongeluk ______ .

7 ●●

Zet in het perfectum. Kies tussen *hebben* of *zijn*.

zijn	______ jij al bij het uitzendbureau ______ ?
gaan	Gisteren ______ ik ernaartoe ______ .
helpen	Ze ______ mij heel goed ______ .
vinden	Ze ______ wel drie baantjes voor me ______ !
	Ik kan nu kiezen.
herhalen	U ______ uw vraag wel ______ ,
begrijpen	maar ik ______ u niet goed ______ .
nemen	______ u de verkeerde bus ______ ?
wachten	Daarom ______ wij voor niets op u ______ !
gebeuren	Wat ______ er met mijn inschrijfformulier ______ ?
blijven	Sorry, wij weten even niet waar het ______ ______ .
uitzoeken	Maar als u over een kwartier terugbelt, ______ we het wel ______ .
noteren	______ de telefoniste uw naam al ______ ?
doorgeven	Ja, ik ______ mijn adres en mijn telefoonnummer ______ .
thuisblijven	Gisteravond ______ Maria ______ .
komen	Om acht uur ______ Saskia op bezoek ______ .
aanbieden	Maria ______ haar een glaasje wijn ______ .
opdrinken	Dat ______ Saskia lekker ______ .
schrijven	Zij ______ gisteren een sollicitatiebrief ______ .
gaan	Daarna ______ zij naar de brievenbus ______ .
doen	Daar ______ zij de brief op de post ______ .
plakken	Maar ______ zij wel een postzegel op de brief ______ ?
	Zij weet het niet meer.

8 ●●

Vul in elk fragment de goede vorm in van de gegeven woorden.

Verleden, heden, toekomst

afstuderen, doen, gaan, solliciteren, volgen, willen, worden, zijn(2x)

1 Vroeger, toen ik klein ______ , ______ ik altijd al piloot ______ .
Daarom ______ ik nu de opleiding aan de Rijksluchtvaartschool.
Ik ______ waarschijnlijk over drie maanden ______ . Daarom ______
ik volgende week bij de KLM ______ .

doen, hebben(2x), kunnen, moeten, opgeven, studeren, werken

2 Ik ______ in Turkije rechten ______.
Maar met mijn diploma ______ ik hier niet ______.
Ik ______ een aanvullende studie in Nederland ______. Ik ______ me er al voor ______.

hebben(2x), kunnen, lezen, solliciteren, toesturen, vragen, willen, zullen

3 A "Goedemiddag, ik ______ uw advertentie ______. Ik ______ u nog iets ______. Ik ______ ervaring in een andere, maar wel vergelijkbare functie. ______ ik dan toch ______?"
B "Ja, natuurlijk. ______ ik u een sollicitatieformulier ______?"

blijven, duren, gaan, hopen, krijgen, wachten, zijn (2x), zitten

4 A "Hoi, waar ______ je toch? Ik ______ hier al een half uur te ______.
Dat gesprek ______ wel erg lang. Het ______ toch wel goed, ______ ik?"
B "Jawel hoor, het ______ een heel leuk gesprek. De kans ______ groot dat ik de baan ______."

9 ●

Vergelijken en kiezen. U ziet de volgende twee advertenties in de krant.

Amsterdams advocatenkantoor vraagt:

KANTOORMEDEWERKER

voor 40 uur

functie-inhoud
- telefoon beantwoorden
- administratieve werkzaamheden
- archief bijhouden

functie-eisen
- HAVO-diploma, typediploma of diploma tekstverwerken
- goede talenkennis
- goede contactuele vaardigheden
- min. 1 jaar werkervaring

wij bieden
- salaris vanaf € 3.000,–

Winkelmedewerker

(m/v)

voor onze winkel in Utrecht (32 uur)

werkzaamheden
- verkopen van schoenen
- magazijn op orde houden
- voorraad in computer invoeren

functie-eisen
- HAVO-diploma
- ervaring niet vereist
- vriendelijk

salaris
- vanaf € 2.500,– per maand

Vergelijk de advertenties.
Vul de comparatief of superlatief in van: *geschikt, graag, laag, leuk, veel (2x), ver, weinig*

1 Een baan op kantoor lijkt Saskia het ______ .
2 Het salaris van de winkelmedewerker is ______ dan dat van de kantoormedewerker, maar misschien kan ze naast het werk in de winkel ook haar telefonistebaantje houden.
3 De kantoormedewerker moet ______ uren werken dan de winkelmedewerker.
4 Voor de baan als kantoormedewerker moet je ______ diploma's hebben.
5 De baan als kantoormedewerker is voor Saskia Willems het ______ .
6 Maar die baan is in Amsterdam. Ze moet dan ______ reizen.
7 Voor de baan als winkelmedewerker stellen ze wat ______ eisen dan voor de andere baan.
8 Beide banen hebben voor- en nadelen, maar een baan op kantoor wil Saskia toch het ______ .

10 ●●
Kijk naar de informatie. Maak zoveel mogelijk vergelijkingen.
Gebruik de comparatief of de superlatief.
Voorbeeld:
Landen (klein/groot)
Nederland, Duitsland, Rusland
- *Nederland is kleiner dan Duitsland.*
- *Rusland is groter dan Duitsland.*
- *Duitsland is groter dan Nederland, maar Rusland is nog groter.*
- *Nederland is het kleinste van de drie landen.*
- *Rusland is het grootste van de drie landen.*

1 Schoenen (goedkoop/duur)
  - een paar schoenen van € 75,–
  - een paar schoenen van € 100,–
  - een paar schoenen van € 140,–
2 Afstand tussen Utrecht en andere steden (ver van/dicht bij)
  - Utrecht - Amsterdam: 40 km
  - Utrecht - Den Haag: 60 km
  - Utrecht - Maastricht: 180 km
3 Inwoners (weinig/veel)
  - Utrecht: 250.000
  - Rotterdam: 700.000
  - Amsterdam: 900.000

4 Reizen (langzaam/snel)
  - met de bus
  - met de trein
  - met het vliegtuig
5 Gewicht (licht/zwaar)
  - een stuk kaas van 3 ons
  - een stuk kaas van 1 pond
  - een stuk kaas van 1 kilo
6 leeftijd (jong/oud)
  - Saskia: 22 jaar
  - de moeder van Saskia: 48 jaar
  - de oma van Saskia: 72 jaar
7 activiteiten in uw vrije tijd (leuk/vervelend)
  - aan sport doen
  - naar een museum gaan
  - naar de film gaan
8 activiteiten bij het leren van Nederlands (makkelijk/moeilijk)
  - lezen
  - luisteren
  - spreken
  - schrijven

LUISTEREN

11 ● 

Personen en situatie

Saskia Willems en Maria Borsato komen elkaar op straat tegen.
Ze praten over hun plannen voor de komende zomer en over werk.
Lees de opdracht, luister naar de tekst. Zoek de juiste combinatie.

1 Saskia wil in augustus
2 Saskia wil
3 Saskia werkt liever
4 Een vriendin van Maria
5 Maria wil
6 Maria werkt liever

a in de zomer twee maanden.
b tijdens het jaar.
c eerst wat geld verdienen voordat ze op vakantie gaat.
d heeft aan haar gevraagd of ze samen met haar op vakantie wil.
e naar Spanje.
f wel op vakantie maar ze weet nog niet waar naartoe.

EXTRA VRAGEN
- Maria vraagt: "Bevalt je kamer een beetje?" Wat bedoelt ze?
- Saskia zegt: "Eindelijk op eigen benen!" Wat bedoelt ze?
- Maria zegt: "Ik moet de knoop nog doorhakken." Wat bedoelt ze?
- Maria zegt: "Dat lijkt me wel wat." Wat bedoelt ze?

12 ●● 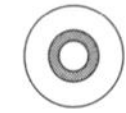

Personen en situatie
Aan het begin van een werkdag praten een paar collega's over het weer.

Opdracht 1: luister naar de tekst en beantwoord de vragen.
1 Wat voor weer is het vandaag? Kruis de juiste symbolen aan.
2 Wat voor weer was het vorige week?

Opdracht 2: praat met elkaar over het weer. U kunt de vragen van opdracht 1 gebruiken.

13 ●● 

Inleiding
In Maastricht hebben twee studenten een bedrijf opgezet dat zich richt op studenten en het bedrijfsleven. Berdu Fashion is opgezet door Raoul van Dun en Dirk van Oyen. U hoort een interview met hen.

Maak aantekeningen.
- Berdu Fashion verkoopt ______________ .
- Berdu Fashion maakt ______________ .
- Eerst hebben Dirk en Raoul ______________ .
- Daarna hebben ze ______________ .
- Opleidingen van Dirk: (1e antwoord) ______________ en
  Raoul (2e antwoord) ______________ .
- Taakverdeling:
  Raoul (ik): ______________ .
  Dirk: ______________ .
- Nodig voor succes ______________ , ______________ en ______________ .

PROSODIE

14 

Luister en zeg na. Let vooral op de intonatie!

Voorbeeld

- • Wat doe jij voor de kost?
- \- Ik? Ik ben leraar in het basisonderwijs.
- • Hé wat toevallig! Ik ben ook leraar. Maar niet in het basisonderwijs.

- • Wat doe jij voor de kost?
- \- Ik? Ik ben verpleegster in de thuiszorg.
- • ______________________ .
- • Wat doe jij voor de kost?
- \- Ik? Ik ben telefoniste bij een reisbureau.
- • ______________________ .
- • Wat doe jij voor de kost?
- \- Ik? Ik ben secretaresse in een ziekenhuis.
- • ______________________ .
- • Wat doe jij voor de kost?
- \- Ik? Ik ben cassière in een supermarkt.
- • ______________________ .
- • Wat doe jij voor de kost?
- \- Ik? Ik ben verkoopster in een groentewinkel.
- • ______________________ .

15 

Luister goed. Hoort u belangstelling of verbazing in de stem van de spreker?

	BELANGSTELLING	VERBAZING
1 Bent u leraar?	x	
2 Bent u verpleegkundige?		
3 Ben jij postbode?		
4 Bent u arts?		
5 Ben jij chauffeur?		
6 Bent u arts?		
7 Ben jij receptioniste?		
8 Bent u chauffeur?		
9 Bent u dirigent?		
10 Bent u schoenmaker?		
11 Ben jij dirigent?		
12 Ben jij leraar?		

16 ●●

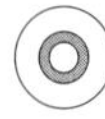

Luister goed. Zet een x in de goede kolom.
Eerst drie voorbeelden:

	VRAAG	VERBAZING	NEUTRALE BEVESTIGING
1 Wat is uw beroep? *Leraar*	x		
2 Waar werkt u? *In een ziekenhuis*		x	
3 Wat is uw beroep? *Boer*			x
4 Wanneer begin je? *Volgende week*			
5 Waar werkt u? *In Leiden*			
6 Waar werkt u? *In een ziekenhuis*			
7 Hoeveel kost dat? *Tweehonderd euro*			
8 Waar werkt u? *In Italië*			
9 Wat studeer je? *Spaans*			
10 Wanneer kunt u beginnen? *Volgende week*			
11 Waar werk je? *In Nederland*			
12 Wat is uw beroep? *Boer*			
13 Ga je daar nooit meer werken? *Nooit meer*			
14 Hoeveel krijgt u van mij? *Tweehonderd euro*			
15 Wat ga je studeren? *Spaans*			

17 ●●

Luister naar de docent.

SPREKEN

18 ●●

Beroepen raden

U krijgt informatie van uw docent.

SCHRIJVEN

19 ●

Maak de zinnen compleet.

1. Toen ik vorige week terugkwam van vakantie, ______________.
2. Omdat ______________, zijn we verhuisd naar Amsterdam.
3. De student heeft hard gestudeerd voor het examen, maar ______________.
4. Als u een andere baan zoekt, ______________.
5. Ik voel me al een paar dagen ziek. De dokter heeft gezegd dat ______________.
6. Naar sport kijken op televisie vind ik leuker dan ______________.
7. Het is vandaag heel mooi weer, daarom ______________.
8. Als u ______________, bent u in tien minuten op het station.
9. Een paar jaar geleden ______________.
10. Omdat ik een nieuwe baan heb ______________.

20 ●

- Waar wilt u het liefst werken, in een kantoor of in een winkel? Noem voordelen en nadelen.
- Waarmee werkt u liever, met mensen of met computers? Waarom?
- Welk beroep lijkt u absoluut niet leuk? Waarom niet?
- Kunt u met uw opleiding in Nederland werken? Waarom wel/niet?

LEZEN

21 ●

Lees de volgende tekst.

Uitzendbureau voor anderstaligen

Er zijn mensen die zeven talen spreken maar geen Nederlands en toch vrijwel kansloos zijn op de arbeidsmarkt. Zolang ze gebrekkig Nederlands spreken en schrijven worden buitenlanders bij uitzendbureaus niet eens ingeschreven, al nemen ze nog zulke mooie diploma's mee. Maar via Undutchables maken ze een goede kans op een baan: in hun eigen taal. Want er is een groeiende behoefte aan anderstaligen in het bedrijfsleven: Native Speakers. Als je als bedrijf je klanten in hun moedertaal te woord kunt staan, geldt dat als het toppunt van service. Daarom richtten Ilse Visser (27) en Judith van de Klundert (29) het uitzend-, wervings- en selectiebureau Undutchables op. Undutchables is een samentrekking van undutch (niet- Nederlands) en able (capabel). Het is een naam die goed blijft

hangen. En werkzoekenden vinden hem leuk, zegt Visser.
Ze begonnen op een zolderkamertje met een startkapitaal van tienduizend gulden en een lening van de bank. Inmiddels heeft Undutchables zes personeelsleden en twee kantoren: in Amsterdam en in Rotterdam.
Undutchables heeft inmiddels tweehonderd vaste klanten. In de kaartenbak staan vier à vijf werkzoekenden. Gemiddeld duurt het drie maanden voordat de kandidaat aan de slag kan. Soms lukt het in één dag!
In Nederland wonen relatief veel Engelsen, Amerikanen, Skandinaviërs, Spanjaarden, Duitsers, Fransen, Belgen en Italianen. Meestal gaat het om mensen die met een Nederlander of Nederlandse gaan samenwonen of trouwen, is de ervaring van Visser.
"Het gemiddelde opleidingsniveau van de kandidaten is hoog, gemiddeld HBO-niveau. En wij bemiddelen vooral voor banen waarbij taal een grote rol speelt: kantoorbanen dus.
Vooral voor buitenlanders is het vinden van een baan -in hun eigen taal nota bene- ontzettend belangrijk. De eerste drie maanden hebben ze het erg naar hun zin in Nederland - de honeymoonfase noemen we dat - maar daarna beginnen de problemen. De taal is moeilijk te leren. Ze hebben weinig contacten buiten hun partner om. En als je zonder werk en zonder vrienden de hele dag thuis zit in het natte Amsterdam, ben je ontzettend gemotiveerd om te werken.
Als wij een baan voor ze gevonden hebben, zijn ze niet meer bij zo'n bedrijf weg te slaan. Het is natuurlijk heerlijk als je in het buitenland nog eens je eigen taal kunt spreken."

Naar: 'Spreken in je moerstaal staat voor service.' De Volkskrant.

VRAGEN

Uitzendbureau voor anderstaligen

1 Sommige mensen spreken misschien wel zeven talen, en toch zijn ze kansloos op de arbeidsmarkt. Waarom? ______________________.
2 Waarom maken deze mensen via het uitzendbureau Undutchables wel kans op een goede baan? ______________________.
3 Undutchables is heel klein begonnen, op een zolderkamertje. Hoe is de situatie nu? ______________________.
4 Hoe lang duurt het voordat iemand via Undutchables een baan vindt? ______________________.
5 Veel klanten van Undutchables komen uit West-Europa of Amerika. Wat is de reden voor de meesten van hen dat ze in Nederland zijn, en hoe is hun opleidingsniveau? ______________________.
6 Wat is een groot voordeel voor buitenlanders als ze een baan vinden via Undutchables? ______________________.

EXTRA VRAGEN

1 Hebt u een baan (gehad) in een land waarvan u de taal niet kent?
2 Herkent u de gevoelens die de dame van het uitzendbureau 'de honeymoonfase' noemt?
3 En de problemen die zij daarna noemt: de taal te moeilijk, weinig contacten, zonder werk, zonder vrienden, de hele dag thuis ...

Bronvermelding

Tenzij anders vermeld zijn de illustraties in deze editie van Help! 1 van de hand van Kees Bok.

Les 1 Basis

2a Frans Hals, Portretten van Nicolaes Woutersz. van der Meer en Cornelia Claesdr. Vooght, Frans Hals-museum.
2b Frans Hals, Maritge Vooght Claesdr., Rijks-museum.
2c Johannes Cornelisz. Verspronck, De regentessen van het St. Elisabeth Gasthuis, Frans Hals Museum (bruikleen van Stichting Elisabeth van Thüringen Fonds).
2d Frans Hals, De regenten van het St. Elisabeth Gasthuis, Frans Hals Museum (bruikleen van Stichting Elisabeth van Thüringen Fonds).
2e Vincent van Gogh, Studies van een naakt, zittend kind, Van Gogh Museum.
2f Vincent van Gogh, Portret van Camille Roulin, Van Gogh Museum.

Les 3 Oefeningen

31 'De NachtIntercity comfortabel 's nachts naar huis'. Naar: folder Nederlandse Spoorwegen.

Les 4 Oefeningen

21 Menukaart café-restaurant Lofen.
25 Advertenties uit Uitloper Utrecht.
26 Fragment van Overzicht feest- en gedenkdagen van minderheden in Nederland 1998, Nederlands Centrum Buitenlanders.

Les 6 Oefeningen

20 Geboortekaartje met dank aan de familie, rouw-advertentie is gefingeerd.

Les 7 Oefeningen

17 Voedingswijzer, Voedingscentrum (voorheen Voorlichtingsbureau voor de Voeding).

Les 8 Oefeningen

8 Tekst en foto's: Catalogus Ikea 1998.
23 Vincent van Gogh, Vincents slaapkamer in Arles, Van Gogh Museum.

Les 9 Oefeningen

20 'Vandaag is haar laatste werkdag', advertentie Novib.

Les 10 Basis

4 'Mijn vrije tijd bepaal ik zelf', advertentie Nivon.

Les 10 Oefeningen

24 Folder nationaal park De Hoge Veluwe en Museum Kröller-Müller, 1995.
25 Tekst en tekening: Vademecum 97-98, Universiteit Utrecht.

Les 12 Oefeningen

22 'Gouden Palm voor Griekse film', 'Blokkades op Franse snelwegen', 'Rutger Kopland krijgt poëzieprijs', 'Hockeyvrouwen in halve finale', 'Grootste groei sinds 1990'. Uit: NRC Handelsblad.
23 'Vliegtuigje stort neer; vier doden', 'Componist Ton Bruynèl overleden', 'Grootste explosie na oerknal in Grote beer'. Uit: Utrechts Nieuwsblad.
24 'Wie kent dit gezelschap? 'Anky' was oogappeltje van Britse Harry'. Naar: Zondagskrant Nijmegen, 26 april 1998.

Les 13 Basis

3 'Open Huis'. Uit: Folder gemeente Nijmegen.

Les 13 Oefeningen

24 'Burgerzaken Utrecht'. Naar: internetpagina gemeente Utrecht www.utrecht.nl.

Les 14 Oefeningen

17 'Wat heb ik? De griep-of-verkoudheid-test'. Uit: Zondagskrant Nijmegen.
22 Verpakkingen Nysileen, Paracetamol en Trachitol.

Les 15 Oefeningen

21 'Amsterdam, een korte geschiedenis'. Naar: internetpagina gemeente Amsterdam www.amsterdam.nl.
22 'Amsterdam Monumenten'. Internetpagina gemeente Amsterdam www.amsterdam.nl.